UTOPIA PARA REALISTAS

"Bregman nos mostra que estamos olhando para o mundo pelo lado do avesso. Se virarmos para o lado certo, enxergaremos maneiras fundamentalmente novas de ir adiante. Se conseguirmos fazer muita gente ler este livro, o mundo começará a se tornar um lugar melhor." — **Richard Wilkinson**, professor de epidemiologia social na Universidade de Nottingham e coautor de *O nível: Por que uma sociedade mais igualitária é melhor para todos*

"O aprendizado a partir da história e de ciências sociais atualizadas pode estilhaçar ilusões debilitantes. Pode transformar propostas supostamente utópicas em soluções sensatas. Pode nos tornar capazes de encarar o futuro com um entusiasmo sem precedentes. Para saber como, leia este livro incrivelmente bem escrito, otimista e perspicaz." — **Philippe van Parijs**, professor da Universidade Harvard e cofundador da Basic Income Earth Network

"Rutger Bregman faz parte da nova geração de pensadores que sugere alternativas empolgantes para as ortodoxias dos últimos 40 anos. Neste livro surpreendente, o autor explora ideias simples porém brilhantes para tornar o mundo melhor." — **Brian Eno,** produtor musical e ativista

"Uma convocação corajosa ao pensamento utópico e a um mundo sem trabalho — algo mais do que nunca necessário numa era de derrotismo e falta de ambição. Altamente recomendado!" — **Nick Srnicek,** professor de economia digital na King's College e coautor de *Inventing the Future: Postcapitalism and a World Without Work*

"Uma leitura excelente e provocadora, cheia de histórias bem contadas." — **Tim Harford,** autor de *O economista clandestino* e colunista do *Financial Times*

"O impacto deste livro na Holanda tem sido enorme. Rutger Bregman não só lançou um debate altamente bem-sucedido e duradouro na mídia, como também inspirou um movimento em todo o país, que está colocando suas ideias em prática. Agora é a vez do resto do mundo." — **Joris Luyendijk,** jornalista e autor de *Swimming with Sharks: My Journey into the World of the Bankers*

"Um maravilhoso chamado ao pensamento utópico sobre renda básica e jornada de trabalho, além de um antídoto bem-vindo ao pessimismo envolvendo robôs que roubam nossos empregos." — **Charles Kenny,** pesquisador sênior do Centro para o Desenvolvimento Global e autor de *The Upside of Down: Why the Rise of the Rest is Good for the West*

"Um sopro de ar fresco. *Utopia para realistas* explica que todos nós sofremos porque esquecemos como sonhar com um mundo melhor." — **Matt Taibbi,** *Rolling Stone*

"Rutger Bregman demonstra tanto um conhecimento profundo da história e dos aspectos técnicos da renda básica quanto a habilidade de discutir isso de forma significativa e cativante, mesmo para as pessoas que estão lendo sobre esse tema pela primeira vez." — **Karl Widerquist,** professor na SFS-Qatar da Universidade Georgetown e codiretor da Basic Income Earth Network

"*Utopia para realistas* é um livro importante, uma janela escancarada para um futuro melhor. Enquanto políticos e economistas perguntam como aumentar a produtividade, assegurar emprego em larga escala e diminuir o tamanho do Estado, Bregman indaga: o que realmente faz a vida valer a pena e como podemos alcançar isso? As respostas, como podemos ver, já estão aqui e Bregman combina uma pesquisa profunda com inventividade, desafiando-nos a pensar de maneira nova sobre como queremos viver e quem queremos ser. Leitura obrigatória." — **Philipp Blom,** historiador e autor de *Os anos vertiginosos: mudança e cultura no Ocidente 1900-1914*

"Se energia, entusiasmo e aforismo pudessem tornar o mundo melhor, então este livro de Rutger Bregman conseguiria isso. Uma leitura exuberante e espirituosa." — ***The Independent***

"Bregman fala com uma autoridade impressionante. Suas soluções são bastante simples e firmes contra as tendências atuais. Ele reuniu uma riqueza de evidências empíricas para apresentar seu argumento, mas *Utopia para realistas* não é uma análise estatística árida, e sim um livro escrito com entusiasmo, inteligência e imaginação. O efeito é encantadoramente persuasivo, mesmo quando você não consegue acreditar no que está lendo." — **Andrew Anthony,** *The Guardian UK*

UTOPIA PARA REALISTAS

COMO CONSTRUIR UM MUNDO MELHOR

RUTGER BREGMAN

Título original: *Utopia for Realists*

Copyright © 2016 por Rutger Bregman
Copyright da tradução © 2018 por GMT Editores Ltda.
Todos os direitos reservados. Nenhuma parte deste livro
pode ser utilizada ou reproduzida sob quaisquer meios existentes
sem autorização por escrito dos editores.
Utopia for Realists se originou no *The Correspondent*, seu antídoto para
a realidade maçante das notícias diárias: www.correspondent.com.

tradução: Leila Couceiro
preparo de originais: Raphani Margiotta
revisão: Luis Américo Costa e Tereza da Rocha
diagramação e adaptação de capa: Ana Paula Daudt Brandão
infográficos: Monkai
capa: David Mann
impressão e acabamento: Associação Religiosa Imprensa da Fé

CIP-BRASIL. CATALOGAÇÃO NA PUBLICAÇÃO
SINDICATO NACIONAL DOS EDITORES DE LIVROS, RJ

B84u   Bregman, Rutger
             Utopia para realistas/ Rutger Bregman; tradução de Leila
         Couceiro. Rio de Janeiro: Sextante, 2018.
             256 p.: il.; 16 x 23 cm.

             Tradução de: Utopia for realists
             ISBN 978-85-431-0653-3

             1. Utopias. 2. Mudança social. 3. Renda - Distribuição. 4.
         Economia. I. Couceiro, Leila. II. Título.

18-51228   CDD: 339
                                                      CDU: 330.564

Todos os direitos reservados, no Brasil, por
GMT Editores Ltda.
Rua Voluntários da Pátria, 45 – Gr. 1.404 – Botafogo
22270-000 – Rio de Janeiro – RJ
Tel.: (21) 2538-4100 – Fax: (21) 2286-9244
E-mail: atendimento@sextante.com.br
www.sextante.com.br

Um mapa-múndi que não inclua a Utopia
nem vale a pena ser visto, pois deixa de fora o único
país onde a Humanidade está sempre aportando.
E quando a Humanidade chega lá, olha para
o horizonte e, ao avistar outro país melhor, parte.
O progresso é a realização de Utopias.

Oscar Wilde (1854-1900)

Sumário

1. O retorno da Utopia   9
2. Por que devemos distribuir dinheiro para todos   29
3. O fim da pobreza   49
4. A história bizarra do presidente Nixon e seu projeto de renda básica   71
5. Novos números para uma nova era   89
6. Uma jornada semanal de 15 horas   111
7. Por que não vale a pena trabalhar em banco   133
8. Competindo com as máquinas   153
9. Além dos portões da Terra da Abundância   175
10. Como ideias mudam o mundo   201

Epílogo   217

Notas   227

Agradecimentos   255

I

O retorno da Utopia

Vamos começar com uma pequena lição de história: no passado, tudo era muito pior.

Durante cerca de 99% da história do mundo, 99% da humanidade era composta de pobres, famintos, sujos, aterrorizados, estúpidos, doentes e feios. Até pouco tempo atrás, no século XVII, o filósofo francês Blaise Pascal (1623-1662) descrevia a vida como um gigantesco vale de lágrimas. "A grandeza da humanidade é reconhecer a própria miséria", escreveu ele. Na Grã-Bretanha, o também filósofo Thomas Hobbes (1588-1679) concordava que a vida humana era basicamente "solitária, pobre, cruel, bruta e curta".

Nos últimos 200 anos, no entanto, tudo mudou. Em apenas uma fração do tempo em que nossa espécie vive neste planeta, de repente bilhões de nós se tornaram ricos, bem nutridos, limpos, seguros, inteligentes, saudáveis e por vezes até bonitos. Enquanto 84% da população mundial ainda viviam na extrema pobreza em 1820, em 1981 essa porcentagem caiu para 44% e hoje, poucas décadas depois, está abaixo de 10%.[1]

Se essa tendência se mantiver, a pobreza extrema, que era uma característica perene da vida, em breve poderá ser erradicada para sempre. Mesmo aqueles que ainda são considerados pobres irão usufruir de uma abundância sem precedentes na história. Na Holanda – país onde vivo –, uma pessoa sem teto que recebe assistência pública hoje dispõe de mais dinheiro para gastar que o holandês médio em 1950 e quatro vezes mais que seu povo na gloriosa Idade do Ouro holandesa, quando o país ainda dominava os sete mares.[2]

FIGURA I   Dois séculos de progresso extraordinário

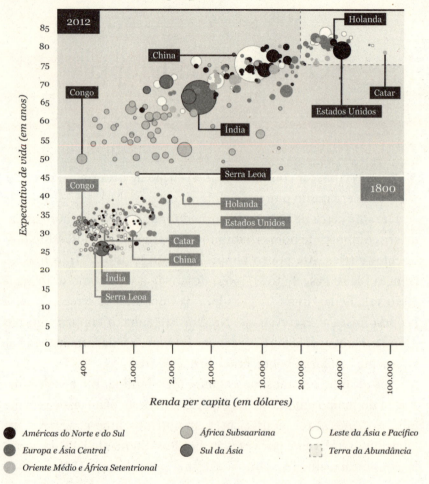

Este é um diagrama que precisa de um tempo para ser absorvido. Cada círculo representa um país. Quanto maior o círculo, maior a população. A seção inferior mostra os países no ano 1800; a do alto mostra os mesmos países em 2012. Em 1880, a expectativa de vida mesmo nos países mais ricos (por exemplo, Holanda e Estados Unidos) ainda era menor que a do país com o índice de saúde mais baixo em 2012 (Serra Leoa). Ou seja, em 1880, todos os países eram pobres tanto em riqueza quanto em saúde, enquanto hoje mesmo a África Subsaariana ultrapassa os países mais ricos de 1880 (apesar de a renda da população do Congo ter mudado pouquíssimo nos últimos 200 anos). De fato, cada vez mais países estão chegando à "Terra da Abundância", no topo à direita do diagrama, onde a renda anual média agora supera 20 mil dólares e a expectativa de vida é de mais de 75 anos.

Fonte: Gapminder.org.

Durante séculos, quase nada mudou. É claro que houve acontecimentos suficientes para que os livros de história fossem preenchidos, mas a vida não estava exatamente melhorando. Se você colocasse um camponês italiano de 1300 numa máquina do tempo e o transportasse para a Toscana de 1870, ele mal notaria a diferença.

Historiadores estimam que a renda anual média na Itália por volta do ano 1300 era em torno de 1.600 dólares. Cerca de 600 anos depois – após Colombo, Galileu, Newton, Revolução Industrial, Reforma, Iluminismo, invenções da pólvora, da imprensa e da locomotiva a vapor – a renda anual era... ainda de 1.600 dólares.[3] Seis séculos de civilização e o italiano médio continuava basicamente na mesma situação em que sempre esteve.

Foi somente em torno de 1880, nos anos em que Alexander Graham Bell inventou o telefone, Thomas Edison patenteou a lâmpada, Carl Benz estava ajustando seu primeiro carro e Josephine Cochrane ruminava o que poderia ser a ideia mais brilhante de todas – a lava-louça –, que o camponês italiano engrenou no progresso. E que jornada incrível tem sido! Os últimos dois séculos viram um crescimento explosivo tanto em população quanto em prosperidade no mundo todo. A renda per capita hoje é 10 vezes maior que em 1850. O italiano médio é 15 vezes mais rico que em 1880. E a economia global? Agora é 250 vezes maior do que era antes da Revolução Industrial – quando quase todos, em todo lugar, ainda eram pobres, famintos, sujos, aterrorizados, estúpidos, doentes e feios.

A UTOPIA MEDIEVAL

O passado era certamente um lugar brutal, então é lógico que as pessoas sonhassem com o dia em que as coisas seriam melhores.

Um dos sonhos mais vívidos era o da terra do leite e mel, conhecida como Cocanha. Para se chegar lá, era preciso comer uns 5 quilômetros de arroz-doce no caminho. Mas valia o esforço, porque, ao chegar à Cocanha, a pessoa depararia com vinho correndo nos rios, gansos assados voando, panquecas brotando em árvores e tortas e doces caindo do céu. Fazendeiros, artesãos e padres seriam todos iguais e relaxariam juntos ao sol.

Na Cocanha, a Terra da Abundância, as pessoas nunca brigariam. Em vez disso, estariam sempre em festa, dançando, bebendo e transando com quem bem entendessem.

"Para a mente medieval", escreve o historiador holandês Herman Pleij, "a Europa Ocidental hoje chega muito perto de ser uma verdadeira Cocanha. Há comida fast-food disponível a qualquer hora do dia, aquecimento e refrigeração nas casas, renda sem trabalho e cirurgia plástica para prolongar a juventude."[4] Nos dias de hoje, há mais gente em todo o mundo sofrendo de obesidade que de fome.[5] Na Europa Ocidental, a taxa de assassinatos é 40 vezes menor, em média, do que na Era Medieval e, se você tiver o passaporte certo, sua rede de segurança social está garantida.[6]

Talvez este também seja nosso maior problema: hoje, o antigo sonho medieval da utopia está esvaziado. Claro, poderíamos até aumentar um pouco mais o consumo e ter um pouco mais de segurança – mas os efeitos adversos nas formas de poluição, obesidade e falta de privacidade no estilo Big Brother são cada vez mais ameaçadores. Para o sonhador medieval, a Terra da Abundância era um paraíso de fantasia – "Uma fuga do sofrimento terreno", nas palavras de Herman Pleij. Mas, se aquele camponês italiano de 1300 pudesse ver e descrever o mundo moderno, a primeira coisa que lhe viria à cabeça seria, sem dúvida, a Cocanha.

De fato, estamos vivendo numa era em que profecias bíblicas estão se tornando realidade. O que teria parecido milagroso na Idade Média agora é normal: cegos que voltam a enxergar, aleijados que podem andar e mortos que voltam a viver. Considere o exemplo do Argus II, um implante cerebral que restaura parte da visão em pessoas com distúrbios genéticos nos olhos. Ou do Rewalk, um par de pernas robóticas que permite a paraplégicos voltarem a andar. Ou do Rheobatrachus, uma espécie de rã que se tornou extinta em 1983 mas, graças a cientistas australianos, foi literalmente trazida de volta à vida por meio de seu DNA antigo. O tigre-da-tasmânia é o próximo na lista de desejos desses pesquisadores, cujo trabalho faz parte do Projeto Lázaro (uma referência à história do homem ressuscitado por Jesus no Novo Testamento).

Enquanto isso, a ficção científica está se tornando fato científico. Os primeiros carros autônomos já estão nas ruas. Agora mesmo, impressoras 3D estão reproduzindo estruturas completas de células embrionárias e pessoas que tiveram membros amputados estão comandando braços robóticos com sua mente a partir de chips implantados no cérebro. Outro fato interessante: desde 1980, o preço de 1 watt de energia solar despencou 99% – é isso mesmo que você leu. Se tivermos sorte, impressoras 3D e painéis solares ainda poderão tornar o ideal de Karl Marx (todos os meios de produção controlados pelas massas) realidade, tudo isso sem necessidade de uma revolução sangrenta.

Durante muito tempo, a Terra da Abundância era reservada apenas a uma pequena elite no rico Ocidente. Esses dias acabaram. Desde que a China se abriu ao capitalismo, 700 milhões de chineses foram retirados da extrema pobreza.[7] A África também está rapidamente desfazendo sua reputação como área de devastação econômica: o continente hoje abriga seis das 10 economias que crescem mais rápido no mundo.[8] Em 2013, 6 bilhões dos 7 bilhões de habitantes do planeta já possuíam telefone celular. (Em comparação, apenas 4,5 bilhões tinham vaso sanitário em casa.)[9] E entre 1994 e 2014 o número de pessoas com acesso à internet no mundo saltou de 0,4% para 40,4%.[10]

Também no quesito saúde – talvez a maior promessa da Terra da Abundância – o progresso moderno superou até as fantasias mais ousadas de nossos ancestrais. Enquanto os países ricos têm que se contentar com a adição semanal de mais um fim de semana à expectativa de vida média, a África está ganhando quatro dias por semana.[11] No mundo todo, a expectativa de vida subiu de 64 anos em 1990 para 70 anos em 2012 – mais que o dobro do que era em 1900.[12]

Menos gente está passando fome também. Na nossa Terra da Abundância, talvez não possamos apanhar gansos assados que caem do céu, mas o número de pessoas desnutridas encolheu mais de um terço desde 1990. A porcentagem da população mundial que sobrevive com menos de 2 mil calorias diárias caiu de 51% em 1965 para 3% em 2005.[13] Mais de 2,1 bilhões de pessoas finalmente tiveram acesso a água potável entre 1990 e 2012. Nesse mesmo período, o número de crianças com crescimento prejudicado pela desnutrição caiu um terço, a mortalidade infantil teve uma queda incrível de 41% e a mortalidade materna foi reduzida à metade.

E quanto às doenças? A temida varíola, assassino em massa número 1 da história, foi erradicada por completo. A poliomielite praticamente desapareceu, fazendo 99% menos vítimas em 2013 do que em 1988. Ao mesmo tempo, mais e mais crianças estão sendo imunizadas contra doenças que costumavam ser comuns. A taxa mundial de vacinação contra o sarampo, por exemplo, saltou de 16% em 1980 para 85% hoje, enquanto o número de mortes foi reduzido em mais de 75% entre 2000 e 2014. Desde 1990, a taxa de mortalidade por tuberculose caiu para quase a metade. Desde 2000, o número de mortes por malária decresceu 25%, a mesma queda nas mortes por aids desde 2005.

Alguns desses números parecem bons demais para serem verdade. Por exemplo, há 50 anos, uma em cada cinco crianças morria antes de completar 5 anos. Hoje, a média é de uma em 20. Em 1836, o homem mais rico do mundo, Nathan Meyer Rothschild, morreu por falta de antibióticos. Em décadas recentes, vacinas baratíssimas contra sarampo, tétano, coqueluche, difteria e pólio salvam mais vidas a cada ano do que a paz mundial teria salvado em todo o século XX.[14]

Obviamente, ainda há muitas outras doenças a serem curadas – o câncer, por exemplo –, mas estamos fazendo avanços também nessa frente. Em 2013, o conceituado periódico *Science* publicou um artigo sobre uma nova técnica que utiliza o sistema imunológico para combater tumores, considerada a grande descoberta científica daquele ano. Também em 2013, houve a primeira tentativa bem-sucedida de clonar células-tronco humanas, um desenvolvimento promissor para o tratamento de doenças mitocondriais, inclusive uma forma de diabetes.

Alguns cientistas chegam a afirmar que a primeira pessoa que irá viver até os 1.000 anos já nasceu.[15]

FIGURA 2   A vitória das vacinas

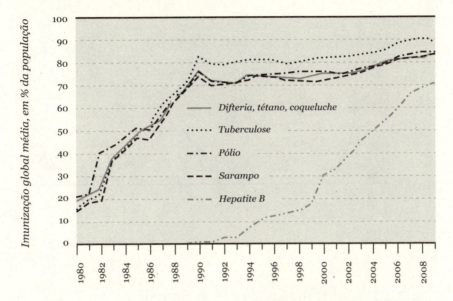

Fonte: Organização Mundial da Saúde.

E nesse tempo todo estamos ficando cada vez mais inteligentes. Em 1962, cerca de 41% das crianças não iam à escola, em comparação com 10% hoje.[16] Na maioria dos países, o QI médio sobe de três a cinco pontos a cada 10 anos, graças principalmente a melhorias na nutrição e na educação. Talvez isso também explique como estamos nos tornando mais civilizados – a última década foi considerada a mais pacífica de toda a história do mundo. De acordo com o Instituto de Pesquisas de Paz, em Oslo, o número de mortes em guerras por ano despencou 90% desde 1946. A incidência de assassinatos, roubos e outras formas de criminalidade também está caindo.

"O mundo desenvolvido está vendo cada vez menos crimes", escreveu a revista The Economist recentemente. "Ainda há criminosos, mas o número está diminuindo e eles estão envelhecendo."[17]

FIGURA 3   Guerras estão em declínio

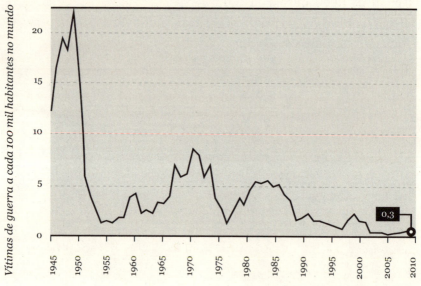

Fonte: Instituto de Pesquisas de Paz, em Oslo.

Um paraíso desolador

Bem-vindo, em outras palavras, à Terra da Abundância.

À boa vida, em que quase todos são ricos, seguros e saudáveis. Em que só falta uma coisa: uma razão para levantar da cama de manhã. Porque, afinal, você não tem como melhorar muito o paraíso. Em 1989, o filósofo americano Francis Fukuyama já observara que chegamos a uma era em que a vida se reduz a "cálculos econômicos, constantes tentativas de resolver problemas técnicos, preocupações ambientais e a satisfação de exigências sofisticadas de consumidores".[18]

Aumentar nosso poder de compra em mais um ponto percentual, ou eliminar um pouco a emissão de carbono, talvez um novo aparelho eletrônico – é mais ou menos até aí que estendemos nossa visão. Vivemos numa era de riqueza e excesso, mas como isso é desolador! "Não há arte ou filosofia", diz Fukuyama. Tudo que resta é "tomar conta perpetuamente do museu da história humana".

De acordo com Oscar Wilde, ao alcançar a Terra da Abundância, deveríamos mais uma vez fixar o olhar no ponto mais longínquo do horizonte e novamente levantar velas e zarpar. "O progresso é a realização das Utopias", escreveu. Mas o horizonte ao longe permanece um mistério, um espaço a ser preenchido. A Terra da Abundância está envolta em névoas. Precisamente quando deveríamos estar assumindo a histórica tarefa de investir mais sentido nesta existência rica, segura e saudável, estamos, em vez disso, enterrando a utopia. Não há um novo sonho para substituí-la porque não conseguimos imaginar um mundo melhor do que este que temos agora. De fato, a maioria das pessoas nos países ricos acredita que as crianças de hoje terão uma vida *pior* que a de seus pais.[19]

Mas a verdadeira crise do nosso tempo, da minha geração, não é não termos uma vida boa, ou mesmo que ela possa piorar mais tarde.

Não. A verdadeira crise é que não conseguimos ter ideia de como seria um mundo melhor.

O PROJETO

Este livro não é uma tentativa de prever o futuro.

É uma tentativa de libertar o futuro. De abrir escancaradamente as janelas da nossa mente. Claro, as utopias sempre dizem mais sobre o tempo em que foram imaginadas do que sobre o que está de fato à nossa espera. A Terra da Abundância utópica nos diz mais sobre como era a vida na Idade Média: miserável. Ou melhor, que as vidas de quase todos em todos os lugares era quase sempre miserável. Afinal, toda cultura tem a própria variação do mito da Terra da Abundância.[20]

Desejos simples geram utopias simples. Se você tem fome, seu sonho é um farto banquete. Se tem frio, sonha com uma lareira aconchegante. Quem enfrenta diversas enfermidades sonha com a juventude eterna. Todos esses desejos eram refletidos nas antigas utopias, concebidas quando a vida ainda era cruel, bruta e curta. "A terra não produzia nada ameaçador, nenhuma doença", fantasiava o poeta grego no século V a.C., e qualquer coisa que alguém precisasse simplesmente apareceria do nada. "Em todos os leitos de córregos corria vinho… Peixes chegavam até a sua casa, assavam a si próprios e depois iam direto para a mesa."[21]

Mas, antes de prosseguirmos, vamos primeiro distinguir entre duas formas de pensamento utópico.[22] A primeira é a mais familiar, a utopia de projeto ou de modelo. Grandes pensadores, como Karl Popper e Hannah Arendt, e até uma corrente inteira de filosofia, o pós-modernismo, buscaram virar do avesso esse tipo de utopia. Foram tão bem-sucedidos que ainda têm a última palavra nesse tipo de paraíso projetado.

Em vez de ideais abstratos, os projetos consistem em regras imutáveis que não toleram dissensão. Em seu livro *A cidade do sol* (1602), o poeta italiano Tommaso Campanella oferece um bom exemplo. Em sua utopia, ou melhor, distopia, a propriedade individual é estritamente proibida, todos são obrigados a amar todo mundo e o ato de brigar é punido com pena de morte. A vida privada é controlada pelo Estado, inclusive a procriação. Por exemplo, pessoas inteligentes só podem fazer sexo com pessoas estúpidas, e as gordas com as magras. Todos os esforços se concentram em se forjar um mediano favorável. Além disso, cada pessoa é monitorada por uma vasta rede de informantes. Se alguém cometer uma transgressão, o pecador é agredido verbalmente até se convencer da própria maldade e decidir se submeter a ser apedrejado pelos outros.

Como temos o benefício de poder analisar esse livro nos dias de hoje, em retrospectiva, qualquer um de nós pode ver nas ideias de Campanella traços assustadores de fascismo, stalinismo e genocídio.

FAZENDO AS PERGUNTAS CERTAS

Existe, no entanto, outra corrente de pensamento utópico que anda praticamente esquecida. Se o projeto é uma foto de alta resolução, esse outro tipo de utopia é apenas um esboço. Não oferece soluções;

sugere orientações. Em vez de nos forçar a vestir uma camisa de força, inspira-nos à mudança. E compreende que, como disse Voltaire, a perfeição é inimiga do bem. É como um filósofo americano observou: "Qualquer pensador utópico sério vai se sentir desconfortável diante da ideia de projeto, de modelo definido."[23]

Foi nesse espírito que o filósofo britânico Thomas More escreveu o livro sobre utopia (e cunhou o termo em si). Em vez de um modelo a ser aplicado de forma autoritária, sua utopia era, acima de tudo, uma denúncia da aristocracia gananciosa que exigia com avidez cada vez mais luxo, enquanto o restante da população vivia na extrema pobreza.

More considerava a utopia perigosa quando levada a sério demais. "É preciso acreditar apaixonadamente em algo, mas também ser capaz de enxergar o absurdo das próprias crenças e rir delas", observou Lyman Tower Sargent, filósofo e um dos maiores especialistas em utopia. Assim como o humor e a sátira, as utopias abrem as janelas da mente. E isso é vital. À medida que as pessoas e as sociedades vão envelhecendo, elas ficam acostumadas ao status quo, em que a liberdade pode se tornar uma prisão e a verdade pode se transformar em mentira. O credo moderno – ou pior, a crença em que não há mais nada em que se acreditar – impede-nos de enxergar a miopia e a injustiça que ainda nos cercam diariamente.

Eis alguns exemplos: por que estamos trabalhando cada vez mais, desde os anos 1980, apesar de estarmos mais ricos do que nunca? Por que milhões de pessoas ainda vivem na pobreza, quando temos riqueza suficiente para extinguir definitivamente esse mal? E por que mais de 60% de sua renda depende do país onde você teve o acaso de nascer?[24]

As utopias não oferecem respostas prontas, muito menos soluções. Mas elas, de fato, fazem as perguntas certas.

A destruição da grande narrativa

Hoje, infelizmente, mal começamos a sonhar e já acordamos. Segundo o clichê, sonhos arrumam um jeito de se transformar em pesadelos. Utopias são terreno fértil para discórdia, violência e até genocídio. Utopias acabam se tornando distopias; na verdade, a utopia é uma distopia. "O progresso humano é um mito", diz outro clichê. Mesmo assim, nós mesmos conseguimos construir o paraíso medieval.

É verdade, a história é cheia de formas assustadoras de projetos utópicos – fascismo, comunismo, nazismo –, assim como toda religião também originou seitas fanáticas. Mas, só porque um radical religioso incita violência deveríamos automaticamente condenar essa religião como um todo? Deveríamos parar de sonhar com um mundo melhor?

Não, claro que não. Mas é isso que está acontecendo. Otimismo e pessimismo se transformaram em sinônimos de confiança e de falta de confiança do consumidor, respectivamente. Ideias radicais sobre um mundo diferente se tornaram quase literalmente impensáveis. As expectativas do que nós, como sociedade, podemos atingir foram erodidas de forma drástica, deixando-nos com a dura e fria verdade de que, sem utopia, tudo que resta é a tecnocracia. A política está sendo diluída em mera questão de gerenciamento de problemas. Eleitores mudam seus votos de modo radical não porque os partidos são diferentes, mas porque é quase impossível distinguir uns dos outros, e o que hoje separa a direita da esquerda são um ou dois pontos percentuais na taxação do imposto de renda.[25]

Vemos isso no jornalismo, que retrata a política como uma competição em que o importante não são os ideais, mas a carreira. Vemos isso na área acadêmica, onde todos estão ocupados demais escrevendo para poder ler, ocupados demais publicando para debater. Na verdade, a universidade no século XXI lembra mais uma fábrica e isso também acontece com nossos hospitais, escolas e redes de televisão. O que importa é alcançar metas. Seja o crescimento da economia, da audiência, das publicações – pouco a pouco, a qualidade está sendo substituída pela quantidade.

E à frente de tudo isso está uma força chamada às vezes de "liberalismo", uma ideologia que foi praticamente esvaziada. O importante agora é apenas "ser você mesmo" e "fazer o que quer". A liberdade pode ser nosso ideal superior, mas nossa liberdade se tornou vazia. O medo de qualquer forma de moralização transformou a moralidade em tabu no debate público. Afinal, a arena pública deveria ser "neutra" – mesmo assim, ela nunca antes foi tão paternalista. Em cada esquina, somos incitados a nos embebedar, comer demais, pegar dinheiro emprestado, comprar, trabalhar duro, estressar-nos e fraudar. Podemos convencer a nós mesmos de que temos liberdade de expressão, mas nossos valores são suspeitamente próximos daqueles vendidos pelas empresas que podem pagar por anúncios no horário nobre.[26] Se um partido político ou uma seita religiosa tivessem sequer uma fração da influência que a indústria da publicidade tem sobre nós e nossos filhos, estaríamos protestando. Mas, como se trata do mercado, permanecemos "neutros".[27]

A única coisa que resta ao governo é remendar a vida no presente. Se você não está seguindo o modelo de um cidadão dócil e satisfeito, as autoridades terão o prazer de colocá-lo nos eixos. Seus métodos preferidos? Controle, vigilância e repressão.

Enquanto isso, o Estado do bem-estar social transfere cada vez mais o foco das causas de nossa insatisfação para os seus *sintomas*. Vamos ao médico quando estamos doentes, ao terapeuta quando estamos tristes, ao nutricionista quando estamos acima do peso, à prisão quando somos condenados, ao coach de carreira quando estamos desempregados. Todos esses serviços custam vastas somas de dinheiro, mas rendem poucos resultados. Nos Estados Unidos, onde o custo da saúde é o mais alto do planeta, a expectativa de vida para muitos está, na verdade, *diminuindo*.

Ao mesmo tempo, o mercado e os interesses comerciais estão aproveitando sua liberdade. A indústria alimentícia nos oferece lixo barato carregado de sal, açúcar e gordura, colocando-nos no caminho mais rápido para o médico e o nutricionista. O avanço da tecnologia está eliminando cada vez mais empregos, levando-nos de volta ao coach de carreira. E a publicidade nos incentiva a gastar mais dinheiro que não temos em porcarias de que não precisamos, a fim de impressionar pessoas que detestamos.[28] Depois, vamos chorar no ombro do nosso terapeuta.

É nessa distopia que vivemos hoje.

A geração mimada

Não é que nossa vida não seja boa. Longe disso. Na verdade, a geração atual é tão paparicada e protegida na infância que isso acaba se tornando um fardo. De acordo com Jean Twenge, psicóloga da Universidade Estadual de San Diego e responsável por pesquisas detalhadas sobre as atitudes dos jovens hoje e no passado, houve um aumento acentuado na autoestima de adolescentes desde os anos 1980. A geração mais jovem se considera mais inteligente, responsável e atraente do que nunca.

"Toda criança dessa geração já ouviu: você pode ser o que quiser, você é especial", explica Twenge.[29] Crescemos num regime constante de narcisismo, mas, assim que nos soltam neste mundo enorme de oportunidades ilimitadas, cada vez mais gente da nossa geração sofre com decepção e fracasso. O mundo, descobrimos, é frio e cruel, marcado por competição excessiva e desemprego. Não é uma Disneylândia onde você pode fazer um pedido a uma estrela e ver todos os seus sonhos se transformarem em realidade, mas sim uma selva de pedra onde você não pode culpar ninguém a não ser a si mesmo caso não obtenha sucesso na luta pela sobrevivência.

Não surpreende que esse narcisismo esconda um oceano de incerteza. Twenge também descobriu que todos nos tornamos muito mais medrosos nas últimas décadas. Ao comparar 269 estudos conduzidos entre 1952 e 1993, ela concluiu que a criança média na América do Norte no início dos anos 1990 era mais ansiosa que pacientes psiquiátricos no início dos anos 1950.[30] De acordo com a Organização Mundial da Saúde, a depressão se tornou o maior problema de saúde entre adolescentes e será a causa número 1 de doenças no mundo inteiro até 2030.[31]

É um círculo vicioso. Nunca houve tantos jovens atendidos por psiquiatras. Nunca houve tanta gente desistindo da carreira tão cedo. E também estamos tomando antidepressivos mais do que nunca. O tempo todo culpamos o indivíduo por problemas coletivos como desemprego, insatisfação e depressão. Se o sucesso é uma escolha, então o fracasso também é. Perdeu o emprego? Deveria ter trabalhado com mais afinco. Ficou doente? É porque seu estilo de vida não é saudável. Está infeliz? Tome um comprimido.

Nos anos 1950, apenas 12% dos jovens concordavam com a afirmação "Eu sou uma pessoa muito especial". Hoje, 80% concordam com isso,[32] quando na verdade estamos ficando cada vez mais parecidos uns com os outros. Todos lemos os mesmos best-sellers, assistimos aos mesmos filmes sucessos de bilheteria e usamos os mesmos tênis. Enquanto nossos avós ainda seguiam as regras impostas pela família, pela igreja e pelo país, nós somos modelados pela mídia, pela propaganda e por um Estado paternalista. Mas, embora estejamos nos tornando cada vez mais iguais, já passamos há muito da era dos grandes coletivos. O número de frequentadores de igrejas e associados a sindicatos caiu muito, e a linha tradicional que divide esquerda e direita faz muito menos sentido hoje. O que nos importa é somente "resolver problemas", como se a política pudesse ser terceirizada para consultores de gestão.

Claro, ainda há aqueles que tentam reviver a velha fé no progresso. Alguém se admira de que o arquétipo cultural da minha geração seja o nerd, cujos apps e gadgets eletrônicos simbolizam a esperança de crescimento econômico? "As melhores mentes da minha geração estão pensando em como fazer as pessoas clicarem em anúncios", lamentou recentemente um gênio da matemática que trabalhava para o Facebook.[33]

Para que não haja nenhum mal-entendido: foi o capitalismo que abriu os portões para a Terra da Abundância, mas o capitalismo sozinho não pode sustentá-la. O progresso virou sinônimo de prosperidade econômica, mas o século XXI nos desafia a encontrar outras formas de melhorar a qualidade de vida. E, enquanto grande parte dos jovens ocidentais cresceu numa era de tecnocracia apolítica, nós teremos que retornar à política mais uma vez para encontrar uma nova utopia.

Nesse sentido, a nossa insatisfação me anima, porque a insatisfação está muito distante da indiferença. A nostalgia geral, a saudade de um passado que nunca chegou a se realizar, sugere que ainda temos ideais, mesmo que os tenhamos enterrado vivos.

O verdadeiro progresso começa com algo que nenhuma economia do conhecimento pode produzir: sabedoria sobre o que significa viver bem. Temos que fazer o que grandes pensadores como John Stuart Mill, Bertrand Russell e John Maynard Keynes já defendiam 100 anos atrás: "Valorizar mais os fins do que os meios e preferir o bom ao útil."[34] Devemos direcionar nossa mente para o futuro. Parar de consumir a própria insatisfação por meio de pesquisas de opinião e da mídia com seu implacável ciclo de más notícias. Considerar alternativas e formar novos coletivos. Transcender esta atual mentalidade que nos limita e reconhecer nosso idealismo compartilhado.

Então talvez também sejamos capazes de olhar outra vez além de nós mesmos, em direção ao mundo. Lá veremos que o velho e bom progresso continua marchando sem parar. Veremos que vivemos numa era maravilhosa, um tempo de redução da fome e da guerra e de prosperidade e expectativa de vida crescentes. Mas também veremos quanto nós – os 10%, 5% ou 1% mais ricos – ainda precisamos fazer.

O RETORNO DA UTOPIA

É hora de retornar ao pensamento utópico.

Precisamos de uma nova estrela-guia, um novo mapa-múndi que mais uma vez inclua um continente distante e jamais demarcado – "Utopia". Mas não estou falando daqueles modelos rígidos que fanáticos utópicos tentavam nos empurrar com suas teocracias ou seus planos quinquenais – esses apenas tentam subordinar pessoas reais a sonhos delirantes. Considere o seguinte: a palavra *utopia* significa tanto "lugar bom" quanto "lugar nenhum". O que precisamos é de horizontes alternativos que ativem a imaginação. E digo horizontes no plural mesmo; afinal, utopias contraditórias são o sangue nas veias da democracia.

Como sempre, nossa utopia começará pequena. As fundações do que hoje chamamos de civilização foram construídas há muito tempo por sonhadores que marcharam no próprio ritmo em vez de seguir os demais. O monge espanhol Bartolomeu de Las Casas (1484-1566) defendia a igualdade entre os colonizadores e os habitantes nativos da América Latina e tentou fundar uma colônia onde todos levariam uma vida confortável. O dono de fábrica Robert Owen (1771-1858) era a favor da emancipação dos trabalhadores britânicos e administrava uma bem-sucedida tecelagem de algodão, onde empregados recebiam um salário justo e qualquer castigo corporal era proibido. E o filósofo John Stuart Mill (1806-1873), em sua época, já acreditava que mulheres e homens eram iguais. (Isso talvez tenha a ver com o fato de que sua mulher redigira metade de sua obra.)

No entanto, uma coisa é certa: sem todos esses sonhadores ao longo de diferentes eras, nós ainda seríamos pobres, famintos, sujos, aterrorizados, estúpidos, doentes e feios. Sem utopia, ficamos perdidos. Não é que o presente seja ruim; pelo contrário. Entretanto, o mundo é sombrio quando não temos mais esperança de algo melhor. "O homem precisa, para sua felicidade, não só ter prazer com isso ou aquilo, mas também esperança, iniciativa e mudança",[35] escreveu o filósofo Bertrand Russell. Em outro texto ele acrescentou: "Não é uma Utopia finalizada que devemos desejar, mas sim um mundo onde a imaginação e a esperança estejam vivas e ativas."[36]

Dinheiro é melhor que pobreza,
pelo menos por razões financeiras.

Woody Allen (n. 1935)

2

Por que devemos distribuir dinheiro para todos

Londres, maio de 2009 – uma experiência está em curso. Os participantes do estudo: 13 homens sem-teto, veteranos das ruas. Alguns deles dormem nas calçadas frias da cidade de Londres, na Square Mile, o centro financeiro da Europa, há 40 anos. Entre despesas com ocorrências policiais, processos na justiça e serviços sociais, esses 13 encrenqueiros já acumulam um gasto estimado em 400 mil libras (ou 650 mil dólares) ou mais[1] por ano.

O custo e o desgaste que isso causa aos serviços municipais e organizações de caridade da região são altos demais para que se continuem lidando com os sem-teto dessa maneira. Então a Broadway, uma organização de caridade baseada em Londres, toma uma decisão radical: de agora em diante, aqueles 13 moradores de rua inveterados irão receber tratamento VIP. Chega de tíquetes diários para comprar comida, receber o sopão e ter acesso a albergues. Eles estão recebendo uma ajuda drástica e instantânea.

De agora em diante, esses moradores de rua vão ganhar dinheiro – e sem fazer nada por isso.

Para ser mais preciso, eles estão recebendo 3 mil libras para as despesas pessoais e não precisam oferecer nada em troca.[2] Como gastar esse dinheiro, fica a critério deles. Podem contar com um assistente social para orientá-los – ou não. Não há quaisquer obrigações ou questões que possam levá-los a ser descartados do programa.[3]

A única coisa que perguntam a eles é: "De que *você* acha que precisa?"

AULAS DE JARDINAGEM

"Eu não tinha grandes expectativas", relembrou uma assistente social.[4] Mas depois viu que os desejos dos moradores de rua eram bem modestos. Um telefone, um dicionário, um aparelho auditivo – cada um tinha as próprias ideias sobre aquilo de que mais precisava. De fato, a maioria economizou o dinheiro ao máximo. Depois de um ano, gastaram em média apenas 800 libras.

Veja o exemplo de Simon, que era viciado em heroína há 20 anos. O dinheiro transformou completamente a vida dele. Parou de usar drogas e começou a fazer cursos de jardinagem. "Por algum motivo, pela primeira vez na minha vida, tudo começou a dar certo", disse ele mais tarde. "Passei a cuidar de mim mesmo, tomar banho, fazer a barba. Agora estou pensando em voltar para a minha família. Tenho dois filhos."

Um ano e meio depois do início dessa experiência, sete dos 13 homens já tinham onde morar. Outros dois estavam prestes a se mudar para os próprios apartamentos. Todos os 13 tinham dado passos decisivos em direção à solvência financeira e ao crescimento pessoal. Estavam matriculados em cursos, aprendendo a cozinhar, indo a clínicas de reabilitação, visitando suas famílias e fazendo planos para o futuro.

"O programa do orçamento personalizado dá mais poder a essas pessoas", disse um dos assistentes sociais. "Permite escolhas. Acho que pode fazer muita diferença." Depois de décadas de ações infrutíferas forçando, empurrando, mimando, penalizando, processando e protegendo os moradores de rua, nove notórios errantes enfim saíram das ruas. O custo? Cerca de 50 mil libras por ano, incluindo os salários dos assistentes sociais. Ou seja, além de ajudar 13 pessoas, o projeto também reduziu consideravelmente os gastos públicos.[5] Até a *The Economist* teve que admitir que "a forma mais eficiente de usar o orçamento para os sem-teto talvez seja dar o dinheiro a eles".[6]

Dados concretos

Pobres não sabem lidar com dinheiro. Esse parece ser o pensamento predominante, quase um clichê. Afinal, se eles soubessem mexer com dinheiro, não continuariam pobres, certo? As pessoas presumem que eles gastam dinheiro com fast-food e refrigerantes em vez de frutas frescas e livros. Então, para "ajudar", improvisamos uma gama de programas de assistência complicados, com pilhas de formulários, sistemas de inscrição e um exército de inspetores, todos girando em torno do princípio bíblico de que "aqueles que não quiserem trabalhar também não vão comer" (2 Tessalonicenses 3:10). Nos últimos anos, a assistência governamental se tornou cada vez mais ancorada no fator emprego, exigindo que os beneficiários dos programas se candidatem a vagas, inscrevam-se em programas de retorno ao trabalho e cumpram horas de serviço "voluntário". Vendida como uma forma de transferir os pobres da assistência do Estado para o mercado de trabalho, a mensagem implícita é clara: receber dinheiro grátis torna as pessoas preguiçosas.

Mas, de acordo com dados e evidências concretas, isso não é verdade.

Veja o caso de Bernard Omondi. Durante anos ele ganhou 2 dólares por dia trabalhando numa pedreira em uma área empobrecida do oeste do Quênia. Até que, um dia, recebeu um SMS bastante peculiar. "Quando li a mensagem no telefone, dei um pulo", lembrou Bernard mais tarde. A quantia de 500 dólares havia sido depositada em sua conta bancária. Para Bernard, isso equivalia a um ano de salário.

Vários meses depois, um jornalista do *The New York Times* visitou o vilarejo onde Bernard morava. Era como se a população inteira do lugar tivesse ganhado na loteria: havia bastante dinheiro circulando no vilarejo. Mas ninguém estava gastando tudo em bebida. Em vez disso, as casas estavam sendo reformadas e pequenos negócios eram abertos. Bernard investiu seu dinheiro numa motocicleta Bajaj Boxer novinha, importada da Índia, e ganhava 6 a 9 dólares por dia levando passageiros na garupa, como mototaxista. Sua renda havia mais que triplicado.

"Isso coloca a escolha nas mãos dos pobres", diz Michael Faye, fundador da GiveDirectly, a organização por trás do ganho inesperado de Bernard. "E a verdade é que até hoje não tenho uma ideia exata do que o pobre precisa."[7] Faye não dá peixe às pessoas nem as ensina a pescar. Ele dá dinheiro a elas, convicto de que os verdadeiros experts no que os pobres precisam são eles próprios. Quando perguntei a ele por que há tão poucos vídeos ou fotografias com histórias felizes no site da GiveDirectly, Faye explicou que não quer apelar para a emoção. "Nossos dados já são evidência concreta."

E ele está certo: de acordo com um estudo do Instituto de Tecnologia de Massachusetts (MIT), as doações diretas de dinheiro da GiveDirectly impulsionam um crescimento duradouro nas rendas dos beneficiados (38% acima do que ganhavam antes da infusão), além de aumentar em 58% as taxas de moradia própria e posse de gado e reduzir em 42% o número de dias em que as crianças passam fome. Em cada doação, 93% do dinheiro vai direto para as mãos dos beneficiários.[8] Logo após ver uma apresentação sobre os números da GiveDirectly, o Google doou 2,5 milhões de dólares para a entidade.[9]

Mas Bernard e seus vizinhos não foram os únicos a ter essa sorte. Em 2008, o governo de Uganda decidiu distribuir quase 400 dólares a cerca de 12 mil pessoas de 16 a 35 anos. A única coisa que precisavam fazer para receber o dinheiro era apresentar um plano de negócios. Cinco anos depois, os efeitos foram impressionantes. Ao investirem na própria educação e em empresas, os beneficiários viram sua renda aumentar quase 50%. E suas chances de serem contratados para um emprego subiram mais de 60%.[10]

Outro programa ugandense distribuiu 150 dólares a mais de 1.800 mulheres pobres no norte do país, com resultados semelhantes: as rendas dispararam, aumentando quase 100%. Mulheres que recebiam apoio de assistentes sociais (ao custo de 350 dólares) se beneficiaram um pouco mais, mas pesquisadores depois calcularam que teria sido mais eficiente somar o salário das assistentes sociais ao dinheiro distribuído de forma direta.[11] Um relatório sobre o programa de Uganda concluiu, sem meias palavras, que os resultados implicam "uma enorme mudança nos programas de redução da pobreza na África e em todo o mundo".[12]

UMA REVOLUÇÃO SULISTA

Estudos de todas as partes do mundo oferecem provas definitivas: dinheiro grátis funciona.

Já existem pesquisas correlacionando a distribuição incondicional de dinheiro a reduções de criminalidade, mortalidade infantil, desnutrição, gravidez na adolescência, falta às aulas e a melhorias nos resultados escolares, crescimento econômico e igualdade de gêneros.[13] "A principal razão pela qual os pobres são pobres é que eles não têm dinheiro suficiente", observa o economista Charles Kenny, "e não deveria surpreender ninguém que dar dinheiro a eles seja uma forma excelente de reduzir o problema da pobreza."[14]

Em seu livro *Just Give Money to the Poor* (Apenas dê dinheiro aos pobres), de 2010, acadêmicos da Universidade de Manchester oferecem múltiplos exemplos em que pagamentos em dinheiro com nenhuma ou poucas condições funcionaram bem. Na Namíbia, as taxas de desnutrição despencaram (de 42% para 10%), assim como o número de crianças que não frequentam a escola (de 40% para quase zero) e o índice de criminalidade (caiu 42%). No Malauí, o número de meninas e mulheres frequentando escolas aumentou 40%, independentemente de a renda ser distribuída com ou sem condições. Em todos os casos, quem teve os maiores benefícios foram as crianças. Elas sofrem menos fome e doenças, crescem mais, melhoram o desempenho escolar e têm menor probabilidade de serem forçadas ao trabalho infantil.[15]

Do Brasil à Índia, do México à África do Sul, programas de transferência de dinheiro se tornaram bastante populares por todo o Sul Global. Quando as Nações Unidas formularam seus Objetivos de Desenvolvimento do Milênio, em 2000, esses programas nem sequer estavam no radar. Mas em 2010 já alcançavam mais de 110 milhões de famílias em 45 países.

Na Universidade de Manchester, os pesquisadores resumiram os benefícios desses programas: (1) famílias fazem bom uso do dinheiro, (2) a pobreza diminui, (3) há diversos benefícios de longo prazo para renda, saúde e receita em impostos e (4) os programas custam menos que as alternativas.[16] Então para que mandar funcionários caros em vans quando é muito mais fácil e eficaz dar seus salários diretamente para os pobres? Em especial porque isso também ajuda a tirar os funcionários públicos da equação. Além disso, o dinheiro grátis coloca mais óleo na engrenagem de toda a economia: as pessoas compram mais e isso aumenta a criação de empregos e a renda nacional.

Um grande número de ONGs e governos estão convencidos de que sabem com precisão de que os pobres precisam e investem em escolas, painéis de energia solar ou gado. Claro, é melhor que tenham uma vaca do que nada. Mas a que custo? Um estudo de Ruanda estimou que doar uma vaca prenha custa em torno de 3 mil dólares (incluindo um curso de ordenhamento). Isso equivale a cinco anos de salários para um ruandês.[17] Veja o caso dos programas de cursos oferecidos a pobres: um estudo após outro demonstra que custam muito e alcançam poucos resultados, não importa se o objetivo é ensiná-los a pescar, ler ou administrar uma pequena empresa.[18] "A pobreza é fundamentalmente uma questão de falta de dinheiro. Não de estupidez", enfatiza o economista Joseph Hanlon. "Não tem como esperar que alguém gaste as solas dos sapatos correndo atrás de emprego quando nem sapatos ele tem."[19]

A melhor coisa do dinheiro é que as pessoas podem usá-lo para comprar coisas de que precisam em vez das que os autodenominados especialistas acham que elas precisam. E, como já foi comprovado, se há uma categoria de produtos na qual os pobres não gastam o seu dinheiro grátis é a do álcool e do tabaco. De fato, uma grande pesquisa do Banco Mundial demonstrou que, em 82% de todos os casos estudados na África, na América Latina e na Ásia, o consumo de álcool e tabaco, na verdade, diminuiu.[20]

Mas a verdade é ainda mais curiosa. Na Libéria, foi conduzida uma experiência para verificar o que aconteceria se distribuíssem

200 dólares aos pobres mais problemáticos, até desonestos. Alcoólatras, drogados e ladrões de menor periculosidade foram selecionados em favelas para receber o benefício. Três anos depois, sabe em que gastaram esse dinheiro? Comida, roupas, remédios e pequenas empresas. "Se esses homens não jogaram dinheiro fora", ponderou um dos pesquisadores, "quem jogaria?"[21]

Mesmo assim, o velho argumento de que pobreza é uma questão de preguiça está sempre voltando à tona. A persistência dessa visão levou cientistas a investigar quanto havia de verdade nisso. Há poucos anos, a prestigiosa revista médica *The Lancet* resumiu assim as conclusões do estudo: "Quando os pobres recebem o dinheiro incondicionalmente, eles, na verdade, tendem a trabalhar com mais afinco."[22] No relatório final sobre o experimento da Namíbia, um bispo ofereceu uma bela explicação bíblica: "Vamos refletir sobre Êxodo 16", escreveu. "O povo de Israel, em sua longa jornada para se libertar da escravidão, recebeu maná do céu. Mas", continuou, "isso não os tornou preguiçosos; ao contrário, isso lhes deu condições para continuar indo adiante."[23]

UTOPIA

Dinheiro de graça: esse conceito já foi proposto por alguns dos maiores pensadores da história. Thomas More idealizou isso em seu livro *Utopia*, de 1516. Um grande número de economistas e filósofos – inclusive vencedores do Prêmio Nobel – deram a mesma sugestão.[24] Os defensores dessa proposta ocupam um grande espectro político que vai da esquerda à direita e inclui os fundadores do pensamento neoliberal, Friedrich Hayek e Milton Friedman.[25] E o Artigo 25 da Declaração Universal dos Direitos Humanos (1948) também promete que isso virá um dia.

Uma renda básica universal.

E não meramente por alguns anos, ou apenas em países em desenvolvimento, ou apenas para os pobres, mas apenas o que está escrito: dinheiro de graça para todos. Não como um favor, mas como um direito. Chame isso de "caminho capitalista para o comunismo".[26] Uma mesada mensal, suficiente para o sustento, sem que se precise levantar um dedo. A única condição para isso é que você esteja vivo.[27] Não haveria inspetores supervisionando para ver se você está gastando o dinheiro com sabedoria, ninguém questionando se o benefício é mesmo merecido. Não haveria mais programas de benefícios especiais e assistência; no máximo, uma quantia adicional para idosos, desempregados e incapacitados para trabalhar.

Renda básica: essa é uma ideia cujo tempo já chegou.

MINCOME, CANADÁ

No sótão de um depósito em Winnipeg, Canadá, há quase 2 mil caixas acumulando poeira. Guardam papéis cheios de dados – gráficos, tabelas, relatórios e entrevistas – sobre um dos experimentos sociais mais fascinantes do pós-guerra.

Mincome.

Evelyn Forget, professora da Universidade de Manitoba, ouviu falar sobre esses arquivos pela primeira vez em 2004. Durante cinco longos anos ela tentou encontrá-los, até que finalmente, em 2009, descobriu essas caixas nos Arquivos Nacionais. "[Arquivistas] estavam no processo de decidir se deveriam jogar aquelas caixas todas fora, porque estavam tomando muito espaço e ninguém parecia se interessar por aqueles dados", contou ela.[28]

Ao entrar pela primeira vez naquele sótão, Forget mal podia acreditar nos próprios olhos. Era um tesouro de informações sobre a implementação no mundo real do sonho que Thomas More teve cinco séculos antes.

Uma das quase mil entrevistas guardadas naquelas caixas era com Hugh e Doreen Henderson. Trinta e cinco anos antes, quando o experimento fora iniciado, Hugh trabalhava como faxineiro numa escola e Doreen era dona de casa e tomava conta dos dois filhos. Os Henderson tinham uma vida difícil. Doreen mantinha uma horta e criava galinhas para que a família tivesse o que comer. Cada dólar era esticado ao máximo.

Até que, num dia como outro qualquer, dois homens bem-vestidos apareceram na porta da casa da família. "Nós preenchemos os formulários, eles pediram para ver nossos recibos", relatou Doreen.[29] Então, de repente, os problemas financeiros dos Henderson viraram coisa do passado. Hugh e Doreen foram inscritos no Mincome (abreviação de Renda Mínima em inglês) – o primeiro experimento social de grande escala no Canadá e o maior projeto de renda básica de todos os tempos no mundo.

Em março de 1973, o governador da província reservou para o projeto a quantia de 83 milhões de dólares (corrigida para os valores de hoje).[30] Ele escolheu Dauphin, uma pequena cidade de 13 mil habitantes a noroeste de Winnipeg, como local para esse experimento. Todos os moradores de Dauphin tinham direito a uma renda básica, de modo a assegurar que ninguém cairia abaixo da linha da pobreza. Na prática, isso significava que 30% dos habitantes da cidade – ao todo, mil famílias – receberiam um cheque pelo correio todo mês. Uma família de quatro pessoas recebia o equivalente hoje a 19 mil dólares por ano, *sem qualquer condicionante*.

No início do programa, um exército de pesquisadores se instalou na cidade. Economistas monitoravam se os habitantes estavam trabalhando menos, sociólogos examinavam os efeitos sobre a vida familiar e antropólogos se integravam na comunidade para ver em primeira mão como os residentes estavam reagindo.

Durante quatro anos tudo correu bem, até que um novo governo conservador foi eleito e assumiu o poder. O novo gabinete canadense não viu razão para continuar o caro experimento, que tinha 75% do custo financiado pelo governo federal. Quando ficou claro que a nova administração não iria sequer destinar verbas para uma análise dos resultados do programa, os pesquisadores decidiram guardar seus arquivos naquelas 2 mil caixas.

Em Dauphin, a decepção foi enorme. No seu lançamento, em 1974, o Mincome era visto como um programa-piloto que seria em seguida adotado nacionalmente. Agora, parecia fadado ao esquecimento. "Representantes do novo governo, que eram contra [o Mincome], não queriam gastar mais dinheiro para analisar os dados e mostrar o que eles já acreditavam: que não iria funcionar", recordou um dos pesquisadores. "E as pessoas a favor do Mincome estavam preocupadas porque, se a análise fosse feita e o resultado fosse desfavorável ao programa, então eles teriam gastado outro milhão de dólares numa análise para sofrer um constrangimento ainda maior."[31]

Quando a professora Forget ouviu falar do Mincome pela primeira vez, ninguém sabia até então o que o programa havia de fato comprovado (ou sequer se havia provado alguma coisa). Mas, por coincidência, o programa de saúde pública Medicare do Canadá foi introduzido mais ou menos na mesma época, em 1970, e os arquivos de pesquisas relativas ao Medicare ofereciam a Forget uma enorme riqueza de dados para comparar Dauphin com outras cidades da região e grupos de controle. Durante três anos ela submeteu esses dados rigorosamente a todos os tipos de análise estatística. Em todos os métodos que ela empregou, os resultados foram os mesmos, todas as vezes.

O Mincome havia sido um sucesso estrondoso.

Da experiência à lei

"Politicamente, havia a preocupação de que, se começássemos a garantir uma renda anual mínima, as pessoas iriam parar de trabalhar e ter mais filhos", diz Forget.[32]

Mas o que aconteceu na realidade foi precisamente o oposto. Jovens começaram a se casar mais tarde e as taxas de natalidade caíram. O desempenho escolar apresentou uma melhora substancial: os alunos do Mincome passaram a estudar mais e se formar mais rápido. No fim, o número de horas trabalhadas caiu apenas 1% para os homens, 3% para as mulheres casadas e 5% para as mulheres solteiras. Homens que sustentavam suas famílias continuaram trabalhando praticamente as mesmas horas, enquanto mães recentes usavam a assistência financeira para tirar uma licença-maternidade mais longa e estudantes conseguiam permanecer na escola mais tempo do que antes.[33]

Mas a descoberta mais notável de Forget foi que o número de hospitalizações caiu 8,5%. Se considerarmos o tamanho dos gastos públicos em saúde no mundo desenvolvido, as implicações financeiras desse fato são imensas. Anos após a implantação do programa, a violência doméstica também diminuiu, assim como as queixas sobre saúde mental. O Mincome tornou a cidade inteira mais saudável. Forget conseguiu até mesmo detectar os impactos da renda básica para a geração seguinte, tanto em termos financeiros quanto de saúde.

Dauphin – a cidade sem pobreza – foi um dos cinco experimentos de renda distribuída na América do Norte. Os outros quatro foram conduzidos nos Estados Unidos. Poucas pessoas hoje têm consciência de que esse país esteve prestes a pôr em prática uma rede de seguridade social tão extensa quanto a empregada nos países da Europa Ocidental. Quando o presidente Lyndon B. Johnson declarou sua "Guerra à Pobreza" em 1964, democratas e republicanos concordaram em promover reformas fundamentais de bem-estar social.

Mas, primeiro, alguns programas-piloto eram necessários. Dezenas de milhões de dólares foram incluídos no orçamento federal para oferecer uma renda básica a mais de 8.500 americanos em Nova Jersey, Pensilvânia, Iowa, Carolina do Norte, Indiana, Seattle e Denver, sendo o primeiro experimento social a distinguir entre grupos recipientes do benefício e grupos de controle (não recipientes). Os pesquisadores queriam respostas para três questões: (1) As pessoas iriam trabalhar bem menos se recebessem uma renda garantida? (2) O programa iria custar caro demais? (3) O programa seria politicamente inviável?

As respostas acabaram sendo não, não e sim.

O declínio nas horas trabalhadas foi limitado em todas as regiões. "O argumento da 'preguiça' não tem base alguma, segundo o verificado em nossas pesquisas", afirmou o principal responsável pela análise dos dados no experimento de Denver. "Em nenhum momento aconteceu a deserção em massa do trabalho prevista pelos profetas da desgraça." A redução no trabalho remunerado foi de 9% em média por família, e em todos os estados isso aconteceu principalmente com jovens de 20 e poucos anos e mulheres com crianças pequenas, que passaram a trabalhar menos.[34]

Mais tarde, pesquisas demonstraram que o índice de 9% tinha sido exagerado. No estudo original, isso foi calculado com base na renda que os próprios cidadãos declaravam, mas, quando os dados eram comparados com números oficiais do governo, descobriu-se que uma porção significativa dos rendimentos não fora declarada. Após corrigir essa discrepância, os pesquisadores concluíram que o número de horas trabalhadas praticamente não havia diminuído.[35]

"Declínios em horas de trabalho remunerado foram, sem dúvida, compensados em parte por outras atividades úteis, como procura por empregos melhores ou trabalho dentro de casa", observou o relatório final do experimento de Seattle. Por exemplo, uma mãe que havia abandonado a escola no ensino médio passou a trabalhar menos a fim de completar os estudos e cursar psicologia, para conseguir um emprego de pesquisadora. Outra mulher passou a ter aulas de teatro; seu marido começou a compor música. "Agora somos artistas autossuficientes, conseguimos nos sustentar com a nossa arte", contou ela aos pesquisadores.[36] Entre os jovens incluídos no experimento, quase todas as horas não gastas em trabalho remunerado foram utilizadas para obter mais escolaridade. Entre os pesquisados em Nova Jersey, a taxa de formatura no ensino médio subiu 30%.[37]

E assim, no ano revolucionário de 1968, quando jovens manifestantes no mundo todo foram às ruas, cinco famosos economistas – John Kenneth Galbraith, Harold Watts, James Tobin, Paul Samuelson e Robert Lampman – escreveram uma carta aberta ao Congresso americano. "O país não terá cumprido a sua responsabilidade enquanto todos nesta nação não tiverem a garantia de uma renda acima da definição oficialmente reconhecida de pobreza", disseram num artigo publicado na primeira página do *The New York Times*. De acordo com esses economistas, os custos seriam "substanciais, mas absolutamente dentro da capacidade econômica e fiscal da nação".[38]

A carta também era assinada por outros 1.200 economistas.

E o apelo foi ouvido. Meses depois, em agosto, o presidente Nixon apresentou um projeto de lei oferecendo uma renda básica modesta, que classificou como "a legislação social mais significativa da história de nossa nação". De acordo com Nixon, os jovens da época (chamados de *baby boomers*, nascidos no pós-guerra) fariam duas coisas consideradas impossíveis nas gerações anteriores. Além de levar um homem à lua – o que havia acontecido um mês antes –, a geração deles iria também, enfim, erradicar a pobreza.

Uma pesquisa de opinião da Casa Branca confirmou que 90% dos jornais receberam o plano com entusiasmo.[39] O *Chicago Sun-Times* chamou o projeto de "um gigantesco passo adiante", enquanto o *Los Angeles Times* o considerou um "modelo novo e corajoso".[40] O Conselho Nacional das Igrejas era a favor, assim como os sindicatos e até o setor empresarial.[41] A Casa Branca recebeu um telegrama com a seguinte declaração: "Estes dois republicanos de classe média alta, que pagarão pelo programa, dizem: 'Bravo!'[42] Comentaristas na mídia estavam até citando Victor Hugo: "Nada é mais forte que uma ideia cujo tempo chegou."

Parecia que era finalmente a hora da renda básica.

"Plano de bem-estar social passa na Câmara... Uma batalha vencida na cruzada por reformas" era a manchete do *The New York Times* de 16 de abril de 1970. Com 243 votos a favor e 155 contra, o Plano de Assistência Familiar (FAP, na sigla em inglês) do presidente Nixon foi aprovado por ampla maioria. Grande parte dos comentaristas políticos esperava que o plano também passasse no Senado, que tinha membros mais progressistas que a Câmara de Deputados no país. Mas o Comitê de Finanças do Senado começou a levantar dúvidas sobre o programa. "Este projeto é a legislação de bem-estar social mais extensa, cara e expansiva que já foi apresentada", disse um senador republicano.[43] Ainda mais veementemente opostos eram os democratas. Estes achavam que o FAP não ia longe o bastante e pressionavam por uma renda básica mais alta.[44] Após meses sendo devolvido para a Casa Branca e depois de volta para o Senado, o projeto foi por fim arquivado.

No ano seguinte, Nixon apresentou uma proposta levemente revisada ao Congresso. Mais uma vez, o projeto de lei foi aceito pela Câmara, agora como parte de um grande pacote de reformas. Nessa ocasião, 288 votaram a favor e 132 contra. Em seu discurso sobre o Estado da União em 1971, Nixon considerou seu plano de "estabelecer um piso de renda para todas as famílias com filhos na América" o item legislativo mais importante de sua agenda.[45]

Mas, de novo, o projeto de lei foi por água abaixo no Senado.

Ainda assim, o debate sobre um plano de renda básica continuou até 1978, quando foi encerrado de forma definitiva após uma descoberta fatal, com a publicação dos resultados finais do experimento de Seattle. Um dado em particular chamou a atenção de todos: o número de divórcios havia subido mais de 50%. O interesse nessa estatística logo ofuscou todos os demais resultados, como melhor desempenho escolar e melhorias na saúde da população. Uma renda básica, evidentemente, deu às mulheres independência demais.

Dez anos depois, uma reanálise dos dados revelou que havia ocorrido um erro estatístico; na verdade, não houve mudança alguma na taxa de divórcios.[46]

FÚTIL, PERIGOSA E PERVERSA

"Isto pode ser feito! Derrotar a pobreza na América até 1976", escreveu em 1967, confiante, James Tobin, vencedor do Prêmio Nobel de Economia. Naquela época, quase 80% dos americanos apoiavam uma renda básica assegurada.[47] Anos depois, Ronald Reagan fez uma referência ao debate que se tornaria famosa: "Nos anos 1960, travamos uma guerra contra a pobreza e a pobreza venceu."

Os grandes marcos da civilização sempre se iniciaram com um certo ar de utopia. De acordo com o influente economista Albert Hirschman, de início as utopias são atacadas em três bases: futilidade (é impossível), perigo (os riscos são grandes demais) e perversidade (isso irá degenerar em distopia). Mas Hirschman também escreveu que, no momento em que a utopia se transforma em realidade, logo passa a ser aceita como algo completamente normal.

Não muito tempo atrás, a democracia ainda parecia ser uma gloriosa utopia. Muitas mentes formidáveis, desde o filósofo Platão (427-327 a.C.) até o estadista Edmund Burke (1729-1797), alertaram que a democracia era fútil (as massas eram tolas demais para lidar com ela), perigosa (permitir escolha por maioria seria equivalente a brincar com fogo) e perversa (o "interesse geral" logo seria corrompido por interesses de algum general mais astuto). Compare esses argumentos com o que ouvimos hoje em relação à renda básica. É supostamente fútil porque não podemos pagar por ela, perigosa porque as pessoas iriam parar de trabalhar e perversa porque, no fim, uma minoria teria que trabalhar mais para sustentar a maioria.

Mas... espere aí.

Fútil? Pela primeira vez na história, somos de fato ricos o bastante para financiar uma renda básica considerável. Podemos nos livrar de toda a complicação burocrática criada para forçar os beneficiários de assistência do governo a trabalhar em empregos de baixa produtividade a qualquer custo e podemos ajudar a financiar um sistema novo e simplificado, descartando o labirinto de créditos e deduções de imposto de renda também. Arrecadação adicional pode ser obtida por meio de impostos sobre bens, lixo, matérias-primas e consumo.

Vamos analisar os números. Erradicar a pobreza nos Estados Unidos custaria apenas 175 bilhões de dólares, menos de 1% do PIB.[48] Isso é cerca de um quarto dos gastos militares americanos. Vencer a guerra contra a pobreza seria uma pechincha em comparação com as guerras no Afeganistão e no Iraque, que, segundo um estudo de Harvard, custaram aos cofres do país impressionantes 4 a 6 trilhões de dólares.[49] De fato, todos os países desenvolvidos do mundo já têm meios para eliminar a pobreza há anos.[50]

Mesmo assim, um sistema que ajude somente os pobres acaba criando um racha ainda maior entre eles e o resto da sociedade. "Uma política para os pobres é uma política pobre", observou Richard Titmuss, o grande teórico do Estado do bem-estar social britânico. Há um reflexo entranhado na esquerda de tornar cada plano, cada crédito, cada benefício dependente da renda. O problema é que essa tendência é contraproducente.

Num artigo publicado nos anos 1990, hoje famoso, dois sociólogos suecos mostraram que os países com os programas governamentais mais universalmente distribuídos foram os mais bem-sucedidos em eliminar a pobreza.[51] Em termos simples, as pessoas são mais abertas à solidariedade quando elas mesmas se beneficiam disso. Quanto mais nós, nossa família e nossos amigos temos chance de ser beneficiados pelo Estado do bem-estar social, mais nos tornamos dispostos a contribuir.[52] É lógico, portanto, que uma renda básica universal incondicional também receberia a maior base de apoio. Afinal, todos sairiam beneficiados.[53]

Perigosa? Decerto, algumas pessoas podem optar por trabalhar menos, mas é justamente esse o ponto. Uma série de artistas e escritores ("todos aqueles que a sociedade despreza enquanto estão vivos e homenageia quando estão mortos", segundo Bertrand Russell) pode até parar de trabalhar por um salário. Há evidências de sobra sugerindo que a vasta maioria das pessoas, na verdade, quer trabalhar, mesmo que não precise.[54] De fato, não ter uma ocupação nos deixa profundamente infelizes.[55]

Um dos pontos positivos da renda básica é libertar os pobres da armadilha do assistencialismo e estimulá-los a procurar um emprego remunerado com verdadeiras possibilidades de crescimento profissional. Como a renda básica é incondicional e não será retirada ou reduzida caso a pessoa arrume um emprego, as circunstâncias da pessoa só tendem a melhorar.

Perversa? Pelo contrário, o sistema atual de assistência social é que se tornou um monstrengo perverso de controle e humilhação. Funcionários públicos acompanham perfis pessoais de beneficiados para ver se eles estão gastando o dinheiro de forma adequada – e ai daquele que ousar fazer trabalho voluntário não aprovado pelas autoridades. É preciso um exército de assistentes sociais para guiar pessoas através da selva burocrática de regras e formulários para procedimentos de inscrição, aprovação e reativação. Depois, um exército de inspetores precisa ser mobilizado para avaliar toda a papelada submetida.

O Estado do bem-estar social, que deveria estimular o senso de segurança e orgulho das pessoas, degenerou-se num sistema de suspeita e vergonha. É um pacto grotesco entre a direita e a esquerda. "A direita política tem medo que as pessoas parem de trabalhar", lamenta a professora Forget no Canadá, "e a esquerda não confia na capacidade dos pobres de fazer as próprias escolhas."[56] Um sistema de renda básica seria um acordo melhor entre os dois lados. Em termos de redistribuição, satisfaria as demandas da esquerda por um sistema mais justo; e, ao eliminar o regime de interferência e humilhação dos indivíduos, daria à direita a ingerência mínima do Estado.

FALE DIFERENTE, PENSE DIFERENTE

Isso já foi dito antes.

Recebemos o fardo de um Estado do bem-estar social ultrapassado, de uma era em que os homens eram quase sempre os responsáveis pelo sustento das famílias e as pessoas passavam a vida inteira trabalhando na mesma empresa. O sistema de aposentadoria e pensão e regras de proteção do emprego ainda funciona apenas para os que têm a sorte de manter um cargo estável; a assistência pública está enraizada na ilusão de que podemos confiar na economia para gerar empregos suficientes; e os benefícios assistenciais de hoje muitas vezes funcionam não como um trampolim, mas sim como uma armadilha.

Mais do que nunca, esta é a época perfeita para a introdução de uma renda básica universal e incondicional. Olhe à sua volta. A maior flexibilidade nas relações de trabalho exige também que criemos uma forma de seguridade maior. A globalização está erodindo os salários da classe média. O abismo crescente entre aqueles com e sem diploma universitário torna essencial darmos uma oportunidade a mais para os excluídos. E o desenvolvimento de robôs cada vez mais inteligentes poderá custar os empregos também das classes superiores.

Em décadas recentes, a classe média reteve seu poder de consumo ao contrair dívidas em excesso. Mas esse modelo não é viável, como sabemos hoje. O velho adágio "Quem não quiser trabalhar não terá direito a comer" tornou-se hoje uma espécie de licença para a desigualdade.

Não me interprete mal, o capitalismo é um fantástico motor para a prosperidade. "Realizou maravilhas que ultrapassam de longe as pirâmides do Egito, os aquedutos de Roma e as catedrais góticas", escreveram Karl Marx e Friedrich Engels no *Manifesto comunista*. Mas é justamente porque somos mais ricos do que nunca que hoje está a nosso alcance dar o próximo passo na história do progresso: garantir a cada pessoa a segurança de uma renda básica. É isso que o capitalismo deveria estar almejando esse tempo todo. Encare como um dividendo sobre o progresso, tornado possível por sangue, suor e lágrimas das gerações passadas. No fim, somente uma fração de nossa prosperidade é devida aos nossos esforços. Nós, habitantes da Terra da Abundância, somos ricos graças às instituições, ao conhecimento e ao capital social acumulados para nós por nossos antepassados. Essa riqueza pertence a todos nós. E uma renda básica permite que todos a compartilhem.

Claro, isso não quer dizer que devamos implementar esse sonho sem ponderação e cuidado. Isso seria desastroso. Utopias sempre começam pequenas, com experimentos que mudam o mundo passo a passo. Isso aconteceu apenas há poucos anos nas ruas de Londres, quando 13 moradores de rua ganharam 3 mil libras, sem ter que cumprir qualquer exigência. Como disse um dos assistentes sociais: "É muito difícil simplesmente mudar da noite para o dia a forma como sempre abordamos esse problema. Esses casos-piloto nos dão a oportunidade de falar, pensar e descrever o problema de forma diferente."

E é assim que todo progresso começa.

Então temos inspetores dos inspetores e pessoas
criando instrumentos para inspetores inspecionarem
inspetores. O verdadeiro objetivo das pessoas deveria
ser voltar à escola e pensar naquilo que estavam
pensando antes que alguém chegasse e lhes dissesse que
elas tinham que trabalhar para ganhar seu sustento.

Richard Buckminster Fuller (1895-1983)

3

O fim da pobreza

Em 13 de novembro de 1997, um novo cassino abriu as portas logo ao sul do Parque Nacional de Great Smoky Mountains, na Carolina do Norte. Apesar do clima frio, uma longa fila havia se formado na entrada, e, ao ver que centenas de pessoas não paravam de chegar, o gerente do cassino começou a pedir que alguns desistissem e voltassem para casa.

O interesse generalizado naquela inauguração não surpreendeu. Afinal, não se tratava de uma casa clandestina de jogos explorada pela máfia. O Harrah's Cherokee era e ainda é um gigantesco cassino de luxo, cujas propriedades e administração são da tribo indígena dos cherokees da Banda Leste, e sua abertura marcou o fim de um longo cabo de guerra político, que durou 10 anos. Um líder da tribo havia até previsto que "o jogo será a ruína dos cherokees"[1] e o governador da Carolina do Norte havia tentado impedir o projeto em todas as frentes.

Logo após a inauguração, ficou claro que o cassino, com salão de jogos de mais de 3 mil metros quadrados, hotel de três torres com mais de mil quartos e 100 suítes, muitas lojas, restaurantes, piscina e salão de ginástica, iria trazer à tribo não a ruína e, sim, alívio. E nem abriu caminho para o crime organizado. Longe disso: os lucros – que somaram 150 milhões de dólares em 2004 e subiram para quase 400 milhões de dólares em 2010[2] – possibilitaram à tribo construir uma nova escola, um hospital e uma sede do Corpo de Bombeiros. Mas a maior parcela da renda gerada pelo cassino foi diretamente para os bolsos dos 8 mil homens, mulheres e crianças da tribo dos cherokees da Banda Leste. A partir dos 500 dólares anuais que ganharam no início, seus rendimentos com o cassino logo subiram para 6 mil dólares em 2001, constituindo um quarto a um terço da renda familiar média.[3]

Por coincidência, uma professora da Universidade Duke, Jane Costello, já pesquisava a saúde mental de crianças e adolescentes ao sul do Parque Nacional de Great Smoky Mountains desde 1993. Todo ano, os 1.420 estudantes que participavam do estudo eram submetidos a um exame psiquiátrico. Os resultados cumulativos já haviam demonstrado que os indivíduos que cresciam na pobreza eram muito mais propensos a desenvolver problemas de comportamento do que as demais crianças. Essa não era uma descoberta nova, no entanto. Correlações entre pobreza e doença mental já haviam sido estabelecidas antes por outro acadêmico, Edward Jarvis, em seu famoso estudo publicado com o título "Relatório sobre Insanidade", em 1855.

Mas ainda permanecia a questão: o que era causa e o que era efeito? Na época em que Costello estava realizando essa pesquisa, havia uma tendência cada vez maior de atribuir problemas mentais a fatores genéticos individuais. Se a natureza era a causa principal, então entregar um saco de dinheiro todo ano seria tratar os sintomas mas ignorar a doença. Se, por outro lado, os problemas psiquiátricos das pessoas não fossem a causa e sim uma consequência da pobreza, então aqueles 6 mil dólares poderiam realmente operar resultados maravilhosos. A chegada do cassino, avaliou Costello, apresentava uma oportunidade única para jogar uma nova luz sobre essa questão permanente, já que 25% das crianças em seu estudo pertenciam à tribo dos cherokees, mais da metade delas vivendo abaixo da linha da pobreza.

Logo depois que o cassino abriu, Costello já percebeu melhorias consideráveis. Problemas de comportamento entre as crianças que haviam saído da pobreza diminuíram 40%, colocando-as na mesma média que as que nunca sofreram privações. A taxa de criminalidade de menores entre os cherokees também caiu, junto com o uso de álcool e drogas, enquanto suas notas escolares melhoraram nitidamente.[4] Na escola, as crianças cherokees já estavam no mesmo nível de desempenho que os participantes não tribais do estudo.

Dez anos após a chegada do cassino, os resultados da pesquisa de Costello demonstraram que quanto menor a idade da criança ao sair da pobreza, melhor a sua saúde mental na adolescência. No grupo de faixa etária menor em seu estudo, Costello observou uma "queda dramática" das condutas criminosas. De fato, as crianças cherokees em seu estudo se tornaram mais bem-comportadas que as do grupo de controle da pesquisa (de classe média, que não passou por períodos de pobreza).

Ao examinar os dados, a primeira reação de Costello foi de incredulidade. "A expectativa é que intervenções sociais tenham efeitos relativamente pequenos", disse ela. "Neste caso, os efeitos foram imensos."[5] A professora Costello calculou que os 4 mil dólares extras por ano resultaram em um ano a mais de escolaridade aos 21 anos e na redução de 22% das chances de ter uma ficha criminal antes dos 16 anos.[6]

Mas a melhora mais significativa foi em quanto o dinheiro também ajudou os pais a cuidarem melhor de seus filhos. Antes de o cassino abrir suas portas, os pais trabalhavam duro durante o verão, mas ao fim da temporada turística, no inverno, ficavam desempregados e estressados. A nova renda permitiu que as famílias cherokees começassem a poupar e a pagar suas contas antecipadamente. Os pais que saíram da pobreza agora relatavam ter mais tempo para dedicar aos filhos.

E eles não estavam trabalhando menos, conforme descobriu Costello. Tanto mães quanto pais continuavam trabalhando o mesmo número de horas que trabalhavam antes da abertura do cassino. Acima de tudo, diz uma das pessoas da tribo, Vickie L. Bradley, o dinheiro ajudava a aliviar a pressão sobre as famílias, então a energia que antes gastavam se preocupando com dinheiro agora podia ser usada, de forma positiva, com as crianças. E isso "ajudou-os a ser pais melhores", explica Bradley.[7]

Qual é, então, a causa dos problemas de saúde mental entre os pobres? Natureza ou cultura? Ambas, foi a conclusão de Costello, porque o estresse da pobreza eleva o risco que pessoas predispostas geneticamente têm de desenvolver uma doença ou um distúrbio mental.[8] Mas há uma conclusão ainda mais importante desse estudo.

Os genes não podem ser removidos. A pobreza pode.

POR QUE OS POBRES FAZEM COISAS ESTÚPIDAS

Um mundo sem pobreza – essa pode ser a utopia mais antiga que existe. Mas qualquer pessoa que leve esse sonho a sério deve inevitavelmente enfrentar algumas questões difíceis. Por que os pobres tendem mais a cometer crimes? Por que são mais propensos à obesidade? Por que usam mais álcool e drogas? Em resumo, por que os pobres tomam tantas decisões estúpidas?

Cruel? Talvez, mas vamos dar uma olhada nas estatísticas: os pobres pedem mais dinheiro emprestado, economizam menos, fumam mais, exercitam-se menos, bebem mais e comem de forma menos saudável. Quando surge uma oportunidade de um curso para aprender a gerenciar dinheiro, os pobres são os últimos a se inscrever. Ao responder a anúncios de emprego, os pobres frequentemente escrevem as piores cartas de apresentação e aparecem nas entrevistas com as roupas menos apropriadas ao ambiente profissional.

A primeira ministra britânica Margaret Thatcher uma vez tachou a pobreza de "defeito de personalidade".[9] Embora poucos políticos cheguem a esse ponto, essa visão de que a solução para a pobreza reside no indivíduo não é tão rara. Da Austrália à Inglaterra e da Suécia aos Estados Unidos, há uma noção entranhada de que a pobreza é algo que as pessoas devem superar por si próprias. Claro, o governo pode lhes dar um empurrãozinho na direção certa com incentivos – políticas promovendo conscientização, com punições e, acima de tudo, com acesso à educação. De fato, se há uma bala de prata para combater a pobreza, é o diploma do ensino médio (e, melhor ainda, da universidade).

Mas será que é só isso que é possível fazer?

E se os pobres não forem realmente capazes de ajudar a si próprios? E se todos esses incentivos, toda essa informação e educação entrarem por um ouvido e saírem pelo outro? E se todos esses empurrõezinhos bem-intencionados apenas piorarem a situação?

O PODER DO CONTEXTO

Todas essas questões são complicadas, mas não é qualquer pessoa que as está levantando; é Eldar Shafir, psicólogo da Universidade de Princeton. Ele e Sendhil Mullainathan, economista de Harvard, publicaram há pouco tempo uma nova e revolucionária teoria sobre a pobreza[10] que essencialmente nos diz: é o contexto, estúpido.

Shafir não é modesto em suas aspirações. Ele apenas quer estabelecer um campo científico totalmente novo: a ciência da escassez. Mas isso já não existe em economia? "Ouvimos muito esse comentário", afirmou Shafir quando eu o encontrei num hotel em Amsterdã. "Mas meu interesse é na psicologia da escassez, área em que, por incrível que pareça, pouquíssimas pesquisas foram feitas até hoje."

Para economistas, tudo gira em torno da escassez – afinal, mesmo os maiores gastadores não podem comprar tudo. No entanto, a *percepção* da escassez não é onipresente. Uma agenda vazia dá uma sensação diferente de um dia de trabalho repleto de compromissos. E isso não é um sentimento inofensivo e sem importância. A escassez não para de martelar na sua cabeça. As pessoas se comportam de forma diferente quando percebem a falta de algo.

Não importa o que seja esse algo: tempo, dinheiro, amizades, comida – tudo isso contribui para uma "mentalidade de escassez". E isso até tem benefícios. As pessoas que experimentam um senso de escassez costumam administrar bem seus problemas de curto prazo. Os pobres têm uma habilidade incrível – no curto prazo – de conseguir viver com pouco dinheiro, da mesma forma que um empresário que trabalha muitas horas tem forças para se organizar em pouco tempo e fechar um negócio.

É IMPOSSÍVEL FUGIR TEMPORARIAMENTE DA POBREZA

Apesar disso, as desvantagens da "mentalidade de escassez" são maiores que os benefícios. A escassez restringe seu foco à falta imediata, desde a reunião prestes a começar às contas que precisam ser pagas amanhã. A perspectiva de longo prazo vai embora pela janela. "A escassez consome a pessoa", explica Shafir. "Você se torna menos capaz de se concentrar em outras coisas que também são importantes em sua vida."

Compare isso a um novo computador que está rodando 10 programas pesados ao mesmo tempo. O computador fica cada vez mais lento, gerando erros, até que por fim congela – não por ser um computador ruim, mas porque precisa fazer muitas coisas ao mesmo tempo. Os pobres têm um problema análogo. Eles não tomam decisões estúpidas porque *são* estúpidos, mas sim porque vivem num contexto em que qualquer pessoa tomaria decisões estúpidas.

Questões como *O que temos para jantar?* e *Como vou conseguir fazer meu dinheiro durar até o fim da semana?* utilizam uma capacidade crucial da mente da pessoa. "Banda mental" é a expressão usada por Shafir e Mullainathan, uma referência à linguagem da capacidade de internet wi-fi. "Se quiser entender os pobres, imagine-se com sua mente ocupada com outras coisas", eles escrevem. "O autocontrole se torna um desafio maior. Você é distraído ou perturbado com facilidade. E isso acontece todos os dias." É assim que a escassez – seja de tempo ou dinheiro – leva a decisões insensatas.

Mas há uma distinção fundamental entre pessoas com vidas ocupadas demais e pessoas vivendo na pobreza: é impossível simplesmente dar um tempo na pobreza.

DUAS EXPERIÊNCIAS

Então como quantificar o efeito que a pobreza tem sobre a inteligência das pessoas?

"Descobrimos em nossos estudos que o efeito corresponde a 13 ou 14 pontos a menos de QI", diz Shafir. "Isso é comparável a perder uma noite de sono ou aos efeitos do alcoolismo." E o incrível é que já poderíamos ter chegado a essa conclusão 30 anos atrás. Shafir e Mullainathan não precisaram de tecnologia avançada, como tomografias computadorizadas do cérebro. "Economistas vêm estudando a pobreza há anos e psicólogos estudam limitações cognitivas há anos", afirma Shafir, "nós apenas juntamos as duas coisas."

Tudo começou alguns anos atrás, com uma série de estudos conduzidos num shopping center típico dos Estados Unidos. Os pesquisadores perguntavam às pessoas que compravam nas lojas o que elas fariam se tivessem que pagar por um conserto do carro; para algumas, a pergunta era se o preço do conserto fosse 150 dólares e, para outras, um custo de 1.500 dólares. Elas pagariam tudo à vista, pediriam um empréstimo, trabalhariam horas extras ou adiariam os reparos? Enquanto pensavam na resposta, elas eram submetidas a uma série de testes cognitivos. No caso do conserto mais barato, as pessoas de baixa renda tiveram mais ou menos os mesmos resultados cognitivos que as pessoas de alta renda. Mas, diante do conserto que custaria 1.500 dólares, os pobres tiveram um resultado consideravelmente mais baixo nos testes cognitivos. A simples hipótese de um grande problema financeiro prejudicou a capacidade cognitiva deles.

Shafir e seus colegas pesquisadores corrigiram todas as variáveis e distorções possíveis na pesquisa do shopping para ter certeza de que seus resultados eram corretos, mas havia um fator que não poderiam resolver: os ricos e os pobres que responderam à pesquisa não eram as mesmas pessoas. O ideal seria repetir a pesquisa com a mesma pessoa sendo pobre num momento e rica em outro.

Até que Shafir encontrou aquilo que estava procurando a quase 13 mil quilômetros de distância, nos distritos de Vilupuram e Tiruvannamalai, na Índia rural. As condições eram perfeitas: os cultivadores da cana-de-açúcar naquela região recebem 60% de sua renda anual de uma única vez logo após a colheita. Isso significa que eles têm bastante dinheiro durante parte do ano e ficam pobres nos outros meses. Então como esses indivíduos se saíram no estudo? Na fase em que estavam comparativamente pobres, eles se saíram bem pior nos testes cognitivos – não porque se tornaram burros de repente (eles ainda eram os mesmos plantadores de cana indianos, afinal), mas pura e simplesmente porque sua banda mental estava comprometida pela preocupação com a falta de dinheiro.

Banda Mental Interna Bruta

"Lutar contra a pobreza tem benefícios imensos que não enxergávamos até agora", aponta Shafir. Na verdade, sugere ele, além de medir o Produto Interno Bruto (PIB), talvez tenha chegado a hora de considerar também nossa banda mental interna bruta. Uma banda mental maior equivale a melhor cuidado com os filhos, mais saúde, trabalhadores mais produtivos e assim por diante. "Lutar contra a escassez pode até reduzir custos", projeta Shafir.

E foi precisamente o que aconteceu ao sul do Great Smoky Mountains. Randall Akee, economista da Universidade de Los Angeles, calculou que o dinheiro do cassino distribuído a crianças cherokees acabou *cortando* despesas. De acordo com suas estimativas mais conservadoras, eliminar a pobreza, na verdade, gerou mais dinheiro do que o total dos pagamentos do cassino a membros da tribo, por meio da redução do crime, do uso de hospitais e da repetência escolar.[11]

Agora, extrapole esses efeitos para a sociedade como um todo. Um estudo britânico descobriu que os custos da pobreza entre crianças na Inglaterra chegam a 29 bilhões de libras (44 bilhões de dólares) por ano.[12] Segundo os pesquisadores, uma política de eliminação da pobreza poderia "amplamente pagar por si mesma".[13]

Nos Estados Unidos, onde mais de uma entre cada cinco crianças cresce pobre, diversos estudos já demonstraram que medidas de combate à pobreza, na verdade, funcionam como instrumento de redução de custos.[14] Greg Duncan, professor da Universidade da Califórnia, calculou que tirar uma família americana da pobreza custa cerca de 4.500

dólares por ano – menos que os pagamentos do cassino às famílias cherokees. No fim, o retorno desse investimento, por criança, seria:

- 12,5% mais horas trabalhadas;
- 3 mil dólares a menos em gastos com benefícios sociais;
- 50 mil a 100 mil dólares em ganhos adicionais na vida do indivíduo;
- 10 mil a 20 mil dólares a mais na receita do imposto de renda estadual.

O professor Duncan concluiu então que combater a pobreza "dá retorno total ao investimento no momento em que essas crianças alcançam a meia-idade".[15]

Claro, seria necessário um grande programa para resolver um problema tão grande. Um estudo de 2013 estimou os custos da pobreza infantil nos Estados Unidos em até 500 bilhões de dólares por ano. Crianças pobres acabam com dois anos a menos de escolaridade e, ao crescer, trabalham 450 horas a menos por ano e têm um risco três vezes maior de problemas gerais de saúde do que as que vivem em famílias mais abastadas. Investimentos em educação não ajudam muito essas crianças, dizem os pesquisadores.[16] Em primeiro lugar, elas precisam ser erguidas acima da linha da pobreza.

Uma metanálise recente de 201 estudos sobre a eficácia da educação financeira chegou a uma conclusão semelhante: esse tipo de educação praticamente não faz diferença.[17] Isso não equivale a dizer que os alunos não aprendem nada – os pobres podem sair dessas aulas sabendo administrar melhor o dinheiro, com certeza. Mas isso não é suficiente. "É como ensinar uma pessoa a nadar e depois jogá-la num mar bravio numa tempestade", lamenta o professor Shafir.

Educar as pessoas certamente não é em vão, mas só chega ao ponto de ajudá-las a administrar sua banda mental – já ocupada em grande parte por demandas impossíveis, como o pântano burocrático da assistência social. Talvez você acredite que todas as regras e todos os formulários complicados servem para afastar aqueles que não são de fato necessitados. Mas, na verdade, acontece o contrário: os pobres – aqueles cuja banda mental já está sobrecarregada e cujas necessidades são maiores – têm menos probabilidade de pedir ajuda ao Tio Sam.

Por consequência, toda uma série de programas deixa de ser utilizada justamente pelas pessoas que deveriam ser beneficiadas por eles. "Algumas bolsas de estudo só recebem 30% de inscrições de candidatos para os quais o benefício foi criado", diz Shafir, "apesar de tantos estudos já terem mostrado que esse tipo de bolsa, no valor de milhares de dólares, pode fazer uma grande diferença." Um economista olha para essas bolsas e pensa: já que se candidatar é a coisa mais racional a fazer, estudantes pobres irão se inscrever. Mas não é assim que funciona. Os frutos dessas bolsas caem quase sempre fora da visão deturpada causada pela mentalidade de escassez.

Dinheiro de graça

Então o que pode ser feito?

Shafir e Mullainathan têm algumas soluções possíveis na manga: prestar ajuda a estudantes carentes na hora de preencher toda a papelada para pedir auxílio financeiro a uma universidade, por exemplo, ou oferecer caixas de remédios com luzes que acendem para lembrar às pessoas que é hora de tomar suas pílulas. Esse tipo de solução é chamado de "empurrãozinho". Empurrõezinhos são muito populares entre políticos na nossa Terra da Abundância moderna, sobretudo porque custam quase nada.

Mas, sejamos honestos, que diferença pode fazer um empurrãozinho? O empurrãozinho simboliza uma era em que políticos estão preocupados sobretudo em combater sintomas. Empurrõezinhos podem servir para tornar a pobreza infinitesimalmente mais suportável, mas, quando você amplia o campo de visão, percebe que não resolvem nada. De volta à nossa analogia do computador, eu pergunto a Shafir: para que continuar tentando aperfeiçoar o software quando é possível resolver o problema com facilidade instalando mais memória?

Shafir responde de início apenas com um olhar distante. "Ah! Você quer dizer apenas distribuindo mais dinheiro? Claro, isso seria ótimo", ele graceja. "Mas diante das evidentes limitações... O tipo de política de esquerda que você tem em Amsterdã nem sequer existe nos Estados Unidos."

No entanto, o dinheiro em si não é suficiente; também há a questão de como distribuí-lo. "A escassez é um conceito relativo", diz Shafir. "Pode ser baseada na falta de renda, mas também em expectativas excessivas." Na verdade, é simples: se você gostaria de ter mais dinheiro, tempo, amigos ou comida, é provável que sinta alguma escassez. E as coisas que você quer são determinadas em grande parte pelo que as pessoas à sua volta têm. Como diz Shafir, "a desigualdade crescente no mundo ocidental é um grande obstáculo nesse sentido". Se muitas pessoas estão comprando o último modelo de smartphone, você vai querer um também. À medida que a desigualdade continuar a crescer, a banda mental interna bruta continuará a se contrair.

A MALDIÇÃO DA DESIGUALDADE

Mas o dinheiro deveria ser a chave para uma vida feliz e saudável, certo?

Sim. Entretanto, em termos nacionais, apenas até certo ponto. Até um PIB per capita de cerca de 5 mil dólares por ano, a expectativa de vida aumenta mais ou menos de forma automática.[18] Mas uma vez que exista comida suficiente na mesa, um telhado que não vaza e água corrente e potável, o crescimento econômico já não é mais garantia de bem-estar. A partir desse ponto, a igualdade é um fator determinante muito mais preciso.

Veja o diagrama na página seguinte. O eixo y mostra um índice de problemas sociais; no eixo x estão os PIBs per capita dos países. A conclusão é que não existe qualquer correlação entre essas duas variáveis. E tem mais: a superpotência mais rica do mundo (Estados Unidos) tem o índice de problemas sociais mais alto do mundo desenvolvido, próximo de um país com menos da metade do PIB per capita americano (Portugal).

FIGURA 4

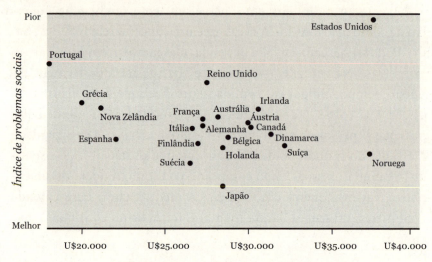

PIB per capita (corrigido por poder de compra)

O índice de problemas sociais (aqui no eixo y) inclui expectativa de vida, alfabetização, mortalidade infantil, taxa de homicídios, população carcerária, gravidez na adolescência, depressão, confiança social, obesidade, abuso de drogas e álcool, mobilidade × imobilidade social.

Fonte: Wilkinson e Pickett.

"O crescimento econômico fez o máximo possível para melhorar as condições materiais nos países desenvolvidos", conclui o pesquisador britânico Richard Wilkinson. "À medida que você adquire mais e mais de tudo, cada adição... contribui cada vez menos para o seu bem-estar."[19] No entanto, o gráfico muda drasticamente se substituirmos a renda no eixo x pela desigualdade de renda. De repente, a imagem se cristaliza, com os Estados Unidos e Portugal juntinhos no topo e à direita, como mostra a Figura 5.

Tanto faz se você olhar apenas para a incidência de depressão, decepção profissional, abuso de drogas, altos índices de evasão escolar, obesidade, infâncias infelizes, baixa participação em eleições ou desconfiança social e política – as evidências sempre apontam para o mesmo culpado em todas essas variáveis: a desigualdade.[20]

Mas espere. Por que deveria importar se algumas pessoas são bilionárias, quando mesmo aqueles mais pobres hoje ainda estão vivendo melhor do que reis viviam alguns séculos atrás?

Importa muito. Porque tudo é uma questão de pobreza *relativa*. Mesmo que um país se torne muito rico, a desigualdade sempre estraga a festa. Ser pobre num país rico hoje é bem diferente de ser pobre dois séculos atrás, quando quase todos, em todos os lugares, eram miseráveis.

FIGURA 5

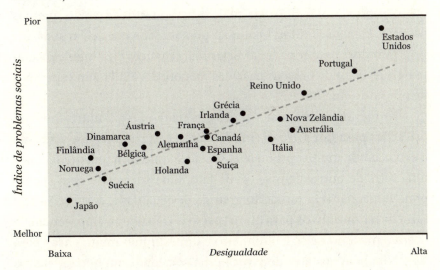

A desigualdade (aqui no eixo x) representa o intervalo entre a renda dos 20% mais ricos e a dos 20% mais pobres num determinado país.

Fonte: Wilkinson e Pickett.

Veja, por exemplo, o problema do bullying. Países com grandes disparidades em riqueza também têm mais queixas desse tipo de comportamento, graças à maior diferença de status entre as pessoas. Ou, nos termos de Wilkinson, as "consequências psicossociais" são tão significativas que as pessoas que vivem em sociedades desiguais passam mais tempo se preocupando com a forma como os outros as veem. Isso prejudica a qualidade dos relacionamentos (manifestando-se em desconfiança em relação a estranhos e em ansiedade referente a status, por exemplo). O estresse resultante, por sua vez, é um fator determinante de doenças e problemas crônicos de saúde.

Tudo bem – mas não deveríamos estar mais preocupados com a existência de oportunidades iguais do que com riqueza igual?

O fato é que ambas importam. E essas duas formas de desigualdade são indissociáveis. Basta olhar para os rankings globais de qualidade de vida: quando a desigualdade aumenta, a mobilidade social diminui. Francamente, quase não existe outro país no mundo em que o Sonho Americano seja mais difícil de se realizar do que nos próprios Estados Unidos. Qualquer pessoa ávida por deixar suas origens humildes e subir na vida vai ter mais chances de atingir essa meta na Suécia, onde pessoas nascidas na pobreza ainda têm esperança de um futuro melhor.[21]

Não me interprete mal – a desigualdade não é a única fonte de privações para um povo. É um dos fatores estruturais que alimenta a evolução de muitos problemas sociais e está intimamente ligada a uma série de outros fatores. E, de fato, uma sociedade nem sequer pode funcionar *sem* um certo grau de desigualdade. Ainda é necessário haver incentivos para que as pessoas trabalhem, empreendam e deem o máximo de si, e o dinheiro é um estímulo muito eficaz para isso. Ninguém gostaria de viver numa sociedade em que sapateiros ganhassem tanto quanto médicos. Ou melhor, ninguém desse lugar iria querer se arriscar a ficar doente.

De qualquer forma, hoje em quase todos os países desenvolvidos a desigualdade está muito além do que seria considerado razoável ou desejável. Recentemente, o Fundo Monetário Internacional publicou um relatório revelando que o excesso de desigualdade inibe o crescimento econômico.[22] Talvez a descoberta ainda mais fascinante seja a de que mesmo as pessoas ricas sofrem quando a desigualdade é muito grande. Os ricos também se tornam mais propensos a depressão, medo de violência e uma gama de outras dificuldades sociais.[23]

"A desigualdade de renda", dizem dois cientistas de destaque nessa área, que pesquisaram 24 países desenvolvidos, "torna todas as pessoas menos felizes, mesmo as que são relativamente ricas."[24]

Quando a pobreza ainda era normal

Isso não é inevitável.

Claro, 2 mil anos atrás, Jesus de Nazaré disse que os pobres sempre estariam entre nós.[25] Mas naquela época quase todos os trabalhos eram na agricultura. A economia simplesmente não era produtiva o bastante para permitir que todos tivessem uma existência confortável. No século XVIII, a pobreza continuava sendo parte normal da vida. "Os pobres são como sombras numa pintura: eles proporcionam o contraste necessário", escreveu o médico francês Philippe Hecquet (1661-1737). De acordo com o escritor inglês Arthur Young (1741-1820): "Somente um idiota não sabe que as classes baixas devem ser mantidas pobres, do contrário elas nunca serão laboriosas."[26]

Historiadores se referem a esse raciocínio como "mercantilismo" – a noção de que a perda de um homem é o ganho de outro. Os primeiros economistas modernos acreditavam que países só conseguiriam prosperar às custas de outros países; tudo era uma questão de manter as exportações em alta. Durante as guerras napoleônicas, essa linha de pensamento levou a algumas situações absurdas. A Inglaterra não via o menor problema em vender alimentos para a França, por exemplo, mas proibiu exportações de ouro porque os políticos britânicos enfiaram na cabeça que a falta do metal precioso poderia destruir o inimigo mais rápido que a fome generalizada da população.

Se você perguntasse a um mercantilista qual a sua dica mais importante, ele diria salários baixos – quanto menores, melhor. Mão de obra barata acentua a sua vantagem competitiva e, portanto, aumenta as exportações. Nas palavras do famoso economista Bernard de Mandeville (1670-1733): "Está manifestado que, numa nação livre onde escravos não são permitidos, a riqueza mais garantida consiste numa multidão de pobres laboriosos."[27]

Mandeville não poderia ter errado mais o alvo. Hoje, já aprendemos que a riqueza gera mais riqueza, e isso vale tanto para pessoas quanto para nações. Henry Ford sabia disso e por esse motivo deu a seus empregados um aumento substancial em 1914; de que outra forma esses trabalhadores conseguiriam comprar os carros dele? "A pobreza é uma grande inimiga da felicidade humana; ela com certeza destrói a liberdade e torna algumas virtudes impraticáveis, e outras, extremamente difíceis", disse o ensaísta britânico Samuel Johnson em 1782.[28] Ao contrário de muitos de seus contemporâneos, ele compreendia que a pobreza não consiste em falta de caráter. Consiste em falta de dinheiro.

Um teto sobre nossas cabeças

Lloyd Pendleton, diretor da Força-Tarefa dos Sem-Teto em Utah, teve seu insight no início dos anos 2000. O número de habitantes sem-teto no seu estado parecia fora de controle, com milhares de pessoas dormindo sob pontes, em parques e nas ruas de Utah. A polícia e os serviços sociais estavam sobrecarregados com o problema, e Pendleton não aguentava mais aquela situação. E também tinha um plano.

Em 2005, Utah travou uma guerra para acabar com o drama dos sem-teto. A tática não foi o que costumam fazer – espantar mendigos com armas de choque ou spray de pimenta –, mas sim atacar o problema pela raiz. O objetivo? Tirar todos os sem-teto das ruas. A estratégia? Dar apartamentos de graça para eles. Pendleton começou com os 17 moradores de rua mais miseráveis que conseguiu encontrar. Dois anos depois, quando todos esses já tinham lugar para morar, ele progressivamente expandiu o programa. Fichas criminais, vícios pesados em drogas ou bebida, dívidas gigantescas – nada disso importava. Em Utah, ter um teto sobre a sua cabeça se tornou um direito.

O programa é um sucesso estrondoso. Enquanto no estado vizinho de Wyoming o número de pessoas moradoras de rua disparou 213%, Utah viu um declínio de 74% na mendicância crônica. E isso aconteceu num estado ultraconservador. A corrente política de direita Tea Party tem muito apoio em Utah há anos, e Lloyd Pendleton não é exatamente um esquerdista. "Cresci numa fazenda, onde se aprende a trabalhar duro", recorda ele. "Antigamente eu dizia aos moradores de rua para irem atrás de emprego, porque achava que era disso que precisavam."[29]

O ex-executivo abandonou aquela ladainha depois que assistiu a uma palestra sobre os verdadeiros custos financeiros de programas para os sem-teto. Descobriu que dar moradia gratuita para eles era, na verdade, uma forma de aumentar a receita do Estado. Economistas do governo calcularam que um morador de rua custa aos cofres do Estado 16.670 dólares por ano (incluídos gastos com serviços sociais, polícia, justiça, etc.). Em comparação, um apartamento mais um especialista em aconselhamento profissional custariam modestos 11 mil dólares anuais.[30]

Os números não mentem. Hoje, Utah está no caminho para eliminar totalmente a mendicância crônica e ser o primeiro estado nos Estados Unidos a resolver o problema com sucesso. Tudo isso ao mesmo tempo que economiza uma fortuna.

Como uma causa válida foi perdida

Assim como a pobreza, resolver o problema dos sem-teto é preferível a simplesmente administrá-lo.[31] O princípio de "moradia primeiro", como essa estratégia é chamada, já circula o globo. Em 2005, era impossível andar pelos centros de Amsterdã ou Roterdã sem ver moradores de rua. Mendigos eram um problema principalmente perto das estações de trem – e um problema caro. Em consequência, ao mesmo tempo que Lloyd Pendleton desenvolvia seu plano em Utah, assistentes sociais, autoridades e políticos das maiores cidades da Holanda se reuniam para decidir como resolver o problema no país. E criaram um plano de ação.

O orçamento: 217 milhões de dólares.

O objetivo: tirar todos os sem-teto das ruas.

O local: começar por Amsterdã, Roterdã, Haia e Utrecht, para depois estender o programa ao restante do país.

A estratégia: aconselhamento e – com certeza – moradia gratuita para todos.

O prazo: de fevereiro de 2006 a fevereiro de 2014.

E foi um sucesso absoluto. Após dois anos apenas, o problema da mendicância nas grandes cidades foi reduzido em 65%. O uso de drogas caiu pela metade. A saúde mental e física dos beneficiários melhorou significativamente, e os bancos de parques estavam enfim livres. Em outubro de 2008, o programa já havia tirado 6.500 pessoas das ruas, dando-lhes moradia.[32] E, para culminar, o retorno financeiro para a sociedade provou ser o dobro do investimento original.[33]

Até que veio a crise financeira. Em pouco tempo, orçamentos passaram a ser cortados e o número de despejos aumentou. Em dezembro de 2013, três meses antes do prazo para a conclusão daquele plano de ação, o órgão de estatística da Holanda divulgou um release bastante pessimista para a imprensa. Em todo o país, o número de moradores de rua havia tido uma alta recorde. As maiores cidades holandesas agora tinham mais sem-teto do que quando o programa havia sido lançado.[34] E esse problema estava custando pilhas de dinheiro.

Mas quanto, exatamente? Em 2011, o Ministério da Saúde holandês encomendou um estudo para analisar esses números. O relatório resultante comparou os custos com os benefícios de dar auxílio aos sem-teto (que incluía moradia grátis, programas de assistência, heroína fornecida pelo governo e serviços de prevenção) e concluiu que investir num morador de rua oferece retorno financeiro mais alto do que qualquer outro investimento. Cada euro investido em combater e prevenir o problema dos sem-teto na Holanda obteve retorno dobrado ou triplicado, gerando economia em custos de serviços sociais, polícia e justiça.[35]

"Esse auxílio imediato é melhor e mais barato do que deixá-los na rua", concluíram os pesquisadores. Além disso, seus cálculos consideraram apenas a economia para o governo, mas é claro que também há muitos outros ganhos financeiros para os comerciantes e residentes das cidades quando se elimina o problema dos sem-teto.

Auxílio para os moradores de rua, em resumo, é uma política em que todos saem ganhando.

UMA BOA LIÇÃO

Há muitos problemas em que políticos discordam ferozmente entre si, mas o drama dos sem-teto não deveria ser um deles. É um problema que *pode* ser resolvido. E mais: resolvê-lo, na verdade, economizaria dinheiro público. Para quem é pobre, o principal problema é não ter dinheiro. Para quem é sem-teto, o principal problema é não ter moradia. Por falar nisso, na Europa o número de casas desocupadas corresponde ao dobro do número de pessoas sem-teto.[36] Nos Estados Unidos, há cinco casas vazias para cada morador de rua.[37]

Infelizmente, em vez de tentar curar o mal, continuamos optando por combater os sintomas, com a polícia perseguindo mendigos, médicos tratando deles nos hospitais e depois os devolvendo para a rua, e assistentes sociais aplicando soluções paliativas, como band-aids numa ferida infeccionada. Em Utah, um ex-executivo provou que há outro caminho. Lloyd Pendleton já se concentra em persuadir o estado de Wyoming a dar casas para os sem-teto também. "São meus irmãos e irmãs", disse ele numa reunião em Casper, Wyoming. "Quando eles sofrem, todos nós sofremos na comunidade. Estamos todos conectados."[38]

Se essa mensagem não for suficiente para atiçar o seu senso moral, considere o bom senso financeiro dela. Porque tanto faz se estamos falando de mendigos holandeses, camponeses indianos ou crianças cherokees – combater a pobreza é bom não só para a nossa consciência como também para o nosso bolso. Como observa a professora Costello, de forma bem direta: "Essa é uma lição bastante valiosa que nossa sociedade precisa aprender."[39]

Aqueles que não conseguem lembrar o passado
estão condenados a repeti-lo.

George Santayana (1863-1952)

4

A história bizarra do presidente Nixon e seu projeto de renda básica

A história não é uma ciência que oferece lições práticas e rápidas para a vida cotidiana. Claro, refletir sobre o passado pode nos ajudar a colocar em perspectiva o que consideramos sofrimento nos dias atuais, desde um vazamento na pia até dívidas nacionais. Afinal, no passado, praticamente tudo era bem pior. Mas, com o mundo hoje mudando mais rápido do que nunca, o passado parece ainda mais remoto para nós também. Há um abismo crescente entre nós e aquele mundo estranho que mal podemos compreender. "O passado é um país estrangeiro", escreveu um romancista, "eles fazem tudo diferente por lá."[1]

Mesmo assim, acho que os historiadores têm mais a oferecer do que a mera perspectiva sobre nossas queixas presentes. O país estrangeiro que chamamos de passado nos permite olhar além dos horizontes do que existe hoje, a fim de que vejamos como o mundo poderia ser. Para que elaborar teorias sobre uma renda básica incondicional quando é possível traçar sua verdadeira ascensão e queda nos anos 1970?

Seja procurando novos sonhos ou redescobrindo antigos, não podemos ir adiante sem olhar para trás. É o único lugar onde o abstrato se torna concreto, onde podemos ver que já estamos vivendo na Terra da Abundância. O passado nos ensina uma lição simples mas crucial: *as coisas poderiam ser diferentes*. A maneira como nosso mundo está organizado não é resultado de uma evolução axiomática. Nosso status quo atual pode facilmente ser resultado de reviravoltas triviais, mas também críticas, da história.

Historiadores não acreditam em leis exatas de progresso ou economia; o mundo é governado não por forças abstratas, mas por pessoas que traçam o próprio caminho. Consequentemente, o passado não só coloca as coisas em perspectiva como também pode galvanizar nossa imaginação.

A SOMBRA DE SPEENHAMLAND

Se existe uma história para provar que as coisas poderiam ser diferentes e que a pobreza não é um mal necessário, essa é a história de Speenhamland, na Inglaterra.

Era o verão de 1969, o fim da década que trouxe os hippies e Woodstock, rock and roll e Vietnã, Martin Luther King e feminismo. Uma época em que tudo parecia possível, até mesmo um presidente conservador reforçando o Estado do bem-estar social.

Richard Nixon não era o candidato mais provável para ir atrás do antigo sonho utópico de Thomas More, mas às vezes a história tem um estranho senso de humor. O mesmo homem que foi forçado a renunciar após o escândalo de Watergate em 1974 esteve prestes a colocar em prática, em 1969, a renda básica incondicional para todas as famílias pobres de seu país. Teria sido um gigantesco passo adiante na Guerra contra a Pobreza, garantindo a uma família de quatro pessoas 1.600 dólares por ano, o equivalente a cerca de 10 mil dólares em 2016.

Um homem começou a perceber aonde aquilo poderia chegar – um futuro em que o dinheiro seria considerado um direito básico. Martin Anderson era conselheiro do presidente e se opunha com veemência ao plano. Anderson era um grande admirador de Ayn Rand, cuja utopia revolvia em torno do livre mercado, e o conceito de renda básica ia contra os ideais de Estado mínimo e responsabilidade individual que ele acalentava.

Então ele lançou uma ofensiva.

No mesmo dia em que Nixon pretendia divulgar seu plano, Anderson lhe entregou um relatório. Nas semanas seguintes, aquele documento de seis páginas – um estudo de caso sobre algo que havia acontecido na Inglaterra 150 anos antes – realizou algo impossível: mudou completamente a opinião de Nixon e, no processo, alterou o curso da história.

O relatório intitulava-se "A breve história de um Sistema de Segurança Familiar" e consistia quase inteiramente em trechos do livro clássico do sociólogo Karl Polanyi *A grande transformação*, publicado nos Estados Unidos em 1944. No sétimo capítulo, Polanyi descreve um dos primeiros sistemas do bem-estar social, conhecido como sistema de Speenhamland, na Inglaterra do século XIX. Esse sistema tinha uma semelhança intrigante com a renda básica.

O julgamento que Polanyi fez sobre o sistema era devastador. Para ele, não só incitava os pobres a serem ainda mais indolentes, afetando sua produtividade e seus salários, como ameaçava as próprias bases do capitalismo. "Isso introduziu nada mais que a inovação econômica do 'direito à vida' e, até ser abolido em 1834, o sistema efetivamente impediu o estabelecimento de um mercado de trabalho competitivo", escreveu Polanyi. No fim, Speenhamland resultou na "pauperização das massas", que, segundo Polanyi, "quase perderam sua forma humana". A renda básica não introduzia um chão, alegava ele, mas sim um teto.

No topo do relatório apresentado a Nixon havia uma citação do escritor hispano-americano George Santayana: "Aqueles que não conseguem lembrar o passado estão condenados a repeti-lo."[2]

O presidente ficou estupefato. Chamou seus principais assessores e mandou que eles pesquisassem a fundo o que havia acontecido na Inglaterra um século e meio antes. Eles lhe mostraram os resultados iniciais dos programas-piloto de Seattle e Denver, onde as pessoas claramente não estavam trabalhando menos. Além disso, apontaram, Speenhamland lembrava mais a bagunça de gastos sociais que Nixon havia herdado de governos anteriores, que na verdade mantinha as pessoas aprisionadas num círculo vicioso de pobreza.

Dois dos principais assessores de Nixon, o sociólogo que depois se tornou senador, Daniel Moynihan, e o economista Milton Friedman, argumentaram que o direito a uma renda mínima já existia, mesmo que fosse um "benefício legal que, todavia, a sociedade acabou estigmatizando".[3] De acordo com Friedman, a pobreza significa simplesmente ter pouco dinheiro. Nada mais, nada menos.

Mesmo assim, Speenhamland tornou-se uma sombra que se estendeu para além do verão de 1969. O presidente mudou o rumo e passou a usar uma nova retórica. Se o seu plano de renda básica inicialmente não fazia qualquer exigência de que os beneficiários trabalhassem, agora ele começava a enfatizar a importância de ter um emprego. E, enquanto o debate sobre renda básica durante a presidência de Lyndon Johnson começou quando experts sinalizaram que o desemprego estava se tornando endêmico, Nixon agora falava que não trabalhar era uma "escolha". Ele deplorava o aumento da intervenção do Estado, embora seu plano consistisse em distribuir assistência em dinheiro a cerca de 13 milhões de americanos (90% deles eram pobres que trabalhavam).

"Nixon estava propondo uma nova forma de cláusula social ao público americano", escreveu o historiador Brian Steensland, "mas ele não ofereceu um contexto conceitual para que pudessem entendê-la."[4] De fato, Nixon impregnou sua ideia progressista de uma retórica conservadora.

O que então o presidente estava fazendo?

Há uma breve historinha que explica isso. Em 7 de agosto daquele mesmo ano, Nixon disse a Moynihan que estava lendo biografias do primeiro-ministro inglês Benjamin Disraeli e do estadista Lord Randolph Churchill (pai de Winston). "Homens conservadores e políticas progressistas", observou Nixon, "são o que transforma o mundo."[5] O presidente queria fazer algo histórico. Ele se viu diante de uma rara e histórica chance de eliminar o velho sistema, elevar o padrão de vida de milhões de trabalhadores e conseguir uma vitória decisiva na Guerra contra a Pobreza. Em resumo, Nixon encarava a renda básica como o casamento perfeito entre políticas progressistas e conservadoras.

Faltava agora convencer o Congresso a aprovar a lei. Para tranquilizar seus correligionários republicanos e minimizar preocupações quanto ao precedente de Speenhamland, Nixon decidiu anexar uma cláusula adicional a seu projeto de lei. Beneficiários da lei de renda básica que estivessem desempregados teriam que se registrar no Departamento do Trabalho. Ninguém na Casa Branca esperava que essa condição fosse provocar resistência. "Não estou nem aí para essa exigência de trabalho", disse Nixon numa reunião a portas fechadas com seus assessores. "Esse é o preço para receber 1.600 dólares."[6]

No dia seguinte, o presidente apresentou seu projeto de lei num discurso televisionado. Se o "bem-estar social" tivesse que ser apresentado como "assistência de emprego" para conseguir fazer a lei passar pelo Congresso, então que assim fosse. O que Nixon não foi capaz de prever é que sua retórica de combater a preguiça entre os pobres e desempregados iria acabar jogando a opinião pública contra a renda básica e o Estado do bem-estar social como um todo.[7] O presidente conservador que sonhava entrar para a história como líder progressista perdeu uma oportunidade única de superar um estereótipo enraizado na Inglaterra do século XIX: o mito do pobre preguiçoso.

Para desfazer esse estereótipo, precisamos levantar uma simples questão: o que realmente aconteceu em Speenhamland?

A ironia da história

Vamos voltar a fita ao ano de 1795.

A Revolução Francesa já causava abalos em toda a Europa havia seis anos. Na Inglaterra, também, o descontentamento social tinha atingido o ponto de ebulição. Apenas dois anos antes, um jovem general chamado Napoleão Bonaparte havia esmagado os ingleses durante o Cerco de Toulon, no sul da França. Se isso já não fosse ruim o bastante, o país estava sofrendo mais um ano de colheitas insuficientes, sem esperança de conseguir importar grãos do continente. Enquanto o preço dos grãos continuava a subir, a ameaça de revolução chegava cada vez mais perto de desembarcar em terras britânicas.

Num distrito do sul da Inglaterra, as pessoas perceberam que repressão e propaganda não seriam mais suficientes para conter a maré de descontentamento. Em 6 de maio de 1795, os magistrados de Speenhamland se reuniram na hospedaria do vilarejo de Speen e concordaram em reformar de maneira radical a assistência aos pobres. Especificamente, os salários de "todos os homens pobres e laboriosos e suas famílias" seriam suplementados até o nível de subsistência, num valor vinculado ao preço do pão e pago de acordo com o número de membros da família.[8] Quanto maior a família, maior o pagamento.

Esse não foi o primeiro programa de auxílio social da história, nem mesmo da Inglaterra. Durante o reinado da rainha Elizabeth I (1558-1603), a Lei dos Pobres introduziu duas formas de assistência – uma para os pobres merecedores (idosos, crianças e deficientes) e outra para os que eram forçados a trabalhar. Os da primeira categoria eram levados para asilos. Os da segunda eram leiloados a proprietários de terras, com o governo local suplementando seus salários até um valor mínimo determinado. O sistema de Speenhamland pôs fim a essa distinção, assim como Nixon aspirava fazer 150 anos depois. Dali em diante, os necessitados eram simplesmente necessitados, todos com direito a receber o benefício.

O sistema logo passou a ser adotado em todo o sul da Inglaterra. O primeiro-ministro William Pitt, The Younger ("O Novo), até tentou transformá-lo em lei nacional. Aparentemente, o programa havia sido um sucesso total: a fome e a miséria diminuíram e, o mais importante para as autoridades, a revolta popular fora cortada pela raiz. Entretanto, naquele mesmo período alguns começaram a questionar se era sensato ajudar os pobres. Em sua *Dissertação sobre as Leis dos Pobres*, de 1786, o vigário Joseph Townsend já tinha afirmado, quase uma década antes de Speenhamland, que "é somente a fome que pode incitá-los a trabalhar; mas, nossas leis dizem, eles nunca deverão ter fome". Outro clérigo, Thomas Malthus, refletiu a partir das ideias de Townsend. No verão de 1798, às vésperas da Revolução Industrial, ele descreveu a "grande dificuldade" no caminho para o progresso, que para ele parecia "intransponível". Sua premissa tinha duas bases: (1) seres humanos precisam de comida para sobreviver e (2) a paixão entre os sexos é impossível de ser erradicada.

Sua conclusão? O crescimento populacional sempre vai exceder a produção de alimentos. De acordo com o religioso Malthus, a abstinência sexual era a única coisa capaz de impedir que os Quatro Cavaleiros do Apocalipse descessem para espalhar guerra, fome, doença e morte no mundo. Decerto Malthus estava convencido de que a Inglaterra estava à beira de um desastre tão terrível quanto a peste negra, que dizimou metade da população do país entre 1349 e 1353.[9]

De qualquer forma, por essa visão, as consequências da assistência aos pobres seriam, com certeza, catastróficas. O sistema de Speenhamland apenas encorajaria os pobres a se casarem e procriarem o mais rápido e prolificamente possível. Um dos amigos mais próximos de Malthus, o economista David Ricardo, acreditava que uma renda básica também iria tentá-los a trabalhar menos, causando uma queda ainda maior na produção de alimentos e espalhando as chamas de uma revolução no estilo francês no solo da Inglaterra.[10]

No fim do verão de 1830, a revolta prevista estourou. Aos gritos de "Pão ou sangue!", por todo o país milhares de trabalhadores rurais quebraram máquinas de colheita dos proprietários de terras, exigindo salários que lhes permitissem um sustento mínimo. As autoridades reprimiram duramente o movimento, prendendo e deportando 2 mil manifestantes e até sentenciando alguns à morte.

Em Londres, autoridades do governo perceberam que algo precisava ser feito. Lançaram uma investigação nacional sobre as condições do trabalho agrícola, a pobreza rural e o sistema de Speenhamland em si. A maior pesquisa governamental feita até então aconteceu na primavera de 1832, com investigadores conduzindo centenas de entrevistas e coletando pilhas de dados, que por fim foram reunidos num relatório de 13 mil páginas. Mas a conclusão deles podia ser resumida em uma só frase: Speenhamland havia sido um desastre.

Os investigadores por trás dessa pesquisa da Comissão Real culparam a renda básica pela explosão populacional, pela redução de salários e pelo aumento de condutas imorais... Em suma, pela deterioração total da classe trabalhadora inglesa. Felizmente, escreveram eles, assim que a renda básica foi repelida aconteceu o seguinte:

1. Os pobres voltaram a trabalhar mais.
2. Eles desenvolveram "hábitos frugais".
3. A "demanda por trabalhadores" aumentou.
4. Seus salários "em geral avançaram".
5. Eles contraíram menos "casamentos imprudentes e miseráveis".
6. Sua "condição moral e social melhorou de todas as formas".[11]

Amplamente divulgado e endossado, o Relatório da Comissão Real foi por muito tempo considerado uma fonte fundamental para as ciências sociais emergentes, marcando a primeira vez que um governo reuniu dados de forma sistemática para então usá-los como base para uma decisão complicada.

Até mesmo Karl Marx usou essa pesquisa como base para sua condenação do sistema de Speenhamland, em sua obra-prima *O capital* (1867), 30 anos depois. Assistência aos pobres, afirmou ele, era uma tática que empregadores usavam para manter os salários o mais baixo possível, atribuindo o ônus aos governos locais. Assim como seu amigo Friedrich Engels, Marx via as antigas leis dos pobres como relíquia do passado feudal. Libertar o proletariado dos grilhões da pobreza exigia uma revolução e não uma renda básica.

Críticos de Speenhamland adquiriram uma autoridade crescente com todos, da esquerda à direita, relegando o sistema aos fracassos da história. Já na metade do século XX, pensadores eminentes, como Jeremy Bentham, Alexis de Tocqueville, John Stuart Mill, Friedrich Hayek e, acima de todos, Karl Polanyi, continuavam denunciando o programa.[12] Speenhamland era considerado um exemplo clássico de como um programa de governo, mesmo com as melhores intenções, havia pavimentado a estrada para o inferno.

150 ANOS DEPOIS

Mas essa não é bem a história completa sobre o caso.

Nos anos 1960 e 1970, historiadores voltaram a examinar o Relatório da Comissão Real sobre Speenhamland e descobriram que boa parte do texto havia sido escrita antes mesmo que os dados fossem coletados. Dos questionários distribuídos, apenas 10% foram preenchidos. Além disso, as perguntas eram capciosas, com intenção de levar as pessoas a responderem exatamente da maneira como os investigadores queriam. E quase nenhum dos entrevistados era de fato beneficiário do programa. As evidências apresentadas no relatório eram, na verdade, opiniões da elite local, em especial dos clérigos, cuja visão geral era de que os pobres estavam apenas se tornando mais descontrolados e preguiçosos.

O Relatório da Comissão Real, em grande parte fabricado, acabou sendo o alicerce de uma nova e draconiana Lei dos Pobres. Chegaram a dizer que o secretário da Comissão, Edwin Chadwick, já tinha "a lei dentro da cabeça" antes mesmo que a investigação começasse, mas ele foi astuto o bastante para antes obter evidências que pudessem substanciar sua proposta. Chadwick ainda fora abençoado com a "capacidade admirável" de arranjar testemunhas que dissessem exatamente o que ele queria, assim como "um cozinheiro francês que consegue fazer um ragu excelente com um par de sapatos", segundo outro membro da Comissão.[13]

Os investigadores mal se deram o trabalho de analisar os dados, embora tenham até empregado "uma estrutura elaborada de apêndices ao relatório para dar uma aparência de que suas 'descobertas' tinham peso", observaram dois pesquisadores atuais.[14] O método da Comissão não poderia ter sido mais diferente daquele empregado nos rigorosos experimentos conduzidos no Canadá e nos Estados Unidos nos anos 1960 e 1970 (veja o Capítulo 2). Esses experimentos haviam sido pioneiros e meticulosos e mesmo assim não tiveram influência política alguma, enquanto o Relatório da Comissão Real foi baseado num falso método científico e ainda assim conseguiu redirecionar o curso de ação do presidente Nixon 150 anos depois.

Pesquisas mais recentes revelaram que o sistema de Speenhamland foi, na verdade, um sucesso. Malthus estava errado quanto à explosão populacional, que era atribuível principalmente à demanda crescente por trabalho infantil. Naquela época, crianças eram como cofrinhos de poupança ambulantes, e o que elas ganhavam funcionava como uma espécie de fundo de pensão para os pais. Mesmo hoje, à medida que populações escapam da pobreza, as taxas de natalidade diminuem e as pessoas encontram outras maneiras de investir em seu futuro.[15]

A análise de Ricardo também era errônea. Não havia uma armadilha de pobreza no sistema de Speenhamland, e os assalariados podiam manter sua bolsa – ao menos em parte – mesmo que seus vencimentos aumentassem.[16] Assim, a renda básica não causava pobreza, só que fora adotada nos distritos onde o sofrimento já era mais agudo.[17] E a revolta rural havia sido provocada pela decisão, em 1819, de se retornar ao sistema monetário do padrão-ouro, como a Inglaterra fazia antes da guerra com a França revolucionária, justamente depois que o governo ouviu o conselho de David Ricardo.[18]

Marx e Engels também se equivocaram com base no relatório. Com toda a competição entre proprietários de terras para atrair mão de obra decente, não havia como os salários serem reduzidos. Além disso, pesquisas históricas modernas revelaram que o sistema de Speenhamland era muito mais limitado do que se presumia. Vilarejos onde o sistema não fora implementado sofreram as mesmas dificuldades para se adaptar ao padrão-ouro, ao surgimento da indústria no norte do país e à invenção da máquina debulhadora de trigo. As debulhadoras, que separavam os grãos da palha do trigo, destruíram milhares de empregos de uma vez só, o que causou depressão salarial e inflacionou o custo da assistência aos pobres.

Enquanto isso, a tendência de crescimento da produção agrícola nunca fraquejou, aumentando um terço entre 1790 e 1830.[19] Alimentos eram mais abundantes do que nunca, mas ainda assim uma parcela cada vez menor da população inglesa tinha dinheiro para comprar comida suficiente. Não por serem preguiçosos, mas porque estavam perdendo a competição com as máquinas.

Um sistema abominável

Em 1834, o programa de Speenhamland desmoronou de vez. A revolta de 1830, que provavelmente teria ocorrido antes se não fosse pela renda básica, selou o destino da primeira tentativa de se transferir dinheiro direto para a população, com os pobres sendo culpados pela própria pobreza. Se a Inglaterra antes gastava 2% da renda nacional em assistência aos pobres, após 1834 esse número caiu para apenas 1%.[20]

A nova Lei dos Pobres introduziu o que foi talvez a forma mais abominável em "assistência pública" que o mundo já testemunhou. Na crença em que as *workhouses* (casas de trabalho, em tradução literal, ou asilos de pobres) seriam o único remédio eficaz contra a preguiça e a depravação, a Comissão Real forçou os pobres ao trabalho escravo, em tarefas absurdas que iam de quebrar pedras a caminhar em esteiras rolantes. Enquanto isso, os pobres continuavam com fome. Na cidade de Andover, presidiários não tinham nada para comer a não ser o que restava nos ossos que eles recebiam para moer e transformar em fertilizante, no trabalho forçado.

Ao chegarem à *workhouse*, cônjuges eram separados e crianças eram afastadas dos pais, para nunca mais vê-los. As mulheres eram obrigadas a passar fome, como precaução contra a gravidez. Charles Dickens alcançou fama com seu retrato do drama dos pobres daquele tempo. "Por favor, senhor, quero um pouco mais", diz o pequeno Oliver Twist num abrigo onde os meninos recebiam três porções diárias de mingau ralo, duas cebolas por semana e uma fatia de pão aos domingos. Longe de ajudar os pobres, o espectro das *workhouses* era o que permitia aos empregadores manter os salários tão miseravelmente baixos.

Enquanto isso, o mito de Speenhamland cumpriu um papel decisivo em propagar a ideia de um mercado livre e autorregulador. De acordo com dois historiadores contemporâneos, culpar as vítimas ajudou a "encobrir um dos maiores fracassos da nova ciência da política econômica".[21] Foi só depois da Grande Depressão que ficou claro quanto a obsessão de Ricardo com o padrão-ouro foi uma visão equivocada. No fim, o mercado perfeito e autorregulável provou ser uma ilusão.

Em contraste, o sistema de Speenhamland foi um meio eficaz de combater a pobreza. Num mundo que estava mudando a uma velocidade estonteante, a renda mínima oferecia segurança. "Longe de provocar um fator inibidor, provavelmente contribuiu para a expansão econômica", concluiu mais tarde um estudo.[22] Simon Szreter, historiador da Universidade de Cambridge, chega a argumentar que a legislação antipobreza foi fundamental para a ascensão da Inglaterra como superpotência mundial. De acordo com ele, ao fomentar a segurança de renda e mobilidade, a antiga Lei dos Pobres e o sistema de Speenhamland tornaram a indústria agrícola inglesa a mais eficiente do mundo.[23]

Um mito pernicioso

De tempos em tempos, políticos são acusados de não se interessarem o bastante pelo passado. Nesse caso, entretanto, Nixon estava interessado talvez até demais. Mesmo um século e meio depois do relatório fatal, o mito de Speenhamland ainda estava vivo e forte. Quando o projeto de lei de Nixon afundou no Senado, teóricos conservadores começaram a criticar duramente o Estado do bem-estar social, usando os mesmos argumentos equivocados que haviam sido empregados em 1834.

Esses argumentos ecoaram em *Wealth and Poverty* (Riqueza e pobreza), o megabest-seller de George Gilder de 1981, que o tornaria o autor mais citado por Ronald Reagan e caracterizava a pobreza como um problema moral, baseado em preguiça e vício. E apareceriam novamente alguns anos depois em *Losing Ground* (Perdendo terreno), um livro influente no qual o sociólogo conservador Charles Murray reciclou o mito de Speenhamland.[24] O auxílio do governo, escreveu ele, iria apenas deteriorar a moral sexual e a ética de trabalho dos pobres.

Era como ouvir Townsend e Malthus de novo, mas, como um historiador observa corretamente, "em qualquer lugar onde você encontre pobres você também encontra pessoas não pobres teorizando sobre a inferioridade e a disfunção cultural deles".[25] Até Daniel Moynihan, um antigo assessor de Nixon, deixou de acreditar na renda básica quando de início foi divulgado que as taxas de divórcio aumentaram durante o programa-piloto de Seattle, uma conclusão desmentida depois e apontada como erro matemático.[26] O presidente Carter também foi levado à mesma conclusão errônea, embora tenha chegado a considerar a ideia da renda mínima.

Martin Anderson, seguidor fiel de Ayn Rand, farejou a vitória. "A reforma radical do bem-estar social é um sonho impossível", trombeteou ele no *The New York Times*.[27] Havia chegado a hora de eliminar o antigo Estado do bem-estar social, assim como aconteceu com a Lei dos Pobres inglesa em 1834. Em 1996, o presidente democrata Bill Clinton por fim decidiu acabar com "o Estado do bem-estar social da forma como o conhecíamos até então". Pela primeira vez desde a aprovação da Lei da Seguridade Social de 1935, a assistência aos pobres voltava a ser vista como favor, e não como direito. A "responsabilidade pessoal" era a nova palavra de ordem. O aperfeiçoamento da sociedade abriu caminho para o aperfeiçoamento do indivíduo, culminado na destinação de 250 milhões de dólares ao "treinamento de castidade" para mães solteiras.[28] O reverendo Malthus, com certeza, teria aprovado.

Entre as poucas vozes dissidentes estava o velho Daniel Moynihan – não porque o sistema tinha sido tão bom, mas porque era melhor do que nada.[29] Deixando de lado suas preocupações iniciais, Moynihan previu que a pobreza infantil iria aumentar progressivamente se o bem-estar social fosse ainda mais esvaziado. "Eles deveriam se envergonhar", disse, criticando o governo Clinton. "A história irá envergonhá-los."[30] Enquanto isso, a pobreza na infância aumentou nos Estados Unidos, voltando ao nível de 1964, quando a Guerra contra a Pobreza – e a carreira de Moynihan – havia começado.

As lições da história

Mas as coisas poderiam ter sido diferentes.

Na Universidade de Princeton, o historiador Brian Steensland traçou meticulosamente a ascensão e a queda da renda básica nos Estados Unidos e enfatizou que, se o plano de Nixon *tivesse* ido adiante, os desdobramentos teriam sido imensos. Programas de assistência pública não seriam mais vistos apenas como demagogia para ajudar oportunistas preguiçosos. Não haveria mais uma divisão entre pobres "merecedores" e "não merecedores".

Originada na antiga Lei dos Pobres elizabetana, essa distinção histórica é, até hoje, um dos principais obstáculos para se chegar a um mundo sem pobreza. A renda básica poderia mudar isso, proporcionando um mínimo garantido para todos.[31] Se os Estados Unidos, a nação mais rica do mundo, tivesse escolhido esse caminho, não há dúvida de que outros países teriam seguido o exemplo.

Mas a história tomou um rumo diferente. Argumentos antes usados em apoio à renda básica (o velho sistema era ineficiente, caro e degradante) acabaram sendo jogados contra o sistema do bem-estar social como um todo. A sombra de Speenhamland e da retórica equivocada de Nixon criou os alicerces para os cortes de Reagan e Clinton na assistência social.[32]

Hoje, a ideia de uma renda básica para todos os americanos é, nas palavras de Steenland, tão "impensável" quanto "o voto feminino e direitos iguais para minorias raciais" eram no passado.[33] É difícil imaginar que nunca seremos capazes de descartar o dogma de que se alguém quer dinheiro, então tem que trabalhar por isso. O fato de que um presidente tão recente e conservador quanto Richard Nixon tentou implementar uma renda básica parece ter evaporado da memória coletiva.

O Estado de vigilância

Segundo um dos maiores autores do século XX, "é a baixeza peculiar da pobreza que você descobre primeiro". George Orwell dizia isso por experiência própria, pois passou um tempo vivendo entre os pobres. Em sua autobiografia *Na pior em Paris e Londres*, de 1933, ele escreve: "Você pensou que seria bastante simples; é extraordinariamente complicado. Você achou que seria terrível; é meramente esquálido e tedioso."

Orwell se recorda de passar dias inteiros simplesmente deitado na cama, porque não havia nada que valesse a pena ele se levantar para fazer. O ponto crucial da pobreza, diz ele, é que ela "aniquila o futuro". Tudo que resta é sobreviver no aqui e agora. Ele também se admira de "como as pessoas se acham no direito de lhe passar sermões ou rezar por você assim que sua renda cai abaixo de um certo patamar".

Suas palavras continuam ressonantes nos dias atuais. Em décadas recentes, nossos Estados do bem-estar social têm se tornado cada vez mais Estados de vigilância. Ao usar táticas no estilo *Big Brother*, o *Big Governo* está nos forçando a ser uma *Big Sociedade*. Hoje, nações desenvolvidas estão reforçando essas políticas de "ativação" para os desempregados, que variam de cursos para aprender a se candidatar a diversas vagas, passando por empregos temporários de coleta de lixo, até terapia ou mesmo treinamento para usar a rede LinkedIn. Não importa que haja 10 candidatos para cada vaga, o problema é consistentemente atribuído não à demanda, mas à oferta – no caso, os desempregados que, segundo essa política, não desenvolveram capacitação profissional ou simplesmente não se esforçaram para mostrar o seu melhor.

O mais incrível é que economistas sempre denunciaram a indústria do desemprego.[34] Alguns programas de retorno ao mercado de trabalho até mesmo prolongam o desemprego[35] e os assistentes sociais encarregados de ajudar essas pessoas a arrumar uma ocupação muitas vezes custam mais ao governo do que o dinheiro do seguro-desemprego. A longo prazo, os custos do Estado de vigilância são ainda mais altos. Afinal, passar uma semana inteira assistindo a cursos inúteis ou realizando tarefas enfadonhas deixa menos tempo para que esses indivíduos cuidem dos filhos, completem sua escolaridade e procurem um emprego de verdade.[36]

Imagine este caso: mãe que depende da assistência do governo, com dois filhos, perde o direito ao benefício porque não conseguiu desenvolver o suficiente a sua capacitação profissional. O governo economiza uns 2 mil dólares, mas serão muito maiores os custos que terá com essas crianças, que consequentemente irão crescer pobres, alimentar-se mal, ter notas ruins na escola e, mais tarde, terão maior probabilidade de cometer crimes.

De fato, a crítica conservadora ao velho Estado babá é certeira. A atual burocracia mantém as pessoas no ciclo de pobreza. Na verdade, *produz* dependência. Enquanto se espera que os empregados demonstrem suas habilidades, os serviços sociais esperam que os beneficiários demonstrem suas incapacidades; que provem ano após ano que uma doença é debilitante o suficiente; que a depressão do indivíduo é terrível o suficiente; e que as chances de o indivíduo conseguir um emprego são mínimas o suficiente. Do contrário, os benefícios serão cortados. Formulários, entrevistas, checagens, apelos, avaliações, exames, consultas e depois mais formulários – todo pedido de assistência tem os próprios protocolos degradantes e desperdício de dinheiro. "O processo pisoteia a privacidade e o respeito próprio de uma forma inconcebível a qualquer um fora do sistema de benefícios", diz um assistente social britânico. "Cria uma aura nociva de desconfiança."[37]

Isso não é uma guerra contra a pobreza; é uma guerra contra os pobres. Não há maneira mais garantida de transformar os que ocupam os degraus inferiores da sociedade – inclusive gênios como Orwell – numa legião de vagabundos e aproveitadores preguiçosos, frustrados e até mesmo agressivos. Eles foram treinados para isso. Se há uma coisa que nós, capitalistas, temos em comum com os antigos comunistas é a obsessão patológica pelo trabalho remunerado. Assim como as lojas da era soviética empregavam "três funcionários para vender um pedaço de carne", nós forçamos beneficiários a realizar tarefas desnecessárias, mesmo que isso nos leve à falência.[38]

Capitalistas ou comunistas, no fim todos insistem numa distinção inútil entre dois tipos de pobres e num grande equívoco que quase conseguimos desmistificar cerca de 40 anos atrás: a falácia de que a vida sem pobreza é um privilégio que só pode ser atingido com muito trabalho e não um direito que todos merecemos ter.

O produto interno bruto... mede tudo... exceto
aquilo que faz a vida valer a pena.

Robert F. Kennedy (1925-1968)

5

Novos números
para uma nova era

Começou por volta das 15h45 – com tremores aproximadamente 10 quilômetros abaixo da superfície da Terra, de uma intensidade que não se sentia há pelo menos meio século. A 100 quilômetros de distância, sismógrafos começaram a disparar, marcando 9 de magnitude na escala Richter. Menos de meia hora depois, as primeiras ondas estouraram na costa do Japão, chegando a 6 metros, 12 metros e até 18 metros de altura. Em poucas horas, 39 mil hectares de terra foram cobertos por lama, destroços e água.

Quase 20 mil pessoas morreram.

"ECONOMIA DO JAPÃO EM QUEDA LIVRE", proclamou a manchete do jornal *The Guardian* logo após o desastre.[1] Poucos meses depois, o Banco Mundial calculou o prejuízo total em 235 bilhões de dólares, o equivalente ao PIB da Grécia. O terremoto de Sendai, em 11 de março de 2011, entrou para a história como o desastre mais dispendioso até então.

Mas a história não acaba aí. Numa entrevista à TV no dia do terremoto, o economista americano Larry Summers disse que, ironicamente, essa tragédia iria ajudar a levantar a economia japonesa. Claro, a curto prazo a produção iria diminuir, mas, após alguns meses, os esforços de reconstrução iriam estimular demanda, emprego e consumo.

E Larry Summers estava certo.

Após uma leve queda em 2011, o ano seguinte viu a economia

do país crescer 2% e os números de 2013 foram ainda melhores. O Japão estava vivenciando os efeitos de uma antiga lei econômica que mostra que todo desastre tem um lado bom – pelo menos para o PIB.

Aconteceu o mesmo na Grande Depressão. Os Estados Unidos só começaram a sair da crise quando entraram na maior catástrofe do século passado: a Segunda Guerra Mundial. Outro exemplo é a enchente que matou quase 2 mil pessoas no meu país, a Holanda, em 1953. A reconstrução após o desastre proporcionou um avanço extraordinário para a economia holandesa. Depois de uma fase de estagnação da indústria no início dos anos 1950, a inundação de grande parte do sudoeste do país impulsionou o crescimento anual de 2% para 8%. "Nós mesmos conseguimos nos desatolar da lama", resumiu um historiador.[2]

O QUE SE VÊ

Então deveríamos dar boas-vindas a desastres climáticos? Destruir bairros inteiros? Explodir fábricas? Isso poderia ser um grande antídoto para o desemprego e realizar maravilhas na economia.

Mas, antes que alguém se empolgue, nem todos concordariam com essa linha de pensamento. Em 1850, o filósofo Frédéric Bastiat escreveu um ensaio intitulado *"Ce qu'on voit et ce qu'on ne voit pas"*, que significa "O que se vê e o que não se vê".[3] De uma certa perspectiva, diz ele, quebrar uma janela parece uma ótima ideia. "Imagine que custe 6 francos para consertar o prejuízo. E imagine que isso crie um ganho comercial de 6 francos – admito, não há como argumentar contra esse raciocínio. O vidraceiro vem, faz seu trabalho e sai feliz com 6 francos no bolso..." *Ce qu'on voit.*

Mas, como Bastiat compreendeu, essa teoria não leva em conta o que não vemos. Imagine (mais uma vez) que a Procuradoria Geral da República publique um relatório revelando um aumento de 15% em atividades de rua. É natural que você queira saber qual é o tipo de atividade. Churrascos entre vizinhos ou nudez em público? Músicos de rua ou assaltantes na rua? Crianças vendendo limonada ou janelas quebradas? Qual é a *natureza* da atividade?

Isso é precisamente o que a sagrada medida de progresso da sociedade moderna, o Produto Interno Bruto, não mede. *Ce qu'on ne voit pas*.

O QUE NÃO SE VÊ

O Produto Interno Bruto. O que isso realmente significa?

Bem, é fácil, você diz: o PIB é a soma de todos os bens e serviços que um país produz, corrigida pelas flutuações sazonais, pela inflação e talvez pelo poder de compra.

Ao que Bastiat responderia: você deixou de considerar fatores importantíssimos. Serviços para a comunidade, ar puro, restaurantes que enchem seu segundo copo de refrigerante sem cobrar – nada disso torna o PIB um centésimo maior. Se uma mulher de negócios casa com seu faxineiro, o PIB cai quando o marido dela parar de trabalhar fora para se tornar dono de casa. Veja, por exemplo, a Wikipedia. Apoiada por mais investimento de tempo do que de dinheiro, deixou a velha Enciclopédia Britânica na poeira – e diminuiu um pouco o PIB nesse processo.

Alguns países até consideram como fator para o PIB uma estimativa para suas economias informais. O PIB da Grécia aumentou 25% quando estatísticos analisaram a fundo o mercado paralelo em 2006, por exemplo, permitindo assim que o governo obtivesse uma série de empréstimos significativos pouco antes de estourar a crise da dívida europeia. A Itália passou a incluir seu mercado paralelo em 1987, o que inchou sua economia em 20% da noite para o dia. "Uma onda de euforia tomou conta dos italianos", relatou o *The New York Times*, "depois que economistas recalibraram suas estatísticas e levaram em consideração pela primeira vez a formidável economia subterrânea de sonegadores de impostos e trabalhadores ilegais no país."[4]

E isso sem falar em todo trabalho não remunerado que nem chega a ser qualificado como parte do mercado paralelo, como voluntariado, cuidar de crianças ou cozinhar, que juntos representam mais da metade de todo o nosso trabalho. Claro, podemos contratar empregados e babás para executar algumas dessas tarefas e, nesse caso, elas contam para o PIB, mas ainda fazemos por conta própria a maior parte dessas atribuições. Adicionar todo esse trabalho não remunerado iria expandir a economia cerca de 37% (na Hungria) a 74% (no Reino Unido).[5] No entanto, como observa a economista Diane Coyle, "em geral, agências oficiais de estatística nunca deram importância a isso – talvez porque esse serviço seja feito principalmente por mulheres".[6]

Por falar nisso, a Dinamarca foi o único país no mundo a tentar quantificar o valor da amamentação em seu PIB. E a soma não é insignificante: nos Estados Unidos, a contribuição potencial do leite materno é estimada em incríveis 110 bilhões de dólares ao ano[7] – algo equivalente ao orçamento militar da China.[8]

O PIB também não calcula muito bem os avanços do conhecimento humano. Nossos computadores, câmeras e telefones são cada vez mais inteligentes, rápidos e sofisticados, mas também mais baratos e, portanto, mal causam impacto nas estimativas.[9] Enquanto há 30 anos um único gigabyte de memória custava 300 mil dólares, hoje custa menos de 10 centavos de dólar.[10] Esses avanços tecnológicos formidáveis representam pouco mais que alguns centésimos percentuais no PIB. Produtos gratuitos podem até fazer a economia se contrair (como o serviço de ligações Skype, que custa uma fortuna às companhias de telecomunicações). Hoje, o africano médio com um telefone celular tem mais acesso a informações do que o presidente Bill Clinton tinha nos anos 1990, mas mesmo assim a parcela do setor de informação na economia não foi modificada nos últimos 25 anos, desde antes da internet.[11]

Além de não contemplar tantas coisas boas, o PIB também se beneficia de vários tipos de sofrimento humano. Engarrafamentos, vícios em drogas, adultério? Minas de ouro destinadas a postos de gasolina, centros de reabilitação e advogados especializados em divórcio. Se você fosse o PIB, seu cidadão ideal seria um jogador compulsivo com câncer que está passando por um divórcio complicado, do qual busca consolo tomando várias pílulas de antidepressivo e comprando loucamente na Black Friday. A poluição ambiental inclusive contribui para o PIB duas vezes: uma empresa fatura evitando cumprir a legislação, enquanto outra é paga para limpar o estrago que a primeira causa. Em comparação, uma árvore com séculos de existência não conta, até que seja cortada e vendida como madeira e lenha.[12]

Doenças mentais, obesidade, poluição, crime – quanto mais, melhor para o PIB. Também é por isso que o país com o maior PIB per capita do planeta, os Estados Unidos, é igualmente líder em problemas sociais. "Nos padrões do PIB", diz o escritor Jonathan Rowe, "as piores famílias na América são aquelas que funcionam bem como famílias – cozinham as próprias refeições, fazem caminhadas depois do jantar e conversam em vez de apenas deixarem as crianças à mercê da cultura comercial."[13]

O PIB também é indiferente à desigualdade, que vem subindo na maioria dos países desenvolvidos, e às dívidas, o que torna tentador viver na base do crédito. No último trimestre de 2008, quando o sistema financeiro global quase implodiu, bancos britânicos estavam crescendo mais rápido que nunca. Como parcela do PIB, representavam 9% da economia inglesa no ápice da crise, quase a mesma participação que toda a indústria manufatureira. E pensar que, nos anos 1950, a contribuição desses bancos para o PIB ainda era praticamente nula.

Foi durante os anos 1970 que os estatísticos decidiram que seria uma boa ideia medir a "produtividade" dos bancos em termos do seu comportamento de investir em riscos. Quanto maior o risco, maior sua fatia do PIB.[14] Não surpreende quase ninguém que os bancos continuem emprestando cada vez mais, incentivados por políticos convencidos de que a contribuição do setor financeiro ao PIB é tão valiosa quanto a do setor industrial como um todo. "Se os bancos tivessem sido subtraídos do PIB, em vez de adicionados, seria plausível especular que a crise financeira nunca teria acontecido", afirmou o *Financial Times* recentemente.[15]

O banqueiro que vende indiscriminadamente o máximo de hipotecas e derivativos para faturar milhões em bônus contribui mais para o PIB hoje do que uma escola repleta de professores ou uma fábrica de automóveis cheia de mecânicos. Vivemos num mundo em que parece ser regra corrente que quanto mais vital for a sua ocupação (limpar, amamentar, ensinar), menos você conta no PIB. Como disse em 1984 o ganhador do Prêmio Nobel James Tobin, "estamos jogando mais e mais de nossos recursos, inclusive nossos jovens mais brilhantes, em atividades financeiras muito distantes da produção de bens e serviços, atividades que geram recompensas privadas altas e desproporcionais à sua produtividade social".[16]

FIGURA 6   O crescimento do setor financeiro

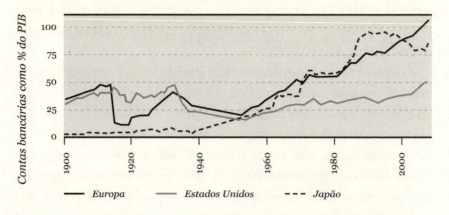

Este gráfico mostra empréstimos a famílias e organizações fora do setor financeiro. "Europa" é a média de Dinamarca, Inglaterra, França, Alemanha, Itália, Holanda, Espanha e Suécia.

Fonte: Schularick e Taylor (2012).

Para cada era, os próprios números

Não me entenda mal: em vários países, o crescimento econômico, a assistência social e a saúde ainda andam alegremente de mãos dadas. Trata-se de lugares onde ainda há barrigas para encher e casas para construir. É um privilégio dos ricos traçar outros objetivos além do crescimento. Mas, para a maior parte da população mundial, o dinheiro é o mais importante. "Só existe uma classe na comunidade que pensa mais em dinheiro do que os ricos", disse Oscar Wilde, "e esta é a classe pobre."[17]

No entanto, na Terra da Abundância, chegamos ao fim de uma longa e histórica viagem. Nos últimos 30 anos ou mais, o crescimento não nos ajudou a melhorar de vida e, em alguns casos, esta até piorou. Se queremos uma qualidade de vida melhor, temos que dar o primeiro passo na procura de outros meios e de métricas alternativas.

A ideia de que o PIB ainda serve como medida precisa do bem-estar social é um dos mitos mais disseminados do nosso tempo. Mesmo políticos que discordam e brigam por quase tudo sempre concordam que o PIB deve subir. Crescimento é bom. É bom para o emprego, é bom para o poder aquisitivo e é bom para o governo, porque lhe permite gastar mais.

O jornalismo moderno estaria perdido sem o PIB, utilizado como uma espécie de boletim do governo, com suas últimas notas de crescimento nacional. Um PIB que encolhe significa recessão e, se o número murchar mesmo, depressão. De fato, o PIB oferece praticamente tudo que um jornalista poderia querer: números exatos, publicados em intervalos regulares, e a chance de pedir a opinião de especialistas. Acima de tudo, o PIB oferece uma referência clara. Estaria o governo fazendo um bom trabalho? Como estamos em comparação com outros países? A vida no país melhorou um pouco? Não se preocupe, temos os últimos números do PIB e eles nos dirão tudo de que precisamos saber.

Diante de nossa obsessão por ele, é difícil acreditar que, há apenas 80 anos, o PIB nem sequer existia.

Claro que o desejo de medir riqueza é muito antigo, vem desde a era das perucas brancas com perfume em pó. Economistas daquele tempo, conhecidos como "fisiocratas", acreditavam que toda a riqueza vinha da terra. Portanto, preocupavam-se sobretudo com o resultado das colheitas. Em 1665, o inglês William Petty foi o primeiro a apresentar uma estimativa do que chamou de "renda nacional". Seu objetivo era descobrir quanto a Inglaterra poderia recolher em impostos e, por extensão, por quanto tempo poderia continuar financiando a guerra com a Holanda. Ao contrário dos fisiocratas, Petty acreditava que a verdadeira riqueza não era derivada da terra, mas sim dos salários. Portanto, argumentava ele, salários deveriam ser taxados mais pesadamente. (Petty, aliás, era um rico proprietário de terras.)

Uma definição diferente de renda nacional foi criada pelo político inglês Charles Davenant, que revela seu objetivo já no título de seu ensaio de 1695 "Sobre métodos e recursos para suprir a guerra". Estimativas como a dele deram à Inglaterra uma vantagem considerável enquanto o país competia com a França. O rei da França, por sua vez, teve que esperar até o final do século XVIII para ter a própria estatística econômica decente. Em 1781, seu ministro das Finanças, Jacques Necker, submeteu o *Compte rendu au roi*, ou "Relatório financeiro para o rei", a Luís XVI, que estava à beira da falência. Embora o documento tenha permitido ao rei obter alguns empréstimos, veio tarde demais para impedir a Revolução em 1789.

O significado do termo "renda nacional", na verdade, nunca foi fixo, flutuando sempre com as últimas correntes intelectuais ou os imperativos do momento. Cada era tem as próprias ideias idiossincráticas sobre o que define a riqueza de um país. Veja, por exemplo, Adam Smith, pai da economia moderna, que acreditava que a riqueza das nações era baseada não somente na agricultura, mas também na indústria. Em contraste, a economia de serviços inteira – um setor que abrange de artistas a advogados e constitui aproximadamente dois terços da economia moderna –, na opinião de Smith, "não acrescenta valor algum".[18]

Entretanto, à medida que o fluxo de caixa era transferido das fazendas para as fábricas e destas para linhas de produção e então para arranha-céus de escritórios, os números para tabular toda essa riqueza iam acompanhando cada passo. A primeira pessoa a argumentar que o importante não é a *natureza*, e sim o *preço* dos produtos foi o economista Alfred Marshall (1842-1924). Em sua medida, um filme da Paris Hilton, uma hora do *reality show Jersey Shore* e uma cerveja Bud Light com limão também podem estimular a riqueza de um país, contanto que custem dinheiro.

Mesmo assim, apenas 80 anos atrás isso ainda parecia uma missão impossível, quando o presidente dos Estados Unidos Herbert Hoover foi encarregado de acabar com a Grande Depressão munido apenas de um conjunto de relatórios, cada um sobre um setor diferente da economia, desde o valor das ações até o preço do aço e o volume de transporte rodoviário. Mesmo a sua métrica mais importante – o "índice do alto-forno" – era pouco mais que uma tentativa improvisada de determinar os níveis de produção na indústria do aço.

Se você perguntasse a Hoover como estava a "economia" do país, ele teria respondido com um olhar de incompreensão. Não só porque isso não fazia parte dos números de que o presidente dispunha, mas porque ele não tinha a noção moderna que temos da palavra "economia". Afinal, "economia" não é algo concreto – é uma ideia, e essa ideia ainda estava para ser inventada.

Em 1931, o Congresso convocou os principais estatísticos do país e descobriu que eles eram incapazes de responder sequer às perguntas mais básicas sobre o estado da nação. Parecia evidente que algo estava fundamentalmente errado, mas os últimos números confiáveis que eles traziam datavam de 1929. Era óbvio que a população de moradores de rua estava crescendo e que empresas estavam falindo por todos os lados, mas ninguém sabia a real extensão do problema.

Alguns meses antes, o presidente Hoover despachara vários funcionários do Departamento de Comércio por todo o país para investigar a situação. A maior parte deles voltou com evidências anedóticas que se alinhavam com a própria crença de Hoover em que a recuperação econômica se daria a qualquer momento. Mas o Congresso não se convenceu. Em 1932, os parlamentares contrataram um brilhante e jovem professor russo chamado Simon Kuznets para responder a uma simples questão: qual é a nossa capacidade de produção?

Nos anos seguintes, Kuznets criou as bases do que mais tarde se tornaria o PIB. Seus cálculos iniciais causaram uma onda de euforia, e o relatório que apresentou ao Congresso tornou-se um best-seller no país (e acabou contribuindo para o PIB, um exemplar de 20 centavos por vez). Pouco depois, toda vez que se ligava o rádio, ouvia-se a "renda nacional" isso e a "economia" aquilo.

É difícil superestimar a importância do PIB. Nem a bomba atômica teve um impacto mundial tão grande, segundo alguns historiadores. O PIB, descobriu-se, era um excelente instrumento para medir o poder de uma nação em tempos de guerra. "Somente aqueles que participaram diretamente na mobilização econômica para a Primeira Guerra Mundial podiam compreender as diversas maneiras como as inúmeras estimativas de renda nacional, cobrindo 20 anos e classificadas de várias formas, facilitaram o empenho na Segunda Guerra Mundial", escreveu o diretor do Escritório Nacional de Pesquisa Econômica dos Estados Unidos Wesley C. Mitchell pouco depois da guerra.[19]

Números precisos podem até influenciar para onde pende a balança entre a vida e a morte. Em seu ensaio de 1940 *Como pagar pela guerra*, Keynes reclamou da inconsistência das estatísticas britânicas. Hitler também não dispunha dos números necessários para decidir como recuperar a economia alemã. Foi só em 1944, quando os russos já atacavam na Frente Oriental, e os aliados, na Ocidental, que a economia alemã atingiu o pico de sua produção.[20]

Mas era tarde demais, pois naquele ponto o PIB americano – cuja medição mais tarde conferiria a Kuznets o Prêmio Nobel – já havia saído como vencedor.

O PRINCIPAL PARÂMETRO

Dos destroços da depressão e da guerra, o PIB emergiu como o principal parâmetro para medir o progresso – a bola de cristal das nações, o número que superaria todos os outros. E, dessa vez, sua missão não era apoiar o esforço de guerra, mas sim ancorar a sociedade de consumo. "Assim como um satélite no espaço pode visualizar o clima de um continente inteiro, o PIB também pode gerar uma imagem do estado geral da economia", escreveu o economista Paul Samuelson em *Econo-*

mia, seu best-seller didático. "Sem medidas de agregados econômicos como o PIB, os responsáveis por políticas públicas ficariam à deriva num mar de dados desorganizados", continua ele. "O PIB e dados relacionados são como faróis que ajudam esses técnicos do governo a orientar a economia em direção a seus principais objetivos."[21]

No início do século XX, o governo americano empregava apenas um economista; mais precisamente, um "ornitólogo econômico", cujo trabalho era estudar pássaros. Menos de 40 anos depois, o Escritório Nacional de Pesquisa Econômica tinha em seu quadro cerca de 5 mil economistas, no sentido atual da palavra. Entre eles estavam Simon Kuznets e Milton Friedman, que se tornaram dois dos mais importantes pensadores do século.[22] Por todo o mundo, economistas passaram a desempenhar um papel dominante na política. A maioria deles era formada em universidades dos Estados Unidos, o berço do PIB, onde praticantes buscavam uma economia nova, científica, revolvendo em modelos, equações e números. Muitos e muitos números.

Essa era uma forma de economia bem diferente da que John Maynard Keynes e Friedrich Hayek tinham aprendido na universidade. Quando as pessoas falavam de "economia" em torno de 1900, elas em geral estavam se referindo à sociedade. Mas os anos 1950 introduziram uma nova geração de tecnocratas, que inventaram um objetivo completamente novo: fazer a "economia crescer". Mais do que isso, eles achavam que poderiam conseguir.

Antes da invenção do PIB, economistas quase nunca eram procurados para emitir opiniões na imprensa, mas nos anos após a Segunda Guerra Mundial passaram a aparecer sempre nos jornais. Eles haviam descoberto a técnica para um truque que ninguém mais sabia fazer: administrar a realidade e prever o futuro. Cada vez mais, a economia era considerada uma máquina com alavancas que os políticos podiam manipular para promover "crescimento". Em 1949, o inventor e economista Bill Phillips até construiu uma máquina de verdade, a partir de potes e tubos de plástico, que representava a economia, com água sendo bombeada para representar o fluxo da arrecadação federal.

Como explicou um historiador, "a primeira coisa que uma nova nação fazia nos anos 1950 e 1960 era abrir uma empresa aérea nacional, formar um exército e começar a medir o PIB".[23] Mas esse último item passou a ficar cada vez mais complicado. Quando as Nações Unidas publicaram seu primeiro guia para padronizar o cálculo do PIB, em 1953, o volume tinha menos de 50 páginas. Sua edição mais recente, de 2008, tem 722 páginas. Embora seja um número mencionado constantemente na mídia, pouquíssimas pessoas de fato compreendem como se determina o PIB. Há muitos economistas profissionais, inclusive, que não têm a menor ideia.[24]

FIGURA 7   A prevalência dos termos GNP (PNB) e GDP (PIB) em livros publicados em inglês de 1930 a 2008

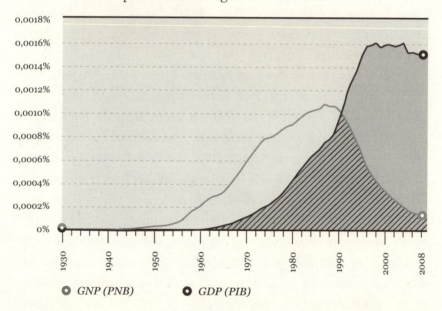

Inicialmente, a medida mais comum era o Produto Nacional Bruto (PNB, ou GNP em inglês), mas, nos anos 1990, o PIB (GDP) passou a prevalecer. O PNB considera toda a atividade econômica de um país (inclusive atividades no exterior), enquanto o PIB considera todas as atividades domésticas, ou seja, dentro do território nacional (inclusive atividades de empresas estrangeiras). Na maioria dos países, a diferença entre o PNB e o PIB nunca é mais do que poucos pontos percentuais.

Fonte: Google Ngram.

Para calcular o PIB, muitos pontos de dados devem ser interligados e centenas de escolhas totalmente subjetivas devem ser feitas para determinar o que deve ser considerado ou ignorado. Apesar dessa metodologia, o PIB é apresentado como nada menos que pura ciência, em que os menores erros de cálculo podem fazer a diferença entre reeleição e aniquilação política. Mesmo assim, essa aparente precisão é ilusória. O PIB não é um objeto definido de forma clara, à espera de ser "medido". Medir o PIB é tentar medir uma ideia.

Uma grande ideia, é preciso admitir. Não se pode negar que o PIB ajudou muito em época de guerra, quando o inimigo estava à espreita e a própria existência de um país dependia do crescimento da produção, da fabricação do máximo de tanques, aviões, bombas e granadas possível. Durante a guerra, é perfeitamente razoável pegar emprestado do futuro. Durante a guerra, faz sentido poluir o ambiente e contrair dívidas. Pode até ser preferível negligenciar sua família, colocar as crianças para trabalhar numa linha de produção, sacrificar seu tempo livre e esquecer tudo que faz a vida valer a pena.

De fato, durante a guerra, não há métrica mais útil que o PIB.

Alternativas

A questão, claro, é que a guerra acabou. Nosso padrão de progresso foi concebido para uma era diferente, com problemas diferentes. Nossas estatísticas não captam mais o formato da economia atual. E isso tem consequências. Cada era necessita dos próprios números. No século XVIII, o importante era o tamanho da colheita. No século XIX, o alcance da rede ferroviária, o número de fábricas e o volume da mineração de carvão. E, no século XX, a produção industrial de massa dentro das fronteiras do Estado-nação.

Mas hoje não é mais possível expressar nossa prosperidade simplesmente em dólares, libras ou euros. Da saúde à educação, do jornalismo às finanças, ainda estamos fixados em "eficiência" e "ganhos", como se a sociedade não fosse nada além de uma grande linha de produção. Mas é precisamente numa economia baseada em serviços que esses simples objetivos quantitativos não funcionam. "O produto nacional bruto... mede tudo... menos aquilo que faz a vida valer a pena", disse Robert Kennedy.[25]

É hora de utilizarmos um novo tipo de índice.

Nos distantes idos de 1972, o quarto "Rei Dragão" do Butão propôs uma troca para medir a "felicidade interna bruta", já que o PIB ignorava facetas vitais da cultura e do bem-estar da população (por exemplo, conhecimento de canções e danças tradicionais). Mas a felicidade também parece ser uma qualidade tão unidimensional e arbitrária quanto o PIB; afinal, é possível ser feliz apenas por se ter bebido um pouco demais – *ce qu'on ne voit pas*. Além disso, obstáculos, luto e tristezas também são parte de uma vida bem vivida, não é mesmo? É como disse uma vez o filósofo John Stuart Mill: "É melhor ser Sócrates insatisfeito do que um idiota satisfeito."[26]

Não só isso, também precisamos de uma boa dose de irritação, frustração e descontentamento que nos impulsione. Se a Terra da Abundância é um lugar onde todos são felizes, então também é um lugar tomado pela apatia. Se as mulheres nunca tivessem protestado, elas jamais teriam obtido o direito ao voto; se os negros americanos nunca tivessem se rebelado, a segregação racial talvez ainda prevalecesse no país. Se preferíssemos aliviar nossas queixas com uma fixação na felicidade interna bruta, isso significaria o fim do progresso. "O descontentamento é o primeiro passo para o progresso de um homem ou uma nação", disse Oscar Wilde.[27]

Então que tal outras opções? Dois candidatos seriam o Índice de Progresso Genuíno (IPG) e o Índice de Bem-Estar Econômico Sustentável (IBES), que também incorporam poluição, crime, desigualdade e trabalho voluntário em suas equações. Na Europa Ocidental, o IPG avançou bem mais devagar do que o PIB, e, nos Estados Unidos, até retrocedeu a partir dos anos 1970. Ou que tal o Índice do Planeta Feliz, que leva em consideração a pegada ecológica, em que os países mais desenvolvidos aparecem mais ou menos no meio do ranking, enquanto os Estados Unidos estão mais perto dos últimos colocados?

Mas mesmo esses cálculos me deixam cético.

O Butão pode ser um dos líderes em seu índice, que de forma conveniente deixa de fora a ditadura do Rei Dragão e a limpeza étnica da minoria lhotshampa. A Alemanha Oriental comunista tinha um "produto social bruto" que crescia com consistência ano a ano, apesar dos prejuízos sociais, ecológicos e econômicos gigantescos perpetrados pelo regime. Da mesma forma, embora o IPG e o IBES até corrijam algumas falhas do PIB, eles passam ao largo dos imensos saltos tecnológicos das últimas décadas. Ambos os índices provam que nem tudo vai bem no mundo – mas foram criados precisamente para mostrar isso mesmo.

De fato, índices simples invariavelmente escondem mais do que revelam. Um grau alto no Índice de Desenvolvimento Humano da ONU ou no Índice para uma Vida Melhor da OCDE é algo que devemos aplaudir, *mas não se nós não soubermos o que está sendo medido*. O certo é que quanto mais rico um país se torna, mais difícil fica medir a sua riqueza. De maneira paradoxal, estamos vivendo uma era da informação em que se gastam quantidades de dinheiro cada vez maiores em atividades sobre as quais há poucas informações sólidas disponíveis.

O SEGREDO DO GOVERNO EM EXPANSÃO

Tudo começou com Mozart.

Quando o mestre da música compôs o seu quarteto de cordas nº 14 em Sol maior (K. 387), em 1782, ele precisava de quatro pessoas para tocá-lo. Agora, 250 anos depois, ainda se precisa exatamente de quatro pessoas.[28] Se você estiver querendo aumentar sua capacidade de tocar violino, o máximo que pode fazer é tocar com um pouco mais de alma. Em outras palavras: algumas coisas na vida, como a música, resistem a todas as tentativas de busca de eficiência. Enquanto é possível produzir máquinas de café cada vez mais rápidas e baratas, um violinista não pode apressar o tempo da música sem estragar a melodia.

Em nossa competição com as máquinas, a lógica é que continuaremos a gastar menos em produtos que podem ser facilmente modificados para ficar cada vez mais eficientes e a gastar mais em serviços que exigem trabalho intensivo, em amenidades como arte e em saúde, educação e segurança. Não é por acaso que países com altos índices de bem-estar, como Dinamarca, Suécia e Finlândia, têm um amplo setor público. Seus governos subsidiam os domínios nos quais a produtividade não pode ser alavancada. Ao contrário da produção de uma geladeira ou de um carro, aulas de história ou exames médicos não podem ser simplesmente tornados "mais eficientes".[29]

A consequência natural disso é que o governo está absorvendo uma fatia cada vez maior da torta econômica. Observado pela primeira vez pelo economista William Baumol nos anos 1960, esse fenômeno, hoje conhecido como "doença de custos de Baumol", basicamente mostra que os preços em setores de trabalho intensivo, como saúde e educação, aumentam mais rápido que os preços em setores em que grande parte do trabalho pode ser automatizada de maneira extensiva.

Mas espere um minuto.

Isso não deveria ser considerado uma bênção em vez de uma doença? Afinal, quanto mais eficientes forem nossas fábricas e nossos computadores, *menos* eficientes precisam ser nossa saúde e nossa educação; quer dizer, mais tempo disponível teremos para cuidar dos idosos e enfermos e para organizar a educação numa escala mais pessoal. O que é ótimo, não? Segundo Baumol, o principal impedimento para alocar nossos recursos em fins tão nobres é a "ilusão de que não temos como pagar por isso".

E a ilusão é bastante teimosa. Quando há uma obsessão por eficiência e produtividade, é difícil enxergar o valor da educação e da saúde. É por isso que tantos políticos e contribuintes veem apenas os custos. Não compreendem que quanto mais rico um país se torna, mais deveria estar gastando com professores e médicos. Em vez de considerarem esses aumentos uma dádiva, eles os enxergam como uma doença.

A não ser que nossos hospitais e escolas possam ser administrados como se fossem fábricas, precisamos saber que, na corrida contra as máquinas, os custos de saúde e educação só continuarão a subir. Enquanto isso, produtos como geladeiras e carros ficaram *baratos demais*. Olhar somente para o preço de um produto é ignorar grande parte de seus custos. De fato, um *think tank* (instituição voltada a pensar e difundir conhecimento e soluções nos âmbitos político, econômico e científico) britânico estimou que, para cada libra ganha por executivos de propaganda, eles destroem o equivalente a 7 libras na forma de estresse, excesso de consumo, poluição e dívida; por outro lado, cada libra paga a um gari cria o equivalente a 12 libras em termos de saúde e sustentabilidade.[30]

Enquanto os serviços do setor público muitas vezes trazem toda uma gama de benefícios ocultos, o setor privado está repleto de custos ocultos. "Temos como pagar mais pelos serviços de que precisamos – principalmente saúde e educação", escreve Baumol. "O que talvez não possamos pagar são as consequências dos custos que estão caindo."

Talvez você minimize a importância disso, com o argumento de que tais "externalidades" simplesmente não podem ser quantificadas, porque envolvem muitos pressupostos subjetivos, mas esse é o ponto. "Valor" e "produtividade" não podem ser expressos em números exatos, mesmo que tentemos fingir que sim: "Temos uma alta taxa de graduação, portanto, oferecemos uma boa educação"; "Nossos médicos são focados e eficientes, portanto, oferecemos um ótimo serviço aos pacientes"; "Temos uma alta taxa de publicação de estudos, portanto, somos uma excelente universidade"; "Temos uma audiência altíssima, portanto, estamos produzindo uma televisão de qualidade"; "A economia está crescendo, portanto, nosso país está muito bem"...

Os objetivos de nossa sociedade obcecada por desempenho não são menos absurdos que os planos quinquenais da antiga União Soviética. Basear nosso sistema político em números de produção é transformar qualidade de vida em uma planilha. É como diz o escritor Kevin Kelly: "Produtividade é para robôs. Os humanos são bons em perder tempo, experimentar, brincar, criar e explorar."[31] Governar baseado em números é o último recurso de um país que não sabe mais o que quer, um país sem visão de utopia.

Um painel para o progresso

"Há três tipos de mentiras: mentiras, mentiras descaradas e estatísticas", teria ironizado o primeiro-ministro britânico Benjamin Disraeli. Mesmo assim, acredito no velho princípio do Iluminismo de que decisões exigem uma base confiável de informações e números.

O PIB foi concebido num período de profunda crise e ofereceu uma resposta aos grandes desafios dos anos 1930. Ao enfrentarmos hoje nossas crises de desemprego, depressão e mudança climática, também teremos que procurar um novo índice. O que precisamos é de um "painel" completo, com uma gama de indicadores para medir as coisas que fazem a vida valer a pena – dinheiro e crescimento, claro, mas também serviço comunitário, empregos, conhecimento e coesão social. E, com certeza, o bem mais escasso de todos: tempo.

"Mas um painel assim não pode ser objetivo", você poderia contra-argumentar. Verdade. Mas não existe uma métrica neutra. Por trás de cada estatística há uma série de hipóteses e preconceitos. E o que é pior, esses números – e suas ideias preconcebidas – guiam nossas ações. Isso acontece com o PIB, mas também é verdade no caso dos Índices de Desenvolvimento Humano e do Planeta Feliz. E é precisamente por precisarmos mudar nossas ações que também precisamos de novos índices para nos guiar.

Simon Kuznets nos alertou sobre isso há alguns anos. "O bem-estar de uma nação… dificilmente pode ser inferido a partir da medida da renda nacional", relatou ele ao Congresso americano. "Medidas de renda nacional são sujeitas a esse tipo de ilusão e ao abuso dela resultante, sobretudo porque lidam com questões centrais para o conflito de grupos sociais opostos, em que a eficácia de um argumento depende de uma simplificação exagerada."[32]

O inventor do PIB advertiu contra incluir em seu cálculo os gastos com militares, propaganda e o setor financeiro,[33] mas seu conselho não foi seguido. Após a Segunda Guerra Mundial, Kuznets ficou cada vez mais preocupado com o monstro que ele mesmo criara. Em 1962, ele escreveu: "É preciso levar em conta distinções entre quantidade e qualidade de crescimento, entre custos e rendimentos e entre curto e longo prazo. Metas de crescimento devem especificar o que deve crescer e para qual fim."[34]

Agora é a nossa vez de reconsiderar essas antigas questões. O que é crescimento? O que é progresso? Ou, mais fundamental ainda, o que faz a vida valer a pena?

Ser capaz de usar o tempo de lazer de forma
inteligente é o último produto da civilização.

Bertrand Russell (1872-1970)

6

Uma jornada semanal de 15 horas

S e você tivesse perguntado ao maior economista do século XX qual seria o maior desafio do século XXI, ele não teria pensado duas vezes.

Lazer.

No verão de 1930, quando a Grande Depressão ganhava força, o economista britânico John Maynard Keynes deu uma palestra curiosa em Madri. Ele já havia discutido algumas ideias novas com um pequeno grupo de alunos em Cambridge e decidiu revelá-las publicamente numa breve apresentação chamada "Possibilidades econômicas para nossos netos".[1]

Em outras palavras, para nós.

Na época da visita dele, Madri estava um caos. Desemprego descontrolado, o fascismo ganhando terreno e a União Soviética ativamente recrutando simpatizantes. Poucos anos depois, irromperia no país uma guerra civil devastadora. Como, então, poderia o *lazer* ser considerado o maior desafio? Naquele verão, Keynes parecia ter vindo de outro planeta. "Estamos sofrendo agora de um grande ataque de pessimismo econômico", escreveu. "É comum ouvir as pessoas dizendo que a época de grande crescimento econômico que caracterizou o século XIX acabou..." E não diziam isso sem razão. A pobreza era generalizada, as tensões internacionais ferviam e somente com a máquina de morte da Segunda Guerra Mundial é que a indústria global voltou a respirar.

No caso de uma cidade à beira do desastre, o economista britânico arriscou uma previsão contraintuitiva. Até meados de 2030, disse Keynes, a humanidade iria enfrentar seu maior desafio: o que fazer com um mar de tempo livre. A não ser que políticos cometessem "erros desastrosos" (austeridade durante uma crise econômica, por exemplo), ele previa que dentro de um século o padrão ocidental de vida teria se multiplicado ao menos quatro vezes em relação ao de 1930.

A conclusão dele? Em 2030 estaríamos trabalhando apenas 15 horas por semana.

Um futuro repleto de lazer

Keynes não foi o primeiro nem o último a prever um futuro inundado de lazer. Um século e meio antes, Benjamin Franklin, um dos fundadores da nação norte-americana, já havia previsto que uma jornada diária de quatro horas seria suficiente um dia e, no restante do tempo, a vida seria somente "lazer e prazer". E Karl Marx, de maneira semelhante, ansiava pelo dia em que todos teriam tempo para "caçar de manhã, pescar à tarde, cuidar dos animais ao anoitecer e discutir com um olhar crítico no jantar... sem nunca ter que se tornar caçador, pescador, pastor ou crítico".

Por volta da mesma época, o pai do liberalismo clássico, o filósofo britânico John Stuart Mill, argumentava que o melhor uso de uma riqueza maior era mais lazer. Mill se opunha ao "evangelho do trabalho" – proclamado por seu grande adversário Thomas Carlyle (um grande defensor da escravidão, por sinal) – e justapôs a isso o seu "evangelho do lazer". De acordo com Mill, a tecnologia deveria ser usada para reduzir a jornada de trabalho o máximo possível. "Haveria mais escopo do que nunca para todos os tipos de cultura mental, além de progresso moral e social quanto maior o espaço para aprimorar a Arte de Viver",[2] escreveu.

Mas a Revolução Industrial, que propulsionou o crescimento econômico explosivo do século XIX, trouxe consigo exatamente o oposto do lazer. Enquanto um camponês da Inglaterra no ano 1300 precisava trabalhar cerca de 1.500 horas por ano para garantir seu sustento, um operário de fábrica na época de Mill tinha que trabalhar o dobro daquelas horas apenas para sobreviver. Em cidades como Manchester, uma jornada semanal de 70 horas – sem férias ou fins de semana – era a norma, até mesmo para crianças. "Para que os pobres precisam de feriados?", questionou uma duquesa da Inglaterra no fim do século XIX. "Eles devem trabalhar!"[3] Muito tempo livre não passaria de um convite à má conduta.

No entanto, por volta de 1850, parte da prosperidade criada pela Revolução Industrial começou a respingar um pouco nas classes mais baixas. E dinheiro é tempo. Em 1855, os trabalhadores de pedreiras em Melbourne, Austrália, foram os primeiros a assegurar uma jornada de trabalho de oito horas diárias. No fim daquele século, a carga horária semanal em alguns países já havia caído para menos de 60 horas. O dramaturgo e vencedor do Prêmio Nobel George Bernard Shaw previu em 1900 que, nesse ritmo, trabalhadores do ano 2000 teriam uma jornada de apenas duas horas diárias.

Naturalmente, os empregadores resistiram. Quando, em 1926, perguntaram a um grupo de 32 empresários americanos de prestígio o que eles achavam de reduzir a jornada de trabalho semanal, apenas dois consideraram que a ideia tinha algum mérito. De acordo com os outros 30, mais tempo livre resultaria apenas em mais criminalidade, dívidas e degeneração.[4] Ainda assim, naquele mesmo ano ninguém menos que Henry Ford – titã da indústria, fundador da fábrica de automóveis Ford Motor Company e criador do Modelo T – tornou-se o primeiro empresário a implementar a jornada de trabalho de cinco dias por semana.

As pessoas o chamaram de louco. Depois, seguiram seus passos.

Capitalista inveterado e idealizador da linha de produção, Henry Ford descobriu que uma jornada semanal mais curta, na verdade, aumentava a produtividade de seus empregados. Tempo para o lazer, ele observou, era um "fato empresarial incontestável".[5] Um trabalhador bem descansado era um trabalhador mais eficiente. Além disso, um empregado labutando numa fábrica do amanhecer ao anoitecer, sem tempo livre para viajar e passear de carro, jamais compraria um dos seus produtos. Ford um dia disse a um jornalista: "Já é hora de nos livrarmos da noção de que o lazer para os trabalhadores é 'perda de tempo' ou privilégio de classe."[6]

No espaço de uma década, até os mais céticos passaram a concordar com Ford. A Associação Nacional da Indústria dos Estados Unidos (NAM, na sigla em inglês), que 20 anos antes havia alertado que uma jornada semanal mais curta arruinaria a economia, agora divulgava com orgulho que o país tinha a semana de trabalho mais curta do mundo. Em suas novas horas de lazer, os trabalhadores passaram a dirigir seus carros Ford olhando para outdoors com anúncios da NAM que proclamavam: "Não existe estilo de vida igual ao estilo americano."[7]

"Corrida de operadores de máquinas"

Todas as evidências pareciam sugerir que o tempo provaria que as grandes mentes, de Marx a Mill, passando por Keynes e Ford, estavam certas.

Em 1933, o Senado americano aprovou a legislação que introduzia a jornada semanal de 30 horas. Embora a lei tivesse sido abandonada na Câmara de Deputados sob pressão da indústria, uma semana de trabalho mais curta permaneceu como prioridade máxima dos sindicatos. Em 1938, a legislação que protegia a jornada semanal de cinco dias finalmente foi aprovada. No ano seguinte, a canção popular "Big Rock Candy Mountain" subiu ao topo das paradas, descrevendo uma utopia onde "galinhas chocam ovos cozidos", cigarros crescem em árvores e "o maldito que inventou o trabalho" é enforcado na árvore mais alta.

Após a Segunda Guerra Mundial, o tempo para o lazer continuou a aumentar de forma constante. Em 1956, o vice-presidente Richard Nixon prometeu aos americanos que eles só precisariam trabalhar quatro dias por semana "num futuro não muito distante". O país havia alcançando um "patamar de prosperidade" e ele acreditava que uma jornada de trabalho semanal mais curta era inevitável.[8] Em pouco tempo, máquinas estariam fazendo a maior parte do trabalho. Isso liberaria "um espaço abundante para recreação", entusiasmou-se um professor inglês, "por meio da imersão na vida imaginativa, em arte, drama, dança e 100 outras maneiras de transcender os limites da vida diária".[9]

A previsão ousada de Keynes havia se tornado lugar-comum. Nos anos 1960, um relatório de um comitê do Senado americano projetou que, até os anos 2000, a jornada de trabalho semanal seria de apenas 14 horas, com pelo menos sete semanas de férias por ano. A RAND Corporation, uma influente *think tank*, previu um futuro em que apenas 2% da população seria capaz de produzir tudo que a sociedade precisava.[10] Trabalhar seria, em pouco tempo, algo reservado apenas à elite.

No verão de 1964, o *The New York Times* pediu ao grande escritor de ficção científica Isaac Asimov que tentasse prever o futuro.[11] Como seria o mundo dali a 50 anos? Sobre algumas coisas, Asimov foi cauteloso: os robôs de 2014 "não seriam comuns nem muito bons". Mas em outros aspectos suas expectativas eram bem altas. Carros iriam voar e cidades inteiras poderiam ser construídas debaixo d'água.

No fim das contas, apenas uma coisa o preocupava: um tédio generalizado. A humanidade, escreveu, iria se tornar "em grande parte uma corrida de operadores de máquinas", o que acarretaria "sérias consequências mentais, emocionais e sociológicas". A psiquiatria seria a maior especialidade médica em 2014, por conta dos milhões de pessoas que se encontrariam à deriva num mar de "lazer forçado". E acrescentou: "O trabalho se tornaria a palavra mais gloriosa do vocabulário."

À medida que os anos 1960 avançavam, mais pensadores passaram a expressar suas preocupações. Sebastian de Grazia, cientista político vencedor do Prêmio Pulitzer, disse à Associated Press: "Há razões para temer… que o tempo livre, do tipo forçado, irá acarretar o incessante tique-taque do tédio, da preguiça, da imoralidade e do aumento da violência interpessoal." E, em 1974, o Departamento do

Interior americano alertou que o "lazer, considerado por muitos o paradigma do paraíso, pode muito bem se tornar o problema mais desconcertante do futuro".[12]

Apesar dessas preocupações, havia poucas dúvidas sobre o curso que a história deveria tomar. Por volta de 1970, sociólogos já anunciavam, confiantes, o iminente "fim do trabalho". A humanidade estava à beira de uma verdadeira revolução do lazer.

George e Jane

Conheça George e Jane Jetson. Eles são um casal de cidadãos íntegros, que vivem com os dois filhos num espaçoso apartamento em Orbit City. Ele trabalha como "operador digital" em uma grande empresa; ela é uma típica dona de casa americana. George é acometido de pesadelos constantes sobre seu trabalho. E quem poderia culpá-lo? Ele é encarregado de apertar um só botão em intervalos regulares, e seu chefe, Sr. Spacely – baixo, rotundo e com um notável bigode –, é um tirano.

"Ontem, trabalhei *duas horas inteiras!*", George reclama após o milésimo pesadelo. Sua mulher, Jane, está indignada. "Ora, o que o Spacely pensa que está administrando? Uma fábrica de trabalho escravo?"[13]

A jornada de trabalho semanal média em Orbit City é de nove horas. Infelizmente, isso existe apenas na televisão, "no exemplo mais importante de futurismo do século XX", *Os Jetsons*.[14] Com estreia em 1962, a série de desenho animado se passava em 2062; basicamente, é como *Os Flintstones*, mas no futuro. Até hoje o desenho é reprisado na TV e várias gerações cresceram vendo *Os Jetsons*.

Cinquenta anos depois, sabemos que muitas previsões dos criadores do desenho sobre o ano 2062 se tornaram realidade. Uma faxineira robô? Sim. Camas de bronzeamento? Existem. Telas que respondem ao toque? Também temos. Chamadas em vídeo? Supercomuns hoje. Mas, em outros aspectos, ainda estamos longe de Orbit

City. Quando os carros vão decolar do chão? E não há sinal de calçadas rolantes por enquanto.

Mas qual o nosso mais decepcionante fracasso? O tempo para o lazer não aumentou.

O SONHO ESQUECIDO

Nos anos 1980, reduções na jornada de trabalho semanal praticamente cessaram. O crescimento econômico não estava se traduzindo em mais tempo para o lazer, e sim em mais consumo. Em países como Austrália, Áustria, Noruega, Espanha e Inglaterra, não houve mais qualquer diminuição nas horas semanais de trabalho.[15] Nos Estados Unidos, a jornada até cresceu. Setenta anos depois que o país transformou em lei a jornada de 40 horas, 75% da mão de obra no país estava trabalhando mais de 40 horas por semana.[16]

Mas isso não é tudo. Mesmo em países onde houve redução na jornada de trabalho semanal *individual*, as famílias têm cada vez menos tempo livre. Por quê? Tudo isso tem a ver com o desenvolvimento mais importante das últimas décadas: a revolução feminista.

Os futuristas nunca previram que isso aconteceria. Afinal, a Jane Jetson de 2062 ainda era uma dona de casa obediente. Em 1967, o *The Wall Street Journal* previu que a disponibilidade de robôs permitiria ao homem do século XXI relaxar no sofá em casa com sua mulher.[17] Ninguém podia suspeitar que, em janeiro de 2010, pela primeira vez desde que os homens foram recrutados para lutar na Segunda Guerra, a maior parte da força de trabalho americana seria formada por mulheres.

Enquanto elas contribuíam com apenas 2% a 6% da renda familiar em 1970, agora esse número já atingiu 40%.[18]

A velocidade a que essa revolução está acontecendo é estonteante. Se considerarmos o trabalho não remunerado, as mulheres na Europa e na América do Norte trabalham mais que os homens.[19] "Minha avó não tinha direito a voto, minha mãe não tinha acesso à pílula anticoncepcional e eu não tenho tempo nenhum", resumiu uma comediante holandesa.[20]

Com as mulheres dominando o mercado de trabalho, os homens deveriam passar menos tempo trabalhando (e passar mais tempo cozinhando, limpando e cuidando da família).

FIGURA 8   Mulheres no mercado de trabalho, 1970-2012

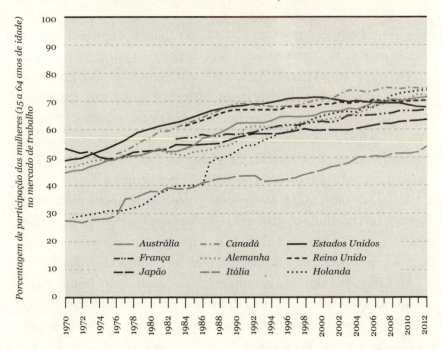

Fonte: OCDE.

Mas isso não aconteceu. Se os casais trabalhavam um total combinado de cinco a seis dias por semana nos anos 1950, hoje o número está mais próximo de sete ou oito dias. Ao mesmo tempo, criar os filhos se tornou um trabalho que exige muito mais tempo e dedicação. Pesquisas sugerem que, em muitos países, pais estão dedicando substancialmente mais tempo a seus filhos.[21] Nos Estado Unidos, mulheres que trabalham, na verdade, passam mais tempo com os filhos hoje do que as donas de casa nos anos 1970.[22]

Mesmo cidadãos da Holanda – a nação com a jornada semanal de trabalho mais curta do mundo – sentem o peso cada vez maior do trabalho, das horas extras e das tarefas de cuidado e educação dos filhos, desde os anos 1980. Em 1985, essas atividades tomavam 43,6 horas por semana; em 2005, já eram 48,6 horas.[23] Três quartos da força de trabalho holandesa se sentem sobrecarregados por pressões de tempo; um quarto faz horas extras com frequência; e uma em oito pessoas no país sofre de sintomas da síndrome de burnout.[24]

FIGURA 9   Nós estávamos trabalhando progressivamente menos (até 1980)

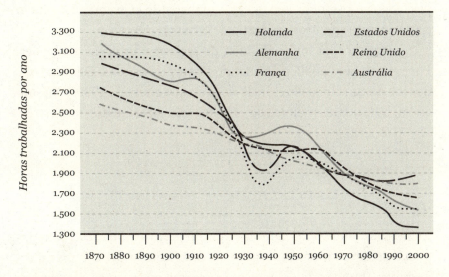

A carga horária de trabalho anual per capita vinha despencando desde o século XIX. Mas após 1970 os índices se confundem, já que um número cada vez maior de mulheres ingressou na força de trabalho. Em consequência, famílias passaram a ter cada vez menos tempo livre, mesmo que o número de horas trabalhadas por empregado estivesse diminuindo em alguns países.

Fonte: Organização Internacional do Trabalho.

Além disso, horas de trabalho e lazer estão ficando cada vez mais difíceis de separar. Um estudo conduzido na Harvard Business School demonstrou que, graças à tecnologia moderna, gerentes e profissionais liberais na Europa, Ásia e América do Norte hoje passam 80 a 90 horas por semana "ou trabalhando ou 'monitorando' seu trabalho e se mantendo acessíveis".[25] E, de acordo com uma pesquisa coreana, o telefone celular levou o empregado médio a trabalhar 11 horas a mais por semana.[26]

É seguro dizer que as previsões das grandes mentes não se tornaram exatamente realidade. Nem chegaram perto disso. Asimov podia estar certo de que, em 2014, "trabalho" seria a palavra mais glorificada em nosso vocabulário, mas por razões bem diferentes da que ele imaginava. Nós não estamos morrendo de tédio por excesso de tempo livre; estamos morrendo de tanto trabalhar. O exército de psicólogos e psiquiatras não está combatendo o avanço do enfado por ócio, mas sim uma epidemia de estresse.

Já passamos há muito da hora de realizar a profecia de Keynes. Por volta do ano 2000, países como França, Holanda e Estados Unidos já estavam cinco vezes mais ricos do que eram em 1930.[27] Mesmo assim, hoje nossos maiores desafios não são lazer e tédio, mas estresse e incerteza.

Capitalismo de sucrilhos

É um lugar "onde o dinheiro foi trocado pela vida boa", escreveu um poeta medieval, numa entusiasmada descrição de Cocanha, a mítica Terra da Abundância, "e aquele que dorme mais tempo é o que ganha mais".[28] Em Cocanha, o ano é uma sucessão de feriados: quatro dias para Páscoa, Pentecostes, Dia de São João e Natal. Quem tiver vontade de trabalhar é trancafiado numa adega subterrânea. Apenas proferir a palavra "trabalho" já é um crime.

Ironicamente, é provável que as pessoas da Era Medieval estivessem mais próximas de atingir o ócio contente da Terra da Abundância do que nós no mundo de hoje. Por volta de 1300, o calendário ainda era repleto de feriados e festivais. A historiadora e economista de Harvard Juliet Schor estima que feriados ocupavam cerca de um terço de cada ano. Na Espanha, somavam impressionantes cinco meses e, na França, quase seis. A maioria dos camponeses não trabalhava mais que o necessário para o seu sustento. "O ritmo da vida era lento", escreve Schor. "Nossos ancestrais podiam não ser ricos, mas tinham tempo de sobra para o lazer."[29]

Então onde foi parar todo esse tempo?

É muito simples, na verdade. Tempo é dinheiro. O crescimento econômico pode gerar mais lazer ou mais consumo. De 1850 a 1980, tivemos ambos, mas desde então foi principalmente o consumo que aumentou. Mesmo onde a renda real se manteve e a desigualdade explodiu, a febre do consumo continuou, só que a crédito.

E é este o principal argumento contra a redução da jornada de trabalho: nós não temos como pagar por isso. Mais lazer é um ideal maravilhoso, mas é caro demais. Se todos trabalhássemos menos, nosso padrão de vida entraria em colapso e o Estado do bem-estar social desmoronaria.

Será mesmo?

No início do século XX, Henry Ford conduziu uma série de experimentos que demonstraram que os trabalhadores de sua fábrica eram mais produtivos quando trabalhavam 40 horas por semana. Trabalhar 20 horas a mais compensava para a empresa durante quatro semanas apenas, mas depois disso a produtividade *caía*.

Outros levaram esse experimento ainda mais longe. Em 1º de dezembro de 1930, quando a Grande Depressão assolava o país, o magnata dos sucrilhos, W. K. Kellogg, decidiu introduzir a jornada diária de seis horas em sua fábrica em Battle Creek, Michigan. Foi um sucesso incontestável: Kellogg conseguiu contratar 300 empregados a mais e reduzir de forma drástica a taxa de acidentes de trabalho em 41%. Além disso, seus empregados se tornaram claramente mais produtivos. "Isso não é apenas uma teoria para nós", Kellogg contou com orgulho a um jornal local. "O custo de produção por unidade baixou tanto que podemos pagar por seis horas diárias o mesmo que pagávamos antes por oito."[30]

Para Kellogg, assim como para Ford, uma jornada de trabalho

mais curta era simplesmente uma boa gestão de seus negócios.[31] Mas, para os residentes de Battle Creek, era muito mais que isso. Pela primeira vez na vida, segundo o jornal local, eles tinham "lazer de verdade".[32] Ou seja, mais tempo livre para ficar com os filhos, mais tempo para ler, cuidar do jardim e fazer esportes. De repente, igrejas e centros comunitários ficaram lotados, com cidadãos que agora dispunham de tempo para a vida cívica.[33]

Quase meio século depois, o primeiro-ministro britânico Edward Heath também descobriu os benefícios do capitalismo de sucrilhos, embora inadvertidamente. Era o final de 1973, e ele estava desesperado. A inflação batia recordes e os gastos do governo disparavam, enquanto os sindicatos se recusavam a ceder um milímetro em negociações. Como se isso não bastasse, os mineiros decidiram entrar em greve. Com os estoques de energia em queda, os britânicos foram obrigados a diminuir o aquecimento em pleno inverno e a usar casacos pesados dentro de casa para aguentar o frio. Dezembro veio e até a árvore de Natal em Trafalgar Square ficou apagada.

Heath então optou por um plano de ação radical. Em 1º de janeiro de 1974, ele impôs uma jornada de trabalho semanal de três dias. Empresas só tinham permissão para usar o equivalente a três dias de eletricidade, até que as reservas de energia do país fossem recuperadas. Magnatas do aço previram que a produção industrial despencaria 50%. Ministros do governo temiam uma catástrofe. Quando a jornada semanal de cinco dias foi reinstituída, em março de 1974, as autoridades começaram a calcular a extensão das perdas em termos de produção. Eles mal podiam acreditar nos próprios olhos: o total da redução foi de apenas 6%.[34]

O que Ford, Kellogg e Heath descobriram é que produtividade e longas horas de trabalho *não* andam de mãos dadas. Nos anos 1980, funcionários da Apple vestiam camisas com os dizeres "Trabalhando 90 horas por semana e amando isso!". Algum tempo depois, especialistas em produtividade calcularam que, se eles tivessem trabalhado a metade daquelas horas, talvez o mundo tivesse conhecido o revolucionário computador Macintosh um ano mais cedo.[35]

Há fortes indícios de que, numa economia do conhecimento moderna, até 40 horas por semana são excessivas. Pesquisas sugerem que pessoas que usam constantemente suas habilidades criativas no trabalho podem, em média, ser produtivas no máximo seis horas por dia.[36] Não é por acaso que os países mais ricos do mundo, aqueles com uma grande classe artística e populações com alto grau de escolaridade, também foram os que mais reduziram as suas jornadas de trabalho semanais. Há pouco tempo, um amigo me perguntou: o que a redução das horas de trabalho vai de fato resolver?

Prefiro inverter a questão: existe alguma coisa que trabalhar menos *não* vai resolver?

Estresse? Muitos estudos já demonstraram que as pessoas que trabalham menos estão mais satisfeitas com suas vidas.[37] Numa pesquisa recente conduzida com trabalhadoras, pesquisadores alemães até quantificaram o "dia perfeito". A maior parcela do tempo em minutos (106) seria dedicada a "relacionamentos íntimos". "Socializar" (82), "relaxar" (78) e "comer" (75) também tiveram pontuação alta. Lá embaixo da lista estavam "cuidar dos filhos" (46), "trabalhar" (36) e "trajeto entre casa e trabalho" (33). Os pesquisadores observaram objetivamente que "a fim de maximizar o bem-estar, é possível que trabalhar e consumir (o que aumenta o PIB) desempenhem um papel menor nas atividades diárias das pessoas, em comparação com o que acontece hoje".[38]

Mudança climática? Uma tendência mundial de redução da carga horária de trabalho semanal também reduziria à metade o CO_2 emitido neste século.[39] Países com uma jornada semanal mais curta causam menos danos ecológicos ao planeta.[40] Consumir menos começa com trabalhar menos – ou, melhor ainda, com consumir nossa prosperidade na forma de lazer.

Acidentes? Horas extras são mortais.[41] Jornadas diárias longas levam a mais erros: cirurgiões cansados são mais propensos a falhar e soldados privados de sono são mais propensos a errar seus alvos. De

Chernobyl ao ônibus espacial *Challenger*, gerentes sobrecarregados de trabalho muitas vezes desempenham um papel fatal em grandes tragédias. Não é coincidência que o setor financeiro, que causou o maior desastre econômico da última década, esteja mergulhado em horas extras de trabalho.

Desemprego? Obviamente, não é possível desmembrar um cargo numa empresa em outros menores. O mercado de trabalho não é uma dança das cadeiras em que qualquer um pode ocupar qualquer lugar disponível e basta que se distribuam as vagas. No entanto, pesquisadores da Organização Internacional do Trabalho concluíram que compartilhar trabalho – dois funcionários de meio expediente realizando a mesma função que antes era de tempo integral – ajudou muito a resolver a última crise econômica.[42] Sobretudo em tempos de recessão, com desemprego crescente e produção excedendo a demanda, compartilhar cargos pode ajudar a amenizar o impacto.[43]

Emancipação feminina? Países com jornadas de trabalho semanais mais curtas com frequência aparecem no topo do ranking dos mais igualitários entre homens e mulheres. A questão central é atingir uma distribuição de trabalho mais justa entre os gêneros. Apenas quando os homens começam a fazer a sua parte nas tarefas domésticas, como cozinhar e limpar, é que as mulheres se tornam livres para participar integralmente da economia em grande escala. Ou seja, a emancipação feminina também é uma questão dos homens. Essas mudanças, no entanto, não dependem apenas das escolhas dos homens como indivíduos; a legislação do país também desempenha um papel importante. A Suécia é o país com a menor disparidade entre homens e mulheres, pois oferece um sistema decente de creches e licença-paternidade.

A licença-paternidade, em particular, é crucial: homens que passam algumas semanas em casa após o nascimento dos filhos dedicam mais tempo às mulheres, às crianças e ao fogão do que se não tivessem esse benefício. Além do mais, o efeito disso dura – atenção – *o resto de suas vidas*. Pesquisas na Noruega demonstram que os homens que tiram licença-paternidade tendem a compartilhar a tarefa de lavar roupas com as mulheres numa frequência 50% maior do que homens que não usufruem desse benefício.[44] Pesquisas canadenses revelam também que os homens que tiram licença após o nascimento de um filho passam muito mais tempo realizando tarefas domésticas e cuidando das crianças.[45] A licença-paternidade é um cavalo de Troia com o potencial de realmente mudar a maré na luta pela igualdade de gêneros.[46]

Envelhecimento da população? Uma parcela cada vez maior da população mais velha quer continuar a trabalhar mesmo depois de atingir a idade de aposentadoria. Mas enquanto as pessoas de 30 e poucos anos estão se afogando em trabalho, responsabilidades com a família e pagamento da casa própria, os idosos encontram dificuldade para ser contratados, embora trabalhar seja excelente para a saúde deles. Então, além de distribuir empregos de forma mais igualitária entre os sexos, também temos que fazê-lo entre as diferentes gerações. Jovens que estão entrando no mercado de trabalho hoje podem continuar trabalhando até os 80 anos. Em troca, eles poderiam trabalhar, em vez de 40 horas, 30 ou mesmo 20 horas semanais. "No século XX, tivemos uma redistribuição de riqueza", observou um respeitado demógrafo. "Acredito que, neste século, a grande redistribuição será de horas trabalhadas."[47]

Desigualdade? Os países com as maiores disparidades em riqueza são precisamente os que têm as jornadas de trabalho mais longas. Enquanto os pobres estão trabalhando cada vez mais horas só para sobreviver, os ricos estão descobrindo que, à medida que o valor da hora trabalhada deles aumenta, torna-se mais "caro" para eles tirar folga.

No século XIX, era comum que os ricos simplesmente se recusassem a trabalhar. Trabalho era para os camponeses. Quanto mais a pessoa trabalhasse, mais pobre era. Desde então, a moral social mudou. Hoje, trabalho e pressão em excesso são símbolos de status. Reclamar que está trabalhando demais é, com frequência, uma tentativa velada de se mostrar importante e interessante. Tirar tempo para si mesmo é logo equiparado a desemprego e preguiça, sem dúvida em países onde o abismo entre ricos e pobres se expandiu.

DORES DO CRESCIMENTO

Há quase 100 anos, nosso velho amigo John Maynard Keynes fez outra previsão ousada. Keynes compreendeu que a quebra da bolsa de 1929 não fechou inteiramente as cortinas da economia mundial. A capacidade de produção continuava igual à do ano anterior; a demanda por vários produtos é que havia secado. "Estamos sofrendo não do reumatismo da velhice", escreveu Keynes, "mas sim de dores do crescimento por causa de mudanças rápidas demais."

Mais de 80 anos depois, continuamos enfrentando o mesmo problema. Não é que sejamos pobres. Simplesmente não há trabalho remunerado suficiente para todos. E, na verdade, isso é uma boa notícia.

Significa que podemos começar a nos preparar para o que talvez seja o nosso maior desafio até hoje: preencher um verdadeiro mar de tempo livre. Obviamente, a jornada de 15 horas de trabalho semanal ainda é uma utopia distante. Keynes previu que, até 2030, economistas teriam uma importância cada vez menor no destino da sociedade, "no mesmo nível que os dentistas". Mas seu sonho agora parece estar mais longe do que nunca. Economistas dominam as arenas da mídia e da política. E o sonho de uma jornada de trabalho semanal mais curta também foi esmagado. Quase não existem mais políticos dispostos a levantar essa bandeira, mesmo com o estresse e o desemprego aumentando em nível recorde.

Mas Keynes não era louco. Em sua época, as jornadas de trabalho estavam encolhendo com rapidez e ele apenas estendeu para o futuro uma tendência que se iniciou por volta de 1850. "Claro, isso irá acontecer gradualmente", esclareceu, "e não como uma catástrofe." Imagine que a revolução do lazer estivesse prestes a ganhar força de novo neste século. Mesmo em condições de crescimento econômico lento, os habitantes da Terra da Abundância poderiam trabalhar menos de 15 horas por semana em 2050 e ganhar de salário o que recebiam por duas horas na jornada atual.[48]

Se pudermos tornar isso realidade, já passou a hora de começarmos a nos preparar.

Estratégia nacional

Primeiro precisamos nos perguntar: é isso mesmo que queremos?

Na verdade, institutos de pesquisa já nos fizeram essa pergunta. A nossa resposta: sim, queremos muito, por favor. Estamos até dispostos a trocar parte do nosso precioso poder de compra por mais tempo livre.[49] Mas é importante observar que o limite entre horas de trabalho e de lazer tem perdido um pouco da definição em tempos recentes. O trabalho hoje é muitas vezes encarado como um tipo de hobby, ou até como parte crucial da nossa identidade. Em seu livro clássico *A teoria da classe ociosa*, de 1899, o sociólogo Thorstein Veblen ainda descrevia o lazer como um emblema da elite. Mas atividades em áreas que na época eram consideradas como lazer (artes, esportes, ciência, assistência e filantropia) hoje são classificadas como trabalho.

É claro que nossa Terra da Abundância moderna ainda apresenta um excesso de empregos horríveis e mal remunerados. E os que até pagam bem são muitas vezes vistos como não muito úteis. Mesmo assim, o objetivo aqui não é reivindicar o fim da jornada de trabalho semanal. Pelo contrário. É hora de as mulheres, os pobres e os idosos terem chance de participar mais – e não menos – do mercado de empregos realmente bons. Ter um trabalho estável e gratificante é crucial para que as pessoas se sintam realizadas na vida.[50] Ao mesmo tempo, o ócio forçado – ser demitido – é uma catástrofe. Psicólogos demonstram que o desemprego prolongado tem um impacto maior no bem-estar do indivíduo que um divórcio ou até a morte de uma pessoa querida.[51] O tempo cura todas as feridas, exceto a do desemprego. Porque quanto mais tempo a pessoa fica fora do mercado, mais ela se afunda.

Mas, independentemente da importância do trabalho para nossa vida, pessoas no mundo todo, do Japão aos Estados Unidos, anseiam por uma jornada de trabalho mais curta.[52] Quando cientistas americanos fizeram uma pesquisa perguntando a trabalhadores se eles preferiam um adicional de duas semanas no salário ou duas semanas de férias, o dobro de pessoas optou pelo tempo de folga. E quando pesquisadores britânicos perguntaram a trabalhadores se eles preferiam ganhar na loteria ou trabalhar menos, mais uma vez o dobro de pessoas escolheu o tempo livre.[53]

Todas as evidências apontam para o fato de que não conseguimos viver sem uma dose diária considerável de desocupação. Trabalhar menos proporciona tempo e dedicação a outras áreas da vida importantes para nós, como a família, o envolvimento com a comunidade e a recreação. Não é à toa que países com a jornada de trabalho semanal mais curta também têm o maior número de voluntários e o maior capital social.

Então, agora que sabemos que as pessoas querem trabalhar menos, a segunda pergunta é: como conseguiremos isso?

Não se pode mudar de uma hora para outra. A redução da jornada de trabalho precisa, em primeiro lugar, ser recuperada como ideal político. Então poderemos reduzir a jornada semanal passo a passo, trocando dinheiro por tempo, investindo mais em educação e desenvolvendo um sistema de aposentadoria mais flexível e boas garantias de licença-paternidade e creches.

Tudo isso começa com a reversão de incentivos. No momento, é mais barato para os empregadores ter uma pessoa fazendo hora extra do que contratar duas trabalhando meio expediente.[54] Isso porque muitos custos trabalhistas, como planos de saúde, são pagos por empregado, não por hora trabalhada.[55] E também é por isso que nós, como indivíduos, não podemos decidir trabalhar menos unilateralmente. Ao fazer isso, estaríamos arriscando perder nosso status profissional, oportunidades na carreira e, por fim, até nossos empregos.

Os colegas de trabalho, por sua vez, vigiam uns aos outros: quem passa mais tempo no escritório, quem trabalha mais horas? E, ao fim do dia de trabalho em quase toda empresa, é possível encontrar funcionários exaustos ainda em suas mesas, navegando no Facebook, lendo posts de pessoas que nem conhecem, à espera de que algum outro colega vá embora primeiro.

Quebrar esse círculo vicioso vai exigir uma ação coletiva – das empresas ou, ainda melhor, dos países.

A BOA VIDA

Quando dizia às pessoas, enquanto escrevia este livro, que eu estava abordando o maior desafio deste século, elas se interessavam na mesma hora. Estaria escrevendo sobre terrorismo? Mudança climática? Uma possível terceira guerra mundial?

A decepção delas era palpável quando eu, em vez disso, apresentava o tema do tempo livre. "Isso não levaria as pessoas simplesmente a passar o tempo todo grudadas na televisão?"

Tal reação me remetia na mesma hora aos clérigos e negociantes moralistas do século XIX, que acreditavam que a plebe não seria capaz de lidar com o direito ao voto, um salário decente e muito menos com mais tempo para o lazer, e que defendiam a jornada de 74 horas semanais como um instrumento eficaz contra o consumo de bebidas alcoólicas. Mas a ironia é que era precisamente nas cidades mais industrializadas, onde as jornadas eram mais longas, que mais se procurava refúgio na bebida.

Agora, embora os tempos sejam outros, a história é a mesma: em países onde as pessoas trabalham horas excessivas, como Japão, Turquia e, claro, Estados Unidos, as pessoas assistem a uma quantidade absurda de televisão. Até cinco horas diárias nos Estados Unidos, o que equivale a nove anos no decorrer de uma vida inteira. Crianças americanas passam na frente da TV em casa a metade do tempo que ficam na escola.[56]

O lazer verdadeiro, no entanto, não é luxo nem vício. É tão vital para o cérebro quanto a vitamina C o é para o corpo. Não existe uma só pessoa na Terra que pense, em seu leito de morte: "Eu me arrependo de não ter passado mais tempo no trabalho ou sentado vendo televisão." Claro que nadar num oceano de tempo livre não deve ser fácil. Uma educação do século XXI deveria preparar as pessoas não apenas para ingressar no mercado de trabalho, mas também (o que é mais importante) para a vida. "Já que os homens não estarão exaustos em seu tempo livre, eles não irão exigir apenas entretenimento passivo e banal",[57] escreveu o filósofo Bertrand Russell em 1932.

Nós podemos lidar com a boa vida, sim, desde que dediquemos tempo a isso.

O trabalho é o refúgio das pessoas que não
têm nada melhor para fazer.

Oscar Wilde (1854-1900)

7

Por que não vale a pena trabalhar em banco

Uma neblina intensa envolve o City Hall Park ao amanhecer do dia 2 de fevereiro de 1968.[1] Sete mil trabalhadores da área de saneamento básico da cidade de Nova York se reúnem, em clima de rebeldia, na praça em frente à prefeitura. O porta-voz do sindicato, John DeLury, fala com a multidão do alto de um caminhão de som. Quando anuncia que o prefeito continua se recusando a aceitar as reivindicações deles, a revolta dos trabalhadores ameaça entrar em ebulição. Assim que começam a jogar os primeiros ovos podres, DeLury percebe que já passou a hora de buscar um compromisso com as autoridades. Chegou o momento de tomar o caminho da ilegalidade, proibido aos trabalhadores do saneamento básico pela simples razão de seu trabalho ser essencial.

É hora de entrar em greve.

No dia seguinte, o lixo deixa de ser coletado e começa a se acumular por todas as ruas da Big Apple. Quase todos os lixeiros da cidade ficaram em casa. "Nunca tivemos prestígio, e isso nunca havia me incomodado antes", comentou um gari em uma entrevista a um jornal local. "Mas agora isso me incomoda. As pessoas nos tratam como se fôssemos lixo."

Quando o prefeito vai à rua para averiguar a situação, dias depois, a cidade já está transbordando de lixo acumulado, com 10 mil toneladas sendo jogadas fora por dia. Um odor insuportável invade as ruas da cidade, e ratos já são avistados até nos bairros mais luxuosos. Em poucos dias, uma das cidades mais famosas e ricas do mundo começou a parecer uma favela. E pela primeira vez desde a epidemia de poliomielite de 1931, as autoridades municipais declararam estado de emergência.

Mesmo assim, o prefeito continuou se recusando a ceder. A imprensa local estava a seu lado, retratando os grevistas como narcisistas ambiciosos. Levaram uma semana para começar a perceber a realidade: os lixeiros iriam acabar vencendo o impasse. "Nova York é impotente diante deles", escreveram os editores do *The New York Times*, em desespero. "Esta que é a maior das cidades deverá se render ou então se afundar na imundície." Depois de nove dias de greve, quando o lixo não coletado já acumulava 100 mil toneladas, os trabalhadores do saneamento conseguiram que a prefeitura atendesse suas reivindicações. "A moral do último passo de Nova York em direção ao caos", queixou-se a revista *Time*, "é que a greve compensa."[2]

RICO SEM LEVANTAR UM DEDO

Talvez sim, mas isso não acontece em todas as profissões.

Imagine, por exemplo, que todos os 100 mil lobistas de Washington entrassem em greve amanhã.[3] Ou que todo contador em Manhattan decidisse ficar em casa. Parece improvável que nesses casos o prefeito tivesse que anunciar estado de emergência. De fato, nenhum desses dois cenários causaria muitos danos. Uma greve de consultores de mídias sociais, funcionários de telemarketing ou *traders* de alta frequência, por exemplo, talvez nem chegasse a aparecer nos jornais.

Quando se trata de lixeiros, no entanto, a história é outra. Não há como negar que eles fazem um trabalho essencial para nós. E a dura realidade é que um número cada vez maior de pessoas tem empregos que não fazem muita falta à população. Se parassem de trabalhar de repente, o mundo não se tornaria mais pobre, mais feio ou pior em qualquer outro sentido. Como os operadores da bolsa em Wall Street, que forram seus bolsos às custas do fundo de pensão alheio. Ou advogados astutos que conseguem arrastar um processo corporativo até o fim dos dias. Ou mesmo o publicitário brilhante que cria o slogan do ano e provoca a falência dos competidores.

Em vez de *criarem* riqueza, esses empregos, na maior parte, apenas a *transferem* de uns para outros.

É óbvio, não existe uma linha clara entre quem cria riqueza e quem a transfere. Muitos empregos fazem ambas as coisas. Não há como negar que o setor financeiro pode contribuir para a nossa riqueza e azeitar as máquinas de outros setores nesse processo. Os bancos podem ajudar a distribuir os riscos e dar impulso a pessoas com ideias brilhantes. Embora os bancos hoje tenham se tornado muito grandes, a maior parte do que fazem é simplesmente mover riqueza ou até mesmo destruí-la. Em vez de fazer o bolo crescer, a expansão explosiva do setor bancário aumentou a fatia que serve a si mesmo.[4]

Vejamos a profissão de advogado. É claro que todo país só consegue prosperar sob o Estado de direito. Mas hoje, quando os Estados Unidos têm 17 vezes mais advogados per capita do que o Japão, isso torna a lei americana 17 vezes mais efetiva?[5] Ou os americanos se tornam 17 vezes mais protegidos que os japoneses? Longe disso. Alguns escritórios de advocacia têm até a prática de comprar patentes de produtos que nem têm intenção de produzir e vender somente para poderem processar pessoas por infringirem suas patentes.

O curioso é que são justamente os empregos que movem dinheiro de um lado para outro – criando quase nada de valor tangível – que faturam os melhores salários. A atualidade é mesmo fascinante e paradoxal. Como é possível que todos aqueles agentes de prosperidade – professores, policiais, enfermeiras – tenham salários tão baixos, enquanto os meros – supérfluos, até destrutivos – *movedores* de dinheiro ganham tão bem?

Quando o ócio ainda era um direito de nascença

Talvez a história possa jogar alguma luz sobre esse enigma.

Até alguns séculos atrás, quase todos trabalhavam na agricultura. Restava apenas uma classe alta, abastada, livre para ficar de pernas para o ar, viver de suas heranças e promover guerras – tudo isso são hobbies que não criam riqueza, no máximo transferem o dinheiro de mãos e, na pior das hipóteses, acabam com ele. Qualquer nobre de sangue azul era orgulhoso de seu estilo de vida, o que deu aos poucos privilegiados em sua linhagem o direito hereditário de forrar seus bolsos às custas dos outros. Trabalho? Isso era para os camponeses.

Naquela época, antes da Revolução Industrial, uma guerra de trabalhadores rurais teria paralisado completamente a economia. Mas hoje todos os gráficos, diagramas e tabelas sugerem que tudo mudou. Como parcela da economia, a agricultura parece algo menor. De fato, o setor financeiro é sete vezes maior que o setor agrícola.

Então isso significa que, se os trabalhadores rurais resolvessem entrar em greve, causariam um impacto menor que um boicote de bancários? Não, muito pelo contrário. Além disso, a produção agrícola não teve um aumento formidável nas últimas décadas? Com certeza. Então os trabalhadores rurais estão ganhando mais do que nunca? Infelizmente, não.

Numa economia de mercado, as coisas funcionam justamente ao contrário. Quanto maior a oferta, menor o preço. E aí é que está o problema. Nas últimas décadas, a oferta de comida disparou. Em 2010, as vacas nos Estados Unidos produziram duas vezes mais leite do que em 1970.[6] Nesse mesmo período, a produtividade do trigo também dobrou e a do tomate triplicou. Quanto mais eficiente a agricultura se torna, menos estamos dispostos a pagar por ela. Hoje a comida em nossos pratos se tornou baratíssima.

O progresso econômico é isso. À medida que nossas fazendas e fábricas se tornam mais eficientes, a parcela que ocupam na economia vai diminuindo. E quanto mais produtivas a agricultura e a indústria vão se tornando, menos pessoas elas empregam. Ao mesmo tempo, essa mudança gerou mais trabalho no setor de serviços. Mas, antes de conseguirmos emprego nesse novo mundo de consultores, contadores, programadores, assessores, corretores e advogados, primeiro tínhamos que adquirir as credenciais necessárias.

Esse desenvolvimento gerou uma riqueza imensa.

Ironicamente, isso também criou um sistema em que um número cada vez maior de pessoas pode ganhar dinheiro sem contribuir com nada de valor tangível para a sociedade. Chame isso de paradoxo do progresso: aqui na Terra da Abundância, quanto mais ricos e inteligentes ficamos, mais dispensáveis nos tornamos.

A GREVE DOS BANCÁRIOS

"FECHAMENTO DOS BANCOS".

Em 4 de maio de 1970, essa manchete foi publicada no jornal *Irish Independent*. Depois de negociações longas e infrutíferas sobre salários defasados em relação à inflação, os funcionários dos bancos da Irlanda decidiram entrar em greve.

De um dia para o outro, 85% das reservas do país ficaram inacessíveis. Com todos os indícios sugerindo que a greve poderia durar bastante tempo, empresas por toda a Irlanda começaram a acumular dinheiro em espécie. Após duas semanas de paralisação, o jornal *Irish Times* relatou que metade dos 7 mil bancários do país já havia reservado passagens para Londres, à procura de outro emprego.

No início da greve, os comentaristas políticos previram que a vida na Irlanda iria parar por completo. Primeiro, o suprimento de dinheiro em espécie iria secar, depois o comércio entraria em estagnação e, por fim, o desemprego iria explodir. "Imagine todas as veias em seu corpo de repente encolhendo e entrando em colapso", descreve um economista ao relatar o medo que tomou conta do país, "e aí você começará a entender como os economistas concebem o fechamento de bancos."[7] Com o verão de 1970 se aproximando, a Irlanda começou a se preparar para o pior.

Então algo estranho aconteceu. Ou, mais precisamente, nada aconteceu.

Em julho, o jornal *The Times* de Londres apurou que "os números e tendências disponíveis indicam que a disputa não teve nenhum efeito adverso na economia até agora". Poucos meses depois, o Banco Central da Irlanda concluiu o balanço final da greve: "A economia da Irlanda continuou a funcionar por um período razoavelmente longo, com seus principais bancos fechados." Não só continuou a funcionar como também a crescer.

No fim, a greve durou seis meses inteiros – 20 vezes mais que a greve dos lixeiros de Nova York. Mas, enquanto do outro lado do Atlântico foi declarado estado de emergência depois de apenas seis dias, a Irlanda continuou firme e forte após seis meses sem os bancários. "A principal razão pela qual não consigo me lembrar muito da greve dos bancos", refletiu um jornalista irlandês em 2013, "é que ela não teve um impacto debilitante no nosso cotidiano."[8]

Mas, sem os bancários, como as pessoas conseguiam pagar suas contas?

Muito simples: os irlandeses começaram a emitir o próprio dinheiro. Depois que os bancos fecharam, eles continuaram emitindo cheques uns para os outros como de costume, com a única diferença de não poderem ainda depositá-los em suas contas bancárias. Em vez disso, outro negociador de ativos líquidos – o pub irlandês – passou a preencher o vazio. Numa época em que os irlandeses ainda iam ao bar local pelo menos três vezes por semana, todos – sobretudo o bartender – tinham uma boa ideia de quem de fato tinha dinheiro no banco. "Os gerentes de lojas e bares tinham um alto grau de informação sobre seus clientes", explica o economista Antoin Murphy. "É impossível servir bebidas a alguém durante anos sem descobrir algo sobre seus recursos líquidos."[9]

Em pouco tempo, as pessoas criaram um sistema monetário radicalmente descentralizado, tendo os 11 mil pubs do país como pontos-chave e a confiança básica como mecanismo fundamental. Quando os bancos enfim reabriram, em novembro, os irlandeses já haviam imprimido inacreditáveis 5 bilhões de libras em modo caseiro. Alguns cheques foram emitidos por empresas, enquanto outros foram improvisados, com as pessoas escrevendo em maços de cigarro e até em papel higiênico. De acordo com historiadores, o motivo pelo qual os irlandeses conseguiram se sair tão bem sem os bancos foi o alto grau de coesão social.

Então quer dizer que não houve problemas?

Bem, claro que houve problemas. Por exemplo, o sujeito que comprou um cavalo de corrida a crédito e depois pagou a dívida com o dinheiro que ganhou quando seu cavalo chegou em primeiro lugar – basicamente, apostando com a grana de outra pessoa.[10] Isso se parece muito com o que os bancos fazem agora, mas numa escala menor. E, durante a greve, empresas irlandesas tiveram mais dificuldade de adquirir capital para grandes investimentos. Na verdade, o próprio fato de as pessoas começarem a criar seus bancos caseiros demonstrou que não podiam prescindir de ao menos parte do setor financeiro.

Mas o que elas *poderiam* perfeitamente dispensar era toda dissimulação, toda aquela especulação arriscada, os arranha-céus imponentes e os gigantescos bônus pagos aos executivos dos bancos às custas dos clientes. "Talvez os bancos precisem muito mais das pessoas do que as pessoas precisam dos bancos", conjecturou o economista e escritor Umair Haque.[11]

Outra forma de taxação

Que contraste com aquela outra greve dois anos antes e a quase 5 mil quilômetros de distância. Enquanto os nova-iorquinos só podiam assistir em desespero à sua cidade virar uma imensa lata de lixo, os irlandeses se tornaram seus próprios bancários. Enquanto Nova York começou a olhar para o abismo após apenas seis dias, na Irlanda as coisas ainda funcionavam bem mesmo seis meses depois.

Mas vamos deixar uma coisa clara: fazer dinheiro sem criar nada de valor não é nada fácil. É preciso ter talento, ambição e inteligência. E o mundo dos bancos transborda de mentes brilhantes. "A genialidade dos grandes investidores especulativos é ver o que os outros não veem, ou ver isso antes dos outros", explica o economista Roger Bootle. "Isso é uma habilidade. Mas também é uma habilidade saber ficar na ponta do pé, numa perna só, enquanto se equilibra um bule de chá na cabeça sem derramar uma gota."[12]

Em outras palavras, ser difícil de fazer não torna algo automaticamente valioso.

Nas últimas décadas, essas mentes brilhantes criaram todos os tipos de produtos financeiros complexos que não criam riqueza, mas destroem. Esses produtos são, essencialmente, como uma taxa para o resto da população. Quem você acha que está pagando por todos aqueles ternos feitos sob medida, mansões gigantescas e iates de luxo? Se os trabalhadores do setor financeiro não estão gerando o valor que manipulam, então isso tem que vir de outro lugar – ou de outras pessoas. O governo não é o único que redistribui renda. O setor financeiro também faz isso, mas sem um mandato democrático.

A questão é que o fato de a riqueza estar *concentrada* em um lugar não significa que esteja sendo *criada* ali também. Isso vale tanto para o antigo proprietário feudal de terras quanto para o atual presidente do Goldman Sachs. A única diferença é que os banqueiros às vezes têm um lapso momentâneo e se imaginam como grandes criadores de riqueza. O senhor feudal que tinha orgulho de viver às custas do trabalho dos camponeses não tinha essa ilusão.

EMPREGOS INÚTEIS

E pensar que as coisas poderiam ter sido tão diferentes.

Você deve lembrar que o economista John Maynard Keynes previu que estaríamos todos trabalhando apenas 15 horas por semana por volta de 2030.[13] Que nossa prosperidade logo iria às alturas e trocaríamos uma boa parte de nossa riqueza por tempo livre.

Mas nada disso chegou perto de acontecer. Somos muito mais prósperos, mas não estamos exatamente nadando num mar de tempo livre. Muito pelo contrário. Estamos trabalhando mais do que nunca. No capítulo anterior, descrevi como sacrificamos nosso tempo livre no altar do consumismo. Keynes, com certeza, não previu isso.

Mas ainda há uma peça do quebra-cabeça que não encaixa. A maioria das pessoas não tem qualquer papel na produção das capas multicoloridas de iPhone, de xampus exóticos com extratos botânicos ou de *frappuccinos* sabor chocolate com farelo de biscoito. Nosso vício em consumir é possibilitado na maior parte por robôs e trabalho semiescravo no Terceiro Mundo. E, embora a capacidade de produção agrícola e industrial tenha crescido exponencialmente nas últimas décadas, o emprego nesses setores caiu. Então será que é mesmo verdade que o nosso estilo de vida de trabalhar demais se deve ao nosso consumismo descontrolado?

David Graeber, antropólogo da London School of Economics, acredita que há outra razão. Há alguns anos, ele escreveu um artigo fascinante que colocava a culpa não nas coisas que compramos, mas no trabalho que fazemos. Era intitulado, apropriadamente, "Sobre o fenômeno dos empregos inúteis".[14]

Na análise de Graeber, inúmeras pessoas passam a vida inteira trabalhando em empregos que consideram sem importância real, como operador de telemarketing, gerente de recursos humanos, estrategista de mídias sociais, relações-públicas e toda uma gama de cargos administrativos em hospitais, universidades e repartições. "Empregos inúteis", como Graeber os chama, são o tipo de trabalho que até as pessoas nesses cargos admitem que é, em essência, supérfluo.

Quando escrevi meu primeiro artigo sobre esse fenômeno, o texto desencadeou uma pequena enxurrada de confissões. "Pessoalmente, eu preferiria fazer algo útil de verdade", comentou um corretor de bolsa de valores, "mas não poderia arcar com a redução do salário." Ele também afirmou que seu "ex-colega de classe muito talentoso, com Ph.D. em Física", desenvolve tecnologias para detectar câncer, mas "ganha tão menos que eu que isso é deprimente". Claro que se o seu trabalho serve a um interesse público significativo e requer muito talento, inteligência e perseverança, isso não significa necessariamente que você está ganhando muito dinheiro.

Ou vice-versa. Não é por acaso que a proliferação de empregos inúteis bem remunerados coincidiu com o crescimento da população com ensino superior e de uma economia que revolve em torno do conhecimento. Lembre-se, ganhar dinheiro sem criar nada de valor não é fácil. Para começar, você precisa memorizar jargões que soam muito importantes mas que não significam grande coisa. (Crucial quando se participa de reuniões trans-setoriais entre pares para fazer um brainstorming sobre o valor agregado da cocriação na sociedade de redes.) Quase todo mundo pode coletar lixo, mas uma carreira em bancos de investimento é reservada para um grupo seleto.

Num mundo que se torna cada vez mais rico, onde as vacas produzem mais leite e os robôs produzem mais coisas, há mais espaço para amigos, família, serviço comunitário, ciência, artes, esportes e todas as outras coisas que fazem a vida valer a pena. Mas também há mais espaço para enganações. Enquanto continuarmos obcecados por trabalho, trabalho e mais trabalho (mesmo à medida que as atividades úteis são cada vez mais automatizadas e terceirizadas), o número de empregos supérfluos só continuará a crescer. Assim como o número de gerentes no mundo desenvolvido, que cresceu nos últimos 30 anos sem nos deixar nem 10 centavos mais ricos. Ao contrário. Estudos mostram que países com mais gerentes são, na verdade, menos produtivos e inovadores.[15] Numa pesquisa com 12 mil profissionais conduzida pela *Harvard Business Review*, metade deles disse que seu emprego "não tinha qualquer significado" e o mesmo número declarou ser incapaz de se identificar com a missão de sua empresa.[16] Outra pesquisa recente revelou que 37% dos trabalhadores britânicos acham que têm um trabalho inútil.[17]

Não quero dizer, de jeito nenhum, que todos esses empregos no setor de serviços sejam sem sentido – longe disso. Basta olhar para os setores de saúde, educação, os bombeiros e a polícia e você verá muitas pessoas que vão para casa todos os dias sabendo que, apesar de seus salários modestos, estão tornando o mundo um lugar melhor. "É como se estivessem dizendo a essas pessoas", continua Graeber: "vocês já têm um emprego de verdade! Como ainda têm a audácia de exigir também aposentadorias de classe média e planos de saúde?"

HÁ OUTRO CAMINHO

O que torna tudo isso especialmente chocante é que esteja acontecendo num sistema capitalista, baseado em valores como eficiência e produtividade. Enquanto os políticos não param de discursar sobre a necessidade de reduzir a máquina do governo, permanecem em silêncio quanto ao número de empregos inúteis que continua a crescer. Isso resulta em cenários onde, por um lado, governos cortam empregos úteis em setores como saúde, educação e infraestrutura – levando ao desemprego – enquanto, por outro, investem milhões na indústria de assistência a desempregados, treinando-os e vigiando--os, uma medida cuja ineficácia já foi comprovada há muito tempo.[18]

O mercado moderno está igualmente desinteressado em utilidade, qualidade e inovação. Tudo que importa é o lucro. Às vezes isso leva a contribuições maravilhosas, outras vezes, não. De operadores de telemarketing a consultores fiscais, há sempre uma justificativa sólida para criar um emprego inútil atrás de outro: é possível embolsar uma fortuna sem nunca produzir coisa alguma.

Nessa situação, a desigualdade apenas agrava o problema. Quanto mais riqueza concentrada no topo, maior a demanda por advogados corporativos, lobistas e *traders* de alta frequência. Afinal, a demanda não ocorre num vácuo; é produto de uma negociação constante, determinada pelas leis e instituições de um país e, claro, pelas pessoas com o poder de determinar em que o orçamento é gasto.

Talvez isso também seja uma pista para explicar por que as inovações dos últimos 30 anos – uma época de desigualdade cada vez mais crescente – não corresponderam às nossas expectativas. "Nós queríamos carros voadores, mas em vez disso ganhamos 140 caracteres no Twitter", debocha Peter Thiel, fundador do PayPal e empresário que se autodescreve como intelectual residente no Vale do Silício.[19] Se o pós-guerra nos deu invenções fabulosas como a máquina de lavar, a geladeira, o ônibus espacial e a pílula, ultimamente os avanços têm sido leves aperfeiçoamentos do mesmo celular que compramos há alguns anos.

De fato, tem sido cada vez mais lucrativo *não* inovar. Imagine quanto progresso deixamos de ter porque milhares de mentes brilhantes desperdiçam seu tempo criando produtos financeiros hipercomplexos que no fim acabam sendo apenas destrutivos. Ou passam os melhores anos de sua vida duplicando medicamentos já existentes de forma que sejam infinitesimalmente diferentes só para garantir uma nova patente para um advogado esperto, de modo que um brilhante departamento de relações públicas possa lançar uma campanha publicitária nova para a nem tão nova droga do momento.

Imagine se todo aquele talento fosse investido não em mover riqueza de um lado para outro, mas sim em *criar* riqueza. Se isso ocorresse, quem sabe já não teríamos mochilas *jetpacks* para voar, cidades submarinas ou a cura do câncer.

Muito tempo atrás, Friedrich Engels descreveu a "falsa consciência" que vitimou a classe trabalhadora de sua era – o "proletariado". De acordo com Engels, o trabalhador industrial do século XIX não se insurgia contra a elite porque sua visão de mundo era embaçada pela religião e pelo nacionalismo. Talvez a sociedade atual esteja sofrendo o mesmo dilema hoje, mas agora os iludidos estão no topo da pirâmide. Talvez algumas dessas pessoas tenham a visão embaçada por todos aqueles zeros em seus salários, pelos bônus robustos que recebem ou por seus vantajosos planos de aposentadoria. Talvez uma carteira recheada provoque uma falsa consciência parecida: a convicção de estar produzindo algo de grande valor *pelo fato de* seu salário ser tão alto.

Seja qual for o motivo, a situação atual não precisa continuar do jeito que está. Nossa economia, nossos impostos e nossas universidades podem ser reinventados a fim de estimular inovações reais e receber dividendos criativos. "Não precisamos esperar pacientemente por uma mudança cultural lenta", declarou o economista independente William Baumol há mais de 20 anos.[20] Não precisamos esperar até que os bancos deixem de lucrar apostando com o dinheiro das pessoas; até que os lixeiros, policiais e enfermeiras ganhem um salário decente; e até que os gênios da matemática voltem a sonhar em construir colônias em Marte, e não em fundar o próprio banco de investimentos.

Podemos dar o primeiro passo em direção a um mundo diferente, começando, como já foi feito outras vezes, pelos impostos. Até as utopias precisam de uma cláusula de impostos. Por exemplo, um imposto sobre transações para determinar alguns limites ao mercado financeiro. Em 1970, as ações nos Estados Unidos só eram vendidas, em média, cinco anos depois da compra; 40 anos depois, a média é de apenas cinco dias.[21] Se fosse imposta uma taxa sobre transações – se você tivesse que pagar uma quantia cada vez que comprasse ou vendesse uma ação –, esses *traders* de alta frequência, que não contribuem com quase nada de valor social, deixariam de lucrar com a compra e (minutos depois) venda de ativos financeiros. De fato, economizaríamos em despesas frívolas que só estimulam os abusos do setor financeiro. Veja, por exemplo, o cabo de fibra óptica instalado para aumentar a velocidade das transmissões entre os mercados financeiros de Londres e Nova York. Custo: 300 milhões de dólares. Tempo ganho: 5,2 milissegundos.

O mais importante é que esses impostos enriqueceriam todos nós. Não só dariam a todas as pessoas uma fatia igual da torta como também ajudariam a torta a crescer mais. Então os gênios que hoje se mudam para Wall Street poderiam voltar a ser professores, inventores e engenheiros.

O que tem acontecido em décadas recentes é exatamente o oposto. Um estudo de Harvard descobriu que o corte de impostos da era Reagan provocou uma gigantesca mudança de carreiras entre as mentes mais brilhantes do país – de professores e engenheiros a gerentes financeiros e contadores. Enquanto, em 1970, um em cada dois dos homens formados em Harvard ainda optava por passar a vida pesquisando na academia em vez de se dedicar ao mercado financeiro, 20 anos depois a balança passou a pender para o outro lado, com 1,5 em cada dois graduados optando por uma carreira em finanças.

O resultado disso é que todos nós empobrecemos. Para cada dólar que um banco ganha, há a estimativa de perda de 60 centavos de dólar em outro ponto da cadeia econômica. Por outro lado, para cada dólar que um pesquisador ganha, um valor de pelo menos cinco dólares – e muitas vezes bem mais que isso – é injetado de volta na economia.[22] Impostos mais altos para os mais bem remunerados serviriam, na linguagem científica de Harvard, "para realocar indivíduos talentosos de profissões que causam externalidades negativas para profissões que causam externalidades positivas".

Em linguagem clara, impostos mais altos para quem ganha mais levam mais pessoas a procurar empregos úteis à sociedade.

OBSERVADORES DE TENDÊNCIAS

Se existe um lugar onde a busca por um mundo melhor deve começar, esse lugar é a sala de aula.

Embora possa até ter estimulado o fenômeno dos empregos inúteis, a educação também é uma fonte de prosperidade nova e tangível. Se fizéssemos uma lista das profissões mais influentes, a de professor provavelmente estaria entre as principais. Não porque professores acumulem recompensas como dinheiro, poder ou status, mas sim porque ensinar influencia algo bem maior – o curso da história humana.

Isso pode parecer exagerado, mas veja o exemplo de uma professora primária comum. Quarenta anos diante de classes de 25 alunos equivalem a influenciar a vida de mil crianças. Além disso, aquela professora está moldando estudantes na idade em que são mais maleáveis. Afinal, ainda são crianças. Ela não apenas os prepara para o futuro como também tem participação direta em dar forma ao futuro deles no processo.

Então, se existe um lugar onde podemos intervir de forma a render dividendos para a sociedade, esse lugar é a sala de aula.

Mesmo assim, isso não está acontecendo. Todos os grandes debates em educação são sobre formato. Sobre método. Sobre didática. A educação é constantemente apresentada como um meio de adaptação – como lubrificante para ajudar a pessoa a deslizar com menos esforço ao longo da vida. No circuito de conferências educacionais, um desfile sem fim de observadores de tendências faz profecias sobre o futuro e os atributos essenciais para o século XXI, falando muito em "criatividade", "poder de adaptação" e "flexibilidade".

O foco, invariavelmente, é nas competências e não nos valores. Em didática e não em ideais. Em "capacidade de resolver problemas", mas não nos problemas que devem ser resolvidos. Quase sempre tudo gira em torno da seguinte questão: que tipo de conhecimentos e habilidades os estudantes de hoje precisam ter para serem contratados no mercado de trabalho de 2030? – o que é justamente a questão errada.

Em 2030, é provável que haja uma alta demanda por contadores perspicazes e despreocupados com sua consciência. Se as tendências atuais permanecerem, países como Luxemburgo, Holanda e Suíça irão se tornar paraísos fiscais ainda maiores, permitindo que multinacionais soneguem tributos de forma ainda mais eficiente e deixando países menos desenvolvidos em desvantagem. Se o objetivo da educação continuar sendo deixar-se levar por essas tendências atuais em vez de transformá-las, o egocentrismo será o atributo fundamental do século XXI. Não porque a lei ou o mercado o exija, mas simplesmente porque, pelo visto, é assim que preferimos ganhar nosso dinheiro.

Em vez disso, deveríamos estar nos fazendo uma pergunta totalmente diferente: que conhecimentos e habilidades *queremos* que os estudantes de hoje tenham em 2030? Então, em vez de antecipar e nos adaptar, estaríamos nos concentrando em guiar e criar. Em vez de pensar no que *precisamos* para ganhar nosso sustento com um emprego inútil, poderíamos ponderar sobre como *queremos* ganhar nosso sustento. Essa é uma questão a que nenhum observador de tendências pode responder. Como poderiam? Eles apenas seguem as tendências, não as criam. Essa parte depende de nós.

Para responder a essa questão, precisamos examinar a nós mesmos e nossos ideais. O que queremos? Mais tempo com os amigos e a família, por exemplo? Mais tempo para trabalhos voluntários? Arte? Esportes? A educação do futuro nos prepararia não só para o mercado de trabalho, mas, sobretudo, para a vida. Queremos colocar rédeas no setor financeiro? Então talvez devamos dar a futuros economistas alguma instrução sobre filosofia e moral. Queremos mais solidariedade entre as etnias, os sexos e os grupos socioeconômicos? Comecemos já nas aulas de estudos sociais ou de história na escola.

Se reestruturarmos a educação em torno de nossos novos ideais, o mercado de trabalho irá tranquilamente se adaptar. Vamos imaginar que iremos incorporar mais arte, história e filosofia no currículo escolar. Pode apostar que haverá um aumento na demanda por artistas, historiadores e filósofos. É como o sonho de 2030 que John Maynard Keynes teve em 1930. Uma prosperidade maior – e o aumento da robotização do trabalho – iria, enfim, permitir que "valorizássemos os fins acima dos meios e preferíssemos o bom ao útil". O objetivo de uma jornada de trabalho semanal mais curta não é apenas ficarmos em casa sem fazer nada, mas sim passarmos mais tempo fazendo as coisas que importam de verdade para nós.

No fim, não são o mercado nem a tecnologia que decidem o que tem valor real, mas sim a sociedade. Se quisermos que este século torne todos nós mais ricos, então temos que nos livrar do dogma de que todo tipo de trabalho é significativo. E, enquanto isso, vamos também nos livrar da falácia de que um salário mais alto automaticamente reflete o valor social desse trabalho.

Então poderemos compreender que, em termos de criação de valor, não vale a pena, de fato, trabalhar em banco.

Nova York, 50 anos depois

Meio século depois da greve, a Big Apple parece ter aprendido a sua lição. "TODOS EM NYC QUEREM SER LIXEIROS", dizia uma recente manchete de jornal. Atualmente, aqueles que trabalham como garis na metrópole ganham um salário invejável. Depois de cinco anos na folha de pagamento, eles podem receber até 5.800 dólares por mês, sem contar as horas extras e outros benefícios. "Eles mantêm a cidade em funcionamento", explicou um assessor de imprensa do departamento municipal de saneamento na matéria do jornal. "Se parassem de trabalhar, mesmo que por pouco tempo, a cidade de Nova York inteira pararia também."[23]

O jornal também entrevistou um lixeiro. Em 2006, Joseph Lerman, na época com 20 anos, recebeu um telefonema avisando que ele tinha sido contratado para trabalhar como coletor de lixo. "Eu me senti como se tivesse ganhado na loteria", conta. Hoje, Lerman acorda às quatro da manhã todo dia para jogar sacos de lixo no caminhão em turnos de até 12 horas diárias. Para seus concidadãos nova-iorquinos, faz todo o sentido que ele seja bem remunerado por seu trabalho duro. "Com certeza", sorri o assessor de imprensa do departamento, "não é à toa que esses homens e mulheres são conhecidos como os heróis da cidade de Nova York."

O objetivo do futuro é o desemprego total
para que possamos brincar.

Arthur C. Clarke (1917-2008)

8

Competindo com as máquinas

Esta não seria a primeira vez. No início do século XX, as máquinas já estavam tornando obsoleta uma ocupação histórica. Enquanto a Inglaterra ainda tinha 1 milhão deles trabalhando em 1901, eles praticamente desapareceram poucas décadas depois.[1] Aos poucos, o advento dos veículos motorizados foi corroendo seus rendimentos até que não podiam mais pagar pela própria comida.

Estou me referindo, naturalmente, aos cavalos de tração.

E os habitantes da Terra da Abundância têm razões de sobra para temer por seus empregos também, com o desenvolvimento em alta velocidade de robôs capazes de ler, falar, escrever e – o mais importante – calcular. "O papel dos humanos como fator mais importante da produção está fadado a diminuir", escreveu o vencedor do Prêmio Nobel Wassily Leontief em 1983, "da mesma forma que o papel dos cavalos na produção agrícola primeiro diminuiu e depois foi totalmente eliminado, com a introdução dos tratores."[2]

Robôs. Eles se tornaram o argumento mais forte a favor de uma jornada de trabalho semanal mais curta e da renda básica universal. De fato, se a tendência atual continuar, só existe uma alternativa: desemprego estrutural e desigualdade crescente. "A maquinaria... é um ladrão que irá roubar milhares", fulminou um operário inglês chamado William Leadbeater numa reunião em Huddersfield em 1830. "Vamos descobrir que isso será a destruição deste país."[3]

Começou com os nossos salários. Nos Estados Unidos, o valor real do salário do trabalhador em tempo integral *caiu* em média 14% entre 1969 e 2009.[4] Em outros países desenvolvidos, da Alemanha ao Japão, os salários estão estagnados na maioria das ocupações há anos, mesmo com o contínuo crescimento da produtividade. A principal razão para isso é simples: a oferta de mão de obra está se tornando cada vez maior. Avanços tecnológicos estão colocando os habitantes da Terra da Abundância em competição direta com bilhões de trabalhadores por todo o mundo, além da competição com as máquinas em si.

Obviamente, pessoas não são cavalos. Há limites para o que se pode ensinar a um cavalo. Já as pessoas podem aprender e crescer muito. Então injetamos mais dinheiro na educação e comemoramos a economia do conhecimento.

Só há um problema. Mesmo as pessoas com um pedaço de papel emoldurado na parede têm motivo para se preocupar. William Leadbeater era bem treinado em seu trabalho quando foi suplantado por um tear mecânico em 1830. A questão não é que ele não tivesse educação, mas sim que suas habilidades se tornaram supérfluas de uma hora para outra. Essa é uma situação a que um número cada vez maior de pessoas está sujeito. "No fim, eu me arrisco a dizer, essa será a destruição do universo", alertou William.

Bem-vindo à corrida contra as máquinas.

O CHIP E A CAIXA

Na primavera de 1965, Gordon Moore, um técnico influente e futuro cofundador da Intel, recebeu uma carta da revista *Electronics* pedindo que ele escrevesse um artigo sobre o futuro do chip de computador em homenagem aos 35 anos da revista. Naquela época, até os melhores protótipos tinham apenas 30 transistores. Transistores são as peças básicas de todo computador e, naquele tempo, os transistores eram grandes e os computadores eram lentos.

Então Moore começou a reunir alguns dados e descobriu algo que o surpreendeu. O número de transistores por chip dobrava a cada ano desde 1959. Naturalmente, isso o levou a pensar: e se essa tendência continuar? Quando chegarmos a 1975 – ele ficou desconcertado ao perceber – deverá haver o impressionante número de 60 mil transistores por chip. Em pouco tempo, computadores seriam capazes de realizar somas melhor do que todos os matemáticos mais brilhantes de todas as universidades juntos![5] O título do artigo de Moore já dizia tudo: "Amontoando mais componentes em circuitos integrados". Esses chips com um monte de transistores iriam nos trazer "maravilhas como computadores pessoais", assim como "equipamentos portáteis de comunicação" e talvez até "controles automáticos para automóveis".

Era um tiro no escuro, admitia Moore. Mas, 40 anos depois, o maior produtor de chips do mundo, a Intel, iria oferecer 10 mil dólares a qualquer pessoa que conseguisse encontrar um exemplar original daquela revista *Electronics*. O tiro no escuro entrou para a história como lei – a Lei de Moore, para ser exato.

"Muitas vezes, ao longo dos anos, pensei que havíamos chegado ao fim da linha", Moore contou em 2005. "As coisas vão parando."[6] Mas não pararam. Pelo menos não por enquanto. Em 2013, o então novo console de videogame Xbox One utilizava um chip que continha incríveis 5 *bilhões* de transistores. Por quanto tempo mais isso vai continuar ninguém sabe, mas por enquanto a Lei de Moore ainda está se confirmando a todo momento.[7]

Entra em cena *a caixa*.

Da mesma forma que os transistores se tornaram a unidade padrão de informação no fim dos anos 1950, os contêineres se tornaram a unidade padrão de transporte a partir daquela época.[8] Uma caixa retangular de aço pode não parecer tão revolucionária quanto chips e computadores, mas pense nisto: antes dos contêineres, produtos eram colocados um por um em navios, trens ou caminhões. Todo o tempo que se levava colocando e tirando cada pacote de um transporte para outro podia adicionar dias a cada fase da viagem.

Em comparação, basta embarcar e desembarcar um contêiner de uma única vez. Em abril de 1956, o primeiro navio carregado de contêineres partiu de Nova York para Houston. Cinquenta e oito caixas foram desembarcadas em poucas horas, e um dia depois o navio estava fazendo o caminho de volta com outra carga completa. Antes da invenção da caixa de aço, os navios passavam quatro a seis dias em cada porto, o equivalente a 50% de seu tempo. Poucos anos depois, passavam apenas 10% do tempo parados.

FIGURA 10   A Lei de Moore

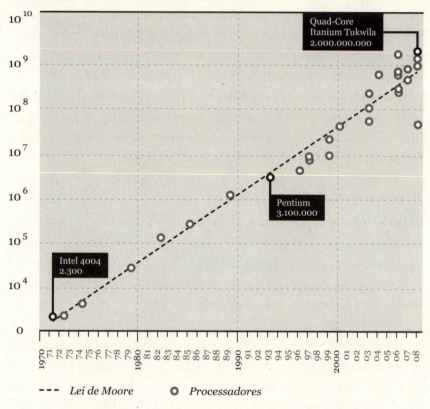

O número de transistores em processadores, de 1970 a 2008.

Fonte: Wikimedia Commons.

O advento do chip e da caixa fez o mundo encolher, com produtos, serviços e capital circulando o globo cada vez mais rápido.[9] A tecnologia e a globalização avançavam de mãos dadas e mais velozes do que nunca. Então algo aconteceu – algo que ninguém imaginava ser possível e que, de acordo com os livros, *não poderia* ter acontecido.

Em 1957, o economista Nicholas Kaldor definiu seus seis famosos "fatos" do crescimento econômico. O primeiro era: "As parcelas da renda nacional que vão para o trabalhador e para o capital são constantes por longos períodos de tempo." A constante sendo dois terços da renda nacional de um país para os salários e um terço para os bolsos dos donos do capital – ou seja, os que possuem ações de empresas e as máquinas. Gerações de jovens economistas foram convencidas de que "a razão capital/trabalho é constante". Ponto final.

Mas não é.

As coisas já estavam começando a mudar há 30 anos e, hoje, apenas 58% da riqueza das nações industrializadas vão para o pagamento dos salários. Isso pode parecer uma diferença insignificante, mas não é; na verdade, é uma transferência de proporções sísmicas. Vários fatores estão envolvidos, inclusive o declínio dos sindicatos, o crescimento do setor financeiro, impostos menores sobre o capital e o enriquecimento de vários países da Ásia. Mas a causa mais importante foi o progresso tecnológico.[10]

Veja o iPhone, por exemplo. É um milagre da tecnologia, certamente algo inconcebível se não fossem o chip e o contêiner. É um telefone construído a partir de peças feitas nos Estados Unidos, na Itália, em Taiwan e no Japão e montado na China, de onde é enviado para o mundo inteiro. Ou, então, a Nutella: essa pasta italiana de chocolate e avelã é fabricada no Brasil, na Argentina, na Europa, na Austrália e na Rússia, com chocolate da Nigéria, óleo de palma da Malásia, aromatizante de baunilha da China e açúcar do Brasil.

Podemos estar vivendo na era do individualismo, mas nossas sociedades nunca estiveram mais dependentes umas das outras.

A grande questão é: quem está lucrando? Inovações no Vale do Silício provocam demissões em massa em outros lugares dos Estados Unidos e do mundo. Pense nas lojas on-line, como a Amazon. O surgimento dos vendedores on-line levou à perda de milhões de empregos nas lojas físicas. O economista britânico Alfred Marshall já havia notado essa dinâmica no final do século XIX: quanto menor o mundo fica, menor o número de vencedores. Na época dele, Marshall observou um oligopólio cada vez mais concentrado na produção de pianos de cauda. A cada nova estrada pavimentada e cada novo canal escavado, os custos do transporte iam caindo mais um pouco, tornando cada vez mais fácil para os fabricantes de piano exportar seus produtos. Com prestígio estabelecido no mercado e economias de escala, os grandes produtores logo esmagaram os pequenos fornecedores locais. E, à medida que o mundo se contraía cada vez mais, os competidores menores eram forçados a sair de campo.

FIGURA 11   De onde vem o pote de Nutella

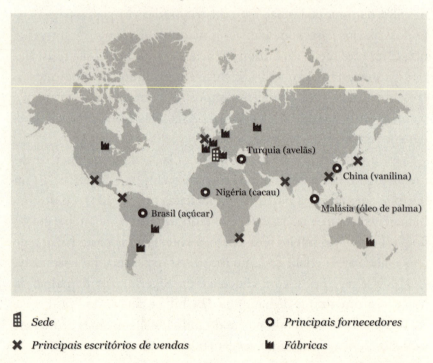

▦ *Sede*   ◯ *Principais fornecedores*
✖ *Principais escritórios de vendas*   ▬ *Fábricas*

Fonte: OCDE.

O mesmo processo mudou a face dos esportes, da música e do mercado editorial, que hoje são igualmente dominados por meia dúzia de pesos-pesados. Na era do chip, da caixa e da venda pela internet, ser apenas alguns pontos percentuais melhor que o resto significa não só vencer a batalha como também vencer a guerra. Economistas chamam esse fenômeno de "sociedade do vencedor que leva tudo".[11] De pequenas firmas de contabilidade sendo suplantadas por programas e aplicativos de cálculo de imposto de renda a livrarias de rua lutando para competir com as megalojas on-line – de um setor a outro, os gigantes crescem mesmo enquanto o mundo encolhe.

Hoje a desigualdade aumentou significativamente em quase todos os países desenvolvidos. Nos Estados Unidos, o abismo entre ricos e pobres já é maior que na época da Roma antiga – uma economia baseada no trabalho escravo.[12] Na Europa, também há um contraste cada vez maior entre as classes altas e baixas.[13] Até o Fórum Econômico Mundial – uma reunião de empresários, políticos e grandes estrelas – descreveu essa desigualdade galopante como a maior ameaça à economia global.

Claro que tudo aconteceu muito rápido. Enquanto em 1964 cada uma das quatro maiores companhias americanas ainda tinha em média 430 mil funcionários, em 2011 elas empregavam apenas um quarto desse número, embora o valor das empresas já fosse o dobro daquela época.[14] Considere também o trágico destino da Kodak, empresa inventora da câmera digital e que no fim dos anos 1980 tinha 145 mil empregados. Em 2012, a Kodak entrou em concordata, enquanto o Instagram – o serviço gratuito de fotos on-line que na época tinha apenas 13 pessoas em seu quadro de funcionários – foi vendido ao Facebook por 1 bilhão de dólares.

A realidade é que se precisa de cada vez menos pessoas para criar um negócio de sucesso, ou seja, quando uma empresa tem sucesso, cada vez menos gente se beneficia disso.

Automação do trabalho do conhecimento

Em 1964, Isaac Asimov já estava prevendo: "A humanidade irá... se tornar em grande parte uma raça de operadores de máquinas." Mas isso acabou sendo até um pouco otimista. Hoje, robôs estão ameaçando até os empregos desses operadores.[15] Citando uma piada popular entre economistas: "A fábrica do futuro só terá dois empregados, um homem e um cachorro. O homem terá a função de alimentar o cachorro. O cachorro estará lá para impedir que o homem toque no equipamento."[16]

Agora não são apenas os observadores de tendências no Vale do Silício e os tecnoprofetas que estão apreensivos. Pesquisadores da Universidade de Oxford estimam que pelo menos 47% dos empregos nos Estados Unidos e 54% dos da Europa correm alto risco de ser usurpados por máquinas.[17] E isso não acontecerá daqui a um século, mas dentro dos próximos 20 anos. "A única diferença verdadeira entre entusiastas e céticos é o prazo", observa um professor da Universidade de Nova York. "Mas daqui a 100 anos ninguém vai se importar com *quanto tempo* levou, mas sim com o que acabou acontecendo."[18]

Sim, todos nós já ouvimos isso antes. Trabalhadores vêm se preocupando com o avanço da maré da automação há 200 anos, e por 200 anos os empresários vêm tentando tranquilizá-los de que novos empregos irão se materializar naturalmente para substituir os que foram tomados. Afinal, se você olhar para o ano de 1800, 74% dos americanos eram trabalhadores rurais, enquanto em 1900 esse número já havia caído para 31% e, em 2000, para apenas 3%.[19] E, mesmo assim, isso não levou ao desemprego em massa. Veja o que Keynes escreveu nos anos 1930 sobre a "nova doença" do "desemprego tecnológico" que em breve estaria nas manchetes; quando ele morreu, em 1946, tudo ainda estava tranquilo.

Nos anos 1950 e 1960, a indústria automotiva americana viveu ondas sucessivas de automação, mas ainda assim os salários e as oportunidades de trabalho continuaram numa trajetória de crescimento. Um estudo conduzido em 1963 demonstrou que, apesar de novas tecnologias terem eliminado 13 milhões de empregos na década anterior, elas também criaram 20 milhões de novas ocupações. "Em vez de nos alarmarmos com a automação crescente, devemos comemorá-la", comentou um dos pesquisadores.[20]

FIGURA 12   Produtividade e empregos nos Estados Unidos, 1947-2011

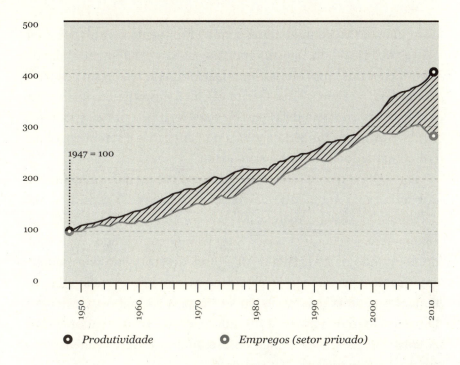

Fonte: Departamento do Trabalho dos Estados Unidos.

Mas isso foi em 1963.

Ao longo do século XX, o aumento da produtividade e o crescimento do emprego ocorreram mais ou menos paralelamente. Homens e máquinas marcharam lado a lado. Agora, quando entramos num novo século, os robôs de repente aceleraram o passo. Isso começou por volta do ano 2000, com o que dois economistas do MIT chamaram de "grande desacoplamento". "É o grande paradoxo da nossa era", disse um deles. "A produtividade está em nível recorde, a inovação nunca foi tão rápida e, mesmo assim, temos a renda média em queda e menos empregos."[21]

Hoje, novos empregos estão concentrados principalmente na parte mais baixa da pirâmide – em supermercados, restaurantes de fast-food e asilos de idosos. Esses empregos ainda estão seguros. Por enquanto.

Quando as pessoas ainda tinham importância

Cem anos atrás, computadores ainda eram gente como você e eu. Não estou brincando: naquela época, a palavra "computador" significava apenas um cargo numa empresa. Computadores eram pessoas – na maioria, mulheres – que faziam cálculos simples o dia inteiro. Em pouco tempo, a tarefa delas passou a ser realizada por calculadoras, sendo a primeira numa longa lista de ocupações a serem engolidas por computadores do tipo automático.

Em 1990, o tecnoprofeta Ray Kurzweil previu que um computador seria capaz até mesmo de vencer um mestre do xadrez no ano de 1998. Ele estava errado, claro. Foi em 1997 que Deep Blue derrotou a lenda do xadrez Garry Kasparov. O computador mais rápido do mundo na época era o ASCI Red, desenvolvido por militares americanos, que oferecia a velocidade máxima de 1 teraflop. Era do tamanho de uma quadra de tênis e custava 55 milhões de dólares. Dezesseis anos depois, em 2013, um novo supercomputador chegou ao mercado, facilmente atingindo 2 teraflops e custando apenas uma fração daquele preço: o PlayStation 4.

Em 2011, computadores estavam até aparecendo como participantes de jogos em programas de televisão. Naquele ano, as duas mentes mais brilhantes dessas competições de cultura geral, Ken Jennings e Brad Rutter, mediram forças contra "Watson" no programa de quiz *Jeopardy!*. Jennings e Rutter já haviam acumulado cada um mais de 3 milhões de dólares em vitórias anteriores, mas o seu oponente computadorizado os esmagou. Com a memória repleta de 200 milhões de páginas de informação, que incluíam uma cópia da Wikipedia inteira, Watson deu mais respostas corretas do que Jennings e Rutter juntos. "'Competidor de quiz na televisão' pode ter sido o primeiro emprego tornado obsoleto por Watson", observou Jennings, "mas tenho certeza de que não será o último."[22]

As novas gerações de robôs são capazes de substituir não só a nossa força física como também a nossa capacidade mental. Bem-vindos, amigos, à Segunda Era das Máquinas, como este bravo mundo novo de chips e algoritmos já está sendo chamado. A primeira começou com o inventor escocês James Watt, que durante uma caminhada em 1765 teve uma grande ideia para aumentar a eficiência da máquina a vapor. Como era domingo, o religioso Watt teve que esperar mais um dia para pôr sua ideia em ação. Mas já em 1776 ele havia concluído a construção de uma máquina capaz de bombear 18 metros cúbicos de água para fora de uma mina em apenas uma hora.[23]

Numa época em que quase todo mundo em todos os lugares ainda era pobre, faminto, sujo, aterrorizado, estúpido, doente e feio, a linha do desenvolvimento tecnológico começou a entrar em curva. Ou melhor, a disparar para cima, num ângulo próximo de 90 graus. Enquanto em 1800 a Inglaterra ainda dependia três vezes mais da energia dos moinhos de água do que da energia a vapor, em 1870 as máquinas a vapor estavam gerando energia equivalente a 40 milhões de homens adultos.[24] A força das máquinas estava substituindo a força muscular numa escala assombrosa.

Hoje, dois séculos depois, chegou a vez dos nossos cérebros. E já não era sem tempo. "Você pode ver os sinais da era do computador em todo lugar, menos nas estatísticas de produtividade", disse o economista Bob Solow em 1987. Computadores já podiam fazer coisas muito bacanas, mas seu impacto econômico ainda era mínimo na época. Assim como a máquina a vapor, o computador precisava de tempo para ganhar força. Compare isso à eletricidade: todas as grandes inovações tecnológicas aconteceram na década de 1870, mas foi só por volta de 1920 que a maioria das fábricas de fato passou a usar energia elétrica.[25]

Se avançarmos até os dias de hoje, agora temos chips fazendo coisas que mesmo 10 anos atrás pareciam impossíveis. Em 2004, dois cientistas proeminentes escreveram um capítulo de livro sugestivamente intitulado "Por que as pessoas ainda importam".[26] O argumento deles? Dirigir um carro era algo que nunca poderia ser automatizado. Seis anos depois, os carros-robôs do Google já haviam percorrido mais de 1,5 milhão de quilômetros.

O futurologista Ray Kurzweil está convencido de que até 2029 os computadores já serão tão inteligentes quanto as pessoas. Em 2045, talvez sejam até 1 bilhão de vezes mais inteligentes que todos os cérebros humanos juntos. De acordo com os tecnoprofetas, não há limite para o crescimento exponencial do poder da máquina de computação. Claro, Kurzweil é igualmente gênio e louco. E vale a pena ter em mente que o poder da computação não é a mesma coisa que inteligência.

Mesmo assim, é arriscado minimizar essas previsões. Afinal, não seria a primeira vez que a humanidade subestimou a força de um crescimento exponencial.

Desta vez é diferente

A pergunta que vale 1 milhão de dólares é: o que devemos fazer então? Quais novos empregos o futuro irá trazer? E, mais importante, vamos querer fazer esse novo tipo de trabalho?

Funcionários de empresas como o Google estarão bem cuidados com comidas deliciosas, massagens diárias e salários generosos. Mas, para ser contratado no Vale do Silício, será preciso ter um talento extraordinário, ambição e sorte. Esse é um lado do que os economistas chamam de "polarização do mercado de trabalho", ou o abismo cada vez maior entre empregos ruins e empregos fantásticos. Embora as parcelas de vagas que exigem alta capacitação ou baixa capacitação tenham se mantido estáveis, empregos para capacitação média têm entrado em declínio.[27] Aos poucos, a base de sustentação da democracia moderna – a classe média – está desmoronando. E enquanto os Estados Unidos lideram esse processo, outras nações desenvolvidas não estão muito atrás.[28]

Algumas pessoas na nossa Terra da Abundância moderna chegam a se ver completamente descartadas, embora sejam capacitadas e estejam dispostas a arregaçar as mangas. Assim como os cavalos de tração ingleses no início do século XX, elas não conseguem encontrar empregadores interessados em contratá-las por salário algum. A mão de obra asiática, africana ou de robôs sempre sai mais barata. E enquanto ainda é mais eficiente terceirizar para o exterior, utilizando o trabalho barato da Ásia e da África,[29] no momento em que os salários e tecnologias desses países começarem a se aproximar dos que há nos países desenvolvidos, os robôs vão prevalecer lá também. No fim, a terceirização para o exterior é apenas uma etapa. Com o tempo, até fábricas que exploram trabalhadores em péssimas condições no Vietnã e em Bangladesh acabarão sendo automatizadas.[30]

Robôs não ficam doentes, não tiram folga e nunca reclamam, mas, se acabarem forçando massas de pessoas a aceitar trabalhos mal remunerados e sem futuro algum, isso pode levar a problemas sérios. O economista britânico Guy Standing previu o surgimento de um novo e perigoso "precariado" – uma classe social de pessoas em empregos temporários, mal remunerados, sem voz política alguma. Suas frustrações são incrivelmente semelhantes às de William Leadbeater. Esse operário inglês que temia um futuro em que as máquinas iriam destruir seu país – e até o mundo inteiro – era parte de tal classe perigosa e de um movimento que construiu as bases do capitalismo.

Apresento-lhe os luditas.

A BATALHA DE RAWFOLDS MILL

Onze de abril de 1812. Cerca de 100 ou 200 homens mascarados estão reunidos num terreno escuro perto de Huddersfield, entre Manchester e Leeds, na Inglaterra. Eles se congregam em torno de uma torre de pedra conhecida como Campanário Mudo, armados até os dentes com martelos, machados e pistolas.

O líder deles é um jovem operário carismático chamado George Mellor. Ele levanta sua pistola comprida – trazida da Rússia, segundo disseram – para que todos a vejam. O alvo do grupo é Rawfolds Mill, uma fábrica cujo dono era William Cartwright. Empresário rico, Cartwright havia acabado de introduzir um novo tipo de tear que conseguia fazer o trabalho de quatro tecelões experientes. Isso fez disparar o desemprego entre os luditas de Yorkshire – o nome que os mascarados deram a seu próprio grupo.

Mas Cartwright havia sido alertado sobre a revolta. Chamou soldados que já estavam à espera do ataque. Vinte minutos, 140 balas e duas mortes depois, Mellor e seus homens foram forçados a recuar e fugir. A julgar pelas manchas de sangue encontradas a mais de 3 quilômetros de distância, dúzias de homens haviam sido feridos.

Duas semanas se passaram até que William Horsfall, proprietário de uma tecelagem, furioso com o ataque a Rawfolds Mill, pegou seu cavalo e foi de Huddersfield até o vilarejo vizinho de Marsden, jurando que logo estaria "cavalgando com sangue ludita até a cintura". O que ele não sabia é que quatro luditas, inclusive Mellor, estavam tramando uma emboscada. Horsfall morreu antes do meio-dia, derrubado por uma bala disparada do cilindro de uma pistola russa.

Nos meses seguintes, Yorkshire inteira permanece num clima de revolta. Um comitê liderado pelo enérgico magistrado Joseph Radcliff é nomeado para investigar a batalha de Rawfolds Mill e o assassinato de William Horsfall. Deram início então a uma caçada aos culpados. Logo Benjamin Walker, um dos homens responsáveis por atrair Horsfall à armadilha, entregou-se a Radcliff, com a esperança de salvar a própria pele e receber a prometida recompensa de 2 mil libras. Walker identificou os demais conspiradores como sendo William Thorpe, Thomas Smith e seu líder, George Mellor.

Pouco depois, os três balançavam em cima de um cadafalso.

Os luditas tinham alguma razão

"Nenhum dos presos derramou uma lágrima", dizia um texto do jornal *The Leeds Mercury* no dia seguinte às execuções. Mellor chegou a rezar e implorar perdão por seus pecados, mas não fez qualquer referência às suas atividades luditas. Walker, o traidor, foi poupado da forca, mas nunca obteve sua recompensa. Dizem que ele terminou seus dias na miséria, perambulando pelas ruas de Londres.

Duzentos anos depois, Rawfolds Mill já deixou de existir há tempos, mas ainda há uma fábrica de cordas na região, onde os trabalhadores gostam de contar histórias sobre fantasmas luditas assombrando os campos à noite.[31] E eles estão certos: o espectro do ludismo permanece conosco até hoje. Foi no início da Primeira Era das Máquinas que os trabalhadores têxteis do centro e do norte da Inglaterra se rebelaram, nomeando seu movimento a partir do seu mítico líder Ned Ludd, que supostamente teria destroçado dois teares num acesso de fúria em 1779. Como os sindicatos eram proibidos por lei, os luditas optaram pelo que o historiador Eric Hobsbawm chamou de "negociação por levante". Avançando de fábrica em fábrica, os ativistas deixavam um rastro de destruição por onde passavam.

Claro, o operário William Leadbeater pode ter exagerado um pouco quando previu que as máquinas seriam "a destruição do universo", mas as preocupações dos luditas estavam longe de ser infundadas. Seus salários estavam em queda livre e seus empregos vinham desaparecendo como poeira ao vento. "Como esses homens, arrancados de seus empregos, vão sustentar suas famílias?", questionaram os trabalhadores têxteis de Leeds no fim do século XVIII. "Alguns nos dizem para aprender outras profissões. E, se fizermos isso, quem irá manter nossas famílias enquanto nos dedicamos a essa árdua tarefa? E, quando tivermos aprendido, como saber se o novo trabalho irá resolver nossos problemas? Porque… outra máquina poderá surgir e tirar nossos empregos também."[32]

A rebelião ludita, que teve seu auge em torno de 1811, foi brutalmente esmagada. Mais de 100 homens foram enforcados. Eles declararam guerra às máquinas, mas as máquinas venceram. Como resultado, esse episódio costuma ser tratado como um leve tropeço na marcha do progresso. Afinal, as máquinas geraram tantos novos empregos que ainda havia o bastante para atender até mesmo a explosão populacional do século XX. De acordo com o livre-pensador radical Thomas Paine: "Cada máquina que substitui o trabalho manual é uma bênção para a grande família da qual fazemos parte."[33]

E é mesmo. A palavra "robô", na verdade, vem do tcheco *robota*, que significa "labuta". Os humanos criaram robôs justamente para fazer as coisas que as pessoas preferem não fazer. "A maquinaria deveria trabalhar por nós nas minas de carvão", entusiasmou-se Oscar Wilde em 1890. As máquinas deveriam "ser o foguista das locomotivas, limpar as ruas e levar mensagens nos dias de chuva, fazer qualquer coisa que seja entediante ou penosa". De acordo com Wilde, os gregos antigos conheciam uma verdade desconfortável: a escravidão era um pré-requisito para a civilização. "Da escravidão mecânica, da escravidão da máquina, depende o futuro do mundo."[34]

No entanto, há outro fator igualmente vital para o futuro de nosso mundo: um mecanismo de redistribuição. Precisamos criar um sistema capaz de assegurar que todos se beneficiem dessa Segunda Era das Máquinas, um sistema que compense os perdedores da mesma forma que os vencedores. Durante 200 anos, esse sistema foi o mercado de trabalho, que incessantemente dava origem a novos empregos e, assim, distribuía os frutos do progresso. Mas quanto tempo isso ainda vai durar? E se o temor dos luditas tivesse sido prematuro porém profético? E se a maioria de nós estiver condenada a perder, no longo prazo, a corrida contra as máquinas?

O que pode ser feito?

Soluções

Não muito, de acordo com vários economistas. As tendências são claras. A desigualdade continuará a crescer, e todos que não conseguirem aprender a fazer um trabalho impossível de ser substituído por máquinas serão descartados. "Fazer os mais ricos se sentirem bem em todas as áreas da vida será uma grande fonte de crescimento do emprego no futuro", escreve o economista americano Tyler Cowen.[35] Embora as classes baixas possam ter acesso a novas comodidades, como energia solar barata e wi-fi gratuito, o contraste entre o padrão de vida delas e o dos ultrarricos será maior do que nunca.

Além disso, os ricos e mais escolarizados continuarão a unir forças, ao mesmo tempo que populações menos privilegiadas no campo e na cidade vão empobrecendo. Já estamos vendo isso acontecer na

Europa, onde espanhóis especializados em tecnologia conseguem achar emprego com mais facilidade em Amsterdã do que em Madri, e engenheiros gregos estão partindo para cidades como Stuttgart e Munique. Pessoas com diploma universitário estão morando mais perto de outras pessoas com diploma universitário. Nos anos 1970, a cidade americana com maior porcentagem de residentes com educação de nível superior tinha uma escolaridade 16% mais alta que a cidade com escolaridade mais baixa nos Estados Unidos. Hoje, essa diferença dobrou.[36] Se antigamente as pessoas julgavam as outras pela origem familiar, hoje é pelos diplomas em suas paredes. Contanto que as máquinas não possam ir para a universidade, ter nível superior oferece retornos mais altos do que nunca.

Então não surpreende que nossa resposta-padrão tenha sido pedir mais dinheiro para a educação. Em vez de ultrapassar as máquinas, fazemos o melhor possível para tentar acompanhá-las. Afinal, investimentos massivos em escolas e universidades permitiram que nos adaptássemos aos tsunamis tecnológicos dos séculos XIX e XX. Mas nesse período não foi preciso muito para aumentar a capacidade profissional numa nação de trabalhadores rurais – apenas dar aos alunos habilidades como ler, escrever e fazer contas. No entanto, preparar esta geração para o novo século será consideravelmente mais difícil, além de muito mais caro. A competição é bem mais acirrada.

Por outro lado, poderíamos considerar a ideia do mestre de xadrez holandês Jan Hein Donner. Quando questionado sobre qual seria sua estratégia se tivesse que jogar contra um computador, Donner não titubeou: "Eu levaria um martelo." Escolher esse caminho seria seguir os passos de alguém como o sacro imperador romano-germânico Francisco II (1768-1835), que não permitiu a construção de fábricas e ferrovias na Áustria. "Não, não quero ter nada a ver com isso", declarou, "do contrário, a revolução talvez venha para dentro de nosso país."[37] Graças à resistência dele, trens austríacos ainda eram puxados por cavalos na segunda metade do século XIX.

Qualquer um que queira continuar saboreando os frutos do progresso terá que surgir com uma solução mais radical. Assim como nos adaptamos à Primeira Era das Máquinas por meio de uma revolução na educação e na assistência social, a Segunda Era das Máquinas também exige medidas drásticas. Medidas como uma jornada semanal de trabalho mais curta e a renda básica universal.

O FUTURO DO CAPITALISMO

Para nós, hoje, ainda é difícil imaginar uma sociedade futura na qual o trabalho remunerado não seja o propósito principal da nossa existência. Mas a incapacidade de imaginar um mundo onde as coisas sejam diferentes é apenas uma evidência da falta de imaginação, e não da impossibilidade de mudança. Nos anos 1950, não podíamos conceber que o surgimento das geladeiras, dos aspiradores de pó e, acima de tudo, das máquinas de lavar cooperaria para que as mulheres entrassem no mercado de trabalho em número recorde; mesmo assim, foi o que aconteceu.

No entanto, não é a tecnologia em si que determina o curso da história. No fim, somos nós, humanos, que decidimos como dar forma ao nosso destino. O cenário de desigualdade radical que se desenha no mundo não é a única opção. A alternativa é que, em algum momento neste século, possamos rejeitar o dogma de que é preciso trabalhar para viver. Quanto mais rica uma sociedade se torna, menos eficaz será o mercado de trabalho para distribuir prosperidade. Se quisermos continuar recebendo os benefícios da tecnologia, nos restará apenas uma escolha, que é a da redistribuição. Redistribuição em massa.

Redistribuição de dinheiro (renda básica), de tempo (semana de trabalho mais curta), de impostos (sobre o capital, não sobre o trabalho) e, claro, de robôs. Lá atrás, no século XIX, Oscar Wilde ansiava pelo dia em que todos se beneficiariam de máquinas inteligentes que seriam "da propriedade de todos".[38] O progresso tecnológico pode tornar uma sociedade mais próspera no geral, mas não há lei econômica dizendo que todos irão se beneficiar disso.

Há pouco tempo, o economista francês Thomas Piketty causou polêmica com seu argumento de que, se continuarmos nesse caminho, logo iremos nos encontrar de volta à sociedade rentista do fim do século XIX. Pessoas que possuíam capital (ações, imóveis, máquinas) usufruíam de um padrão de vida muito mais alto do que pessoas que simplesmente trabalhavam muito. Durante centenas de anos, o retorno sobre o capital foi de 4% a 5%, enquanto o crescimento econômico anual esteve bem atrás, abaixo de 2%. A não ser que surja um novo crescimento forte e inclusivo (pouco provável), uma taxação mais alta do capital (tão improvável quanto o primeiro) ou uma Terceira Guerra Mundial (esperemos que não), a desigualdade poderá crescer em proporções assustadoras outra vez.

Todas as opções-padrão – mais escolaridade, regulamentos, austeridade – terão efeito pouco significativo. No fim, a única solução é uma taxação progressiva da riqueza, diz o professor Piketty, embora ele admita que isso é meramente uma "utopia útil". Mesmo assim, o futuro não está decidido. Por toda a história, a marcha em direção à igualdade sempre foi profundamente política. Se uma lei de progresso comum não conseguir se manifestar por conta própria, não há nada que nos impeça de decretá-la por nós mesmos. De fato, a ausência de tal lei pode colocar em perigo o próprio livre mercado. "Precisamos salvar o capitalismo dos capitalistas", conclui Picketty.[39]

Esse paradoxo é perfeitamente resumido em uma conversa ocorrida nos anos 1960. Quando o neto de Henry Ford mostrou a nova fábrica automatizada da empresa ao líder sindical Walter Reuther, o empresário perguntou, brincando: "Walter, como você vai fazer com que esses robôs paguem as mensalidades do sindicato?" Sem titubear, Reuther respondeu: "Henry, como você vai fazer com que eles comprem seus carros?"

O futuro já está aqui – só não foi
muito bem distribuído.

William Gibson (n. 1948)

9

Além dos portões da
Terra da Abundância

Então surge aquela incômoda sensação de culpa.

Cá estamos na Terra da Abundância, filosofando sobre utopias decadentes de dinheiro grátis e jornadas de trabalho semanais de 15 horas, enquanto centenas de milhões de pessoas ainda têm que sobreviver com 1 dólar por dia. Não deveríamos em vez disso estar agindo na prática para enfrentar o maior desafio do nosso tempo, permitir que todo ser humano usufrua dos prazeres da Terra da Abundância?

Bem, nós tentamos. O mundo ocidental gasta 134,8 bilhões de dólares por ano, 11,2 bilhões de dólares por mês, 4.274 dólares por segundo em ajuda para o desenvolvimento de países pobres.[1] Nos últimos 50 anos, isso nos levou a um total de quase 5 trilhões de dólares.[2] Parece muito? Na verdade, as guerras no Iraque e no Afeganistão custaram quase a mesma coisa.[3] E não esqueçamos que os países desenvolvidos gastam duas vezes mais por ano em subsídios à agricultura doméstica do que em ajuda externa.[4] Mas, sim, é bastante dinheiro. Francamente, 5 trilhões de dólares são uma quantia astronômica.

Então a questão é: isso está ajudando?

É aí que as coisas ficam complicadas. Só há uma forma de responder a isso: ninguém sabe.

Relativamente falando, os anos 1970 foram o auge da ajuda humanitária, mas não foi à toa, porque a situação na África era catastrófica na época. Hoje diminuímos o auxílio e as coisas estão melhorando. Há conexão entre os dois fatos? Quem sabe? Sem Band Aid e Bono, a situação poderia ter sido 100 vezes pior. Ou não. De acordo com um estudo realizado pelo Banco Mundial, 85% de toda a ajuda ocidental no século XX foi utilizada de forma diferente da intenção original.[5]

Quer dizer que foi tudo em vão?

Não temos como saber.

O que temos, claro, são modelos econômicos que nos dizem como as pessoas irão agir, baseados na hipótese de que os humanos são seres puramente racionais. Temos pesquisas retrospectivas que mostram como uma escola, um vilarejo ou país mudaram depois que receberam uma boa quantia em dinheiro. Temos estudos de caso que trazem histórias emocionantes e inspiradoras sobre auxílios financeiros que ajudaram – ou não. Temos muitas intuições e palpites. Mas nada científico.

Esther Duflo, professora do MIT, compara toda essa pesquisa sobre ajuda a países em desenvolvimento à sangria de pacientes.[6] Essa prática médica medieval, que continuou popular por séculos, utilizava sanguessugas ou fazia cortes nas veias dos pacientes a fim de reequilibrar seus humores corporais. Se o paciente recuperasse a saúde, o médico poderia se considerar um bom profissional. Se o paciente morresse, era claramente por vontade de Deus. Embora esses médicos agissem com a melhor das intenções, hoje sabemos que as sangrias custaram milhões de vidas. Mesmo em 1799, o ano em que Alessandro Volta inventou a pilha elétrica, médicos tiraram mais de três litros de sangue do presidente George Washington, na tentativa de aliviar a dor de garganta dele. Dois dias depois, Washington morreu.

A sangria, em outras palavras, é um caso em que o remédio é pior que a doença. A questão é: será que isso também se aplica à ajuda para o desenvolvimento? De acordo com a professora Duflo, ambos os remédios têm uma característica em comum, que é a total falta de evidência científica de sua eficácia.

Em 2003, Duflo ajudou a fundar o Laboratório de Ação contra a Pobreza do MIT, que hoje emprega 150 pesquisadores e já conduziu mais de 500 estudos em 56 países. Seu trabalho virou de cabeça para baixo o mundo do auxílio para o desenvolvimento.

Era uma vez o grupo de controle

Nossa história começa em Israel, em torno do século VII a.C. Nabucodonosor, rei da Babilônia, havia acabado de conquistar Jerusalém quando ordenou a seu eunuco que acompanhasse vários nobres israelitas a seu palácio. Entre eles está Daniel, um homem conhecido por sua religiosidade. Ao chegar, Daniel diz ao eunuco que prefere se abster "da comida e do vinho do rei", já que ele e seus homens têm a própria dieta de acordo com sua religião. O eunuco se sente contrariado e tenta demovê-lo da ideia: "Tenho medo do senhor meu rei, que já decidiu o que o senhor deve comer e beber", insiste o eunuco. "Se o rei achar que o senhor está com aparência pior que a de outros jovens de sua idade por falta de comida, irá pedir a minha cabeça."

Então Daniel pensa num estratagema: "Teste os seus servos por 10 dias. Dê-nos apenas legumes e verduras para comer e água para beber. Depois, compare nossa aparência com a de outros jovens que comem a comida real, então decida o que fazer conosco baseado na nossa aparência." O babilônio aceita o plano. Depois de 10 dias, Daniel e seus amigos parecem "mais saudáveis e bem alimentados" que os outros membros da corte. Daquele momento em diante, eles deixam de ser servidos com os quitutes reais e vinho e passam a receber a dieta vegetariana. *Quod erat demonstrandum.*

Esse é o primeiro registro por escrito de um experimento comparativo, em que uma hipótese é testada e um grupo de controle é usado. Alguns séculos depois, esses eventos seriam imortalizados no maior best-seller de todos os tempos: a Bíblia (veja em Daniel 1:1-16). Mas só várias centenas de anos depois esse tipo de pesquisa comparativa seria considerado o padrão de ouro do método científico. Hoje chamaríamos o que aconteceu de estudo controlado randomizado (ECR) ou aleatório. Um pesquisador em medicina procederia da seguinte forma: usaria um sistema de sorteio para dividir as pessoas com o mesmo problema de saúde em dois grupos. Um deles recebe o remédio que se pretende testar, e o outro grupo toma apenas placebo.[7]

No caso da sangria, o primeiro experimento comparativo foi publicado em 1836 pelo médico francês Pierre Louis, que tratou alguns pacientes de pneumonia tirando imediatamente mais de meio litro de sangue deles, enquanto os demais pacientes só foram submetidos ao procedimento alguns dias depois. No primeiro grupo, 44% dos pacientes morreram; no segundo, 25%.[8] Em resumo, o Dr. Louis realizou os primeiros estudos clínicos do mundo e conseguiu provar assim que a prática da sangria era bastante perigosa.

É estranho que o primeiro ECR sobre a ajuda estrangeira para países em desenvolvimento só tenha sido feito em 1998. Mais de um século e meio depois que o Dr. Louis baniu a sangria para o lixo da história, um jovem professor americano chamado Michael Kremer teve a ideia de investigar os efeitos da doação de livros escolares para crianças no Quênia. Os livros grátis deveriam diminuir as faltas às aulas e aumentar as notas dos alunos – ao menos em teoria. Uma série de artigos acadêmicos recomendava esse tipo de ajuda, além do apoio entusiasmado do Banco Mundial para um programa de distribuição de livros gratuitos alguns anos antes, em 1991.[9]

Só havia um pequeno problema: nenhum daqueles estudos anteriores checou as outras variáveis.

Kremer mergulhou no projeto. Unindo forças com uma organização humanitária, selecionou 50 escolas, 25 das quais receberam os livros didáticos gratuitamente, enquanto as demais não os receberam. Estabelecer um ECR num país onde a infraestrutura de comunicação era insuficiente, as estradas eram deploráveis e a fome era parte da vida não foi nada fácil, mas, depois de quatro anos, os dados já haviam sido recolhidos.

Os livros gratuitos não fizeram diferença alguma. Não houve qualquer melhora nas notas dos alunos das escolas que receberam o material.[10]

O experimento de Kremer foi um marco. Desde então, uma verdadeira indústria de estudos randomizados se formou em torno da ajuda a países pobres, liderada por pesquisadores apelidados, justamente, de "randomistas". Estes são estudiosos que não suportam mais a intuição, os palpites e polêmicas ideológicas de acadêmicos da torre de marfim sobre as necessidades das pessoas pobres na África e em outros lugares do mundo. O que os randomistas querem são números – dados incontestáveis para provar quais tipos de auxílio de fato ajudam e quais não.

E quem lidera os randomistas? A professora Esther Duflo.

Uma pilha de dinheiro e um bom plano

Não faz muito tempo, eu era um estudante universitário cursando uma matéria na faculdade sobre ajuda a países em desenvolvimento. Entre as leituras recomendadas pelo professor estavam livros de Jeffrey Sachs e William Easterly, dois dos principais pensadores sobre esse tópico. Em 2005, Sachs publicou um livro intitulado *O fim da pobreza* – com prefácio do popstar Bono –, no qual o professor americano argumentava que a pobreza extrema poderia ser completamente varrida do planeta antes de 2025. Tudo que precisamos é de uma pilha de dinheiro e um bom plano. O plano dele, claro.

Easterly respondeu criticando duramente as ideias de Sachs, acusando-o de bom-mocismo messiânico pós-colonial e sustentando que os países em desenvolvimento só podem mudar de baixo para cima – ou seja, por meio da democracia local e, crucialmente, do mercado. De acordo com Easterly, "o melhor plano é não ter plano algum".

Ao reler minhas antigas anotações daquelas aulas, um nome que não encontrei foi o de Esther Duflo. Isso não me surpreendeu, considerando que ela se mantém longe do exibicionismo intelectual de acadêmicos famosos como Sachs e Easterly. A ambição dela, em essência, é "eliminar conjecturas e meros palpites na hora de elaborar projetos e políticas".[11]

Considere a malária, por exemplo. Todo ano, centenas de milhares de crianças morrem dessa doença, que pode ser prevenida por mosquiteiros que conseguimos produzir, enviar, distribuir e ensinar as pessoas a usar por apenas 10 dólares a unidade. Num artigo de

2007 intitulado "A solução de 10 dólares", Sachs escreveu: "Deveríamos formar exércitos de voluntários da Cruz Vermelha para distribuir mosquiteiros de cama e oferecer treinamento local em dezenas de milhares de vilarejos por toda a África."

Para Easterly, era óbvio aonde isso levaria. Sachs e seu amiguinho Bono iriam organizar um concerto de caridade, angariar alguns milhões e depois doar milhares de mosquiteiros por toda a África. Em pouco tempo, os vendedores de mosquiteiro locais estariam falidos, enquanto o excedente do produto logo estaria sendo usado como redes de pesca ou véus de noiva. Alguns anos depois da campanha do Sachs Redentor, quando os mosquiteiros estivessem gastos, o número de crianças morrendo de malária seria mais alto do que nunca.

Parece plausível? Sim.

Mas Esther Duflo não está interessada em teorizações ou no que *parece* plausível. Se você quiser saber se é melhor distribuir mosquiteiros gratuitos ou vendê-los, uma opção é ficar filosofando na poltrona até ficar zonzo; outra é arregaçar as mangas e fazer uma pesquisa. Dois estudiosos da Universidade de Cambridge escolheram a segunda opção. Eles deram início a um ECR no Quênia, onde um grupo de pessoas ganhava o mosquiteiro de graça, e outro, apenas um desconto na compra. Assim que as pessoas tiveram que pagar pelos mosquiteiros, as vendas desabaram; ao custo de 3 dólares, menos de 20% das pessoas compraram o produto. Enquanto isso, quase todos no grupo que recebeu mosquiteiros gratuitos aceitaram a oferta e levaram o produto para casa. O mais importante é que 90% das pessoas na pesquisa utilizaram os mosquiteiros da maneira correta e não para outros fins, independentemente de terem ganhado a tela ou comprado.[12]

Mas isso não é tudo. Um ano depois, foi dada aos participantes da pesquisa a opção de comprar outro mosquiteiro, dessa vez por 2 dólares. Qualquer um que tivesse lido os livros de Easterly esperaria que as pessoas do grupo que antes havia recebido os mosquiteiros de graça tenderiam a não querer pagar dessa vez, por terem sido "mal acostumadas" antes. É uma teoria plausível. No entanto, a tese não dispõe de algo crucial: evidência. As pessoas que ganharam os mosquiteiros na primeira fase do estudo, na verdade, se mostraram duas vezes mais propensas a comprar um mosquiteiro novo do que aquelas que haviam pagado 3 dólares no início da pesquisa.

"As pessoas não se acostumam a receber coisas de graça", Duflo aponta de forma sucinta. "Elas se acostumam a ter os mosquiteiros."

UM MÉTODO MILAGROSO?

Essa é uma nova abordagem da economia. Os randomistas não pensam com base em modelos. Não acreditam que os humanos são atores racionais. Em vez disso, partem do princípio de que somos criaturas quixotescas – às vezes tolas, às vezes astutas, outras vezes medrosas, altruístas ou egocêntricas. E essa abordagem parece gerar resultados consideravelmente melhores.

Então por que demorou tanto para fazerem isso?

Bem, por várias razões. Fazer testes controlados randomizados em países pobres é difícil, demorado e caro. Muitas vezes, as organizações locais não estão dispostas a cooperar, até por medo de que o resultado da pesquisa mostre que a ação de ajuda não é efetiva. Veja o caso do microcrédito. Tendências na área de ajuda a países em desenvolvimento vêm e vão, desde a "boa governança" e a "educação" até ao malfadado "microcrédito" do início do século. A hora da verdade para o microcrédito veio na forma de nossa velha amiga Esther Duflo, que estabeleceu um ECR em Hyderabad, na Índia, e então demonstrou que, apesar de todas as histórias emocionantes que contavam sobre o projeto, não havia qualquer prova de que o microcrédito fosse efetivo em combater a pobreza e doenças.[13] Dar dinheiro direto nas mãos da população funciona muito melhor. De fato, dinheiro de graça talvez seja o método antipobreza estudado de forma mais extensiva no mundo. ECRs por todo o planeta demonstram que, tanto a curto quanto a longo prazo e tanto em pequena quanto em larga escala, as transferências diretas de dinheiro são um instrumento extremamente bem-sucedido e eficiente.[14]

Mesmo assim, ECRs não são a resposta para todas as dúvidas. Nem tudo é mensurável. E descobertas de alguns estudos nem sempre podem ser generalizadas. Quem pode dizer que distribuir livros didáticos de graça tem no Quênia o mesmo efeito que em Bangladesh? Também é preciso considerar a ética. Por exemplo, após um desastre natural, seu estudo ofereceria ajuda a metade das vítimas, mas deixaria um grupo de controle à própria sorte. No mínimo, isso seria moralmente questionável. Mesmo assim, essa objeção não é levada em conta quando se trata de auxílio estrutural ao desenvolvimento. Como nunca há dinheiro suficiente para sanar todos os problemas, o melhor método é fazer qualquer coisa que pareça funcionar. É o que acontece com novos remédios: não é possível colocá-los no mercado sem testá-los antes.

Há ainda o exemplo da frequência escolar. Todos parecem ter ideias diferentes sobre como aumentá-la. Deveríamos pagar por uniformes. Adiantar mensalidades a crédito. Oferecer refeições de graça. Instalar banheiros. Conscientizar o público sobre o valor da educação. Contratar mais professores. E assim por diante. Todas essas sugestões parecem perfeitamente lógicas. Graças aos ECRs, no entanto, sabemos que 100 dólares em refeições gratuitas se traduzem em 2,8 anos adicionais de escolaridade – três vezes mais do que no caso da doação de uniformes. Por falar em impacto comprovado, curar crianças que sofrem de verminoses rendeu 2,9 anos adicionais de escolaridade após um investimento absurdamente pequeno de 10 dólares para o tratamento. Nenhum intelectual de meia-tigela teria previsto isso, mas, desde que o resultado desse estudo foi publicado, dezenas de milhões de crianças foram curadas de verminoses.

De fato, poucas instituições se sustentam diante das evidências dos ECRs. Economistas tradicionais diriam que os pobres buscariam tratamento para vermes por conta própria, dados os óbvios benefícios – e a natural racionalidade humana. Mas isso é uma falácia. Num artigo publicado no *The New York Times* alguns anos atrás, Duflo contou uma piada conhecida sobre um economista que acha uma nota de 100 dólares na rua. Como pessoa racional, ele não pega a nota, certo de que deve ser falsa.

Para randomistas como Duflo, é possível achar muitas dessas notas de 100 dólares pelas calçadas.

Os três "Is"

Chegou a hora de acabar de vez com o que Duflo chama de os três "Is" da ajuda ao desenvolvimento: ideologia, ignorância e inércia. "Não tenho muitas opiniões no início de um estudo", disse ela numa entrevista alguns anos atrás. "Tenho uma opinião – devemos avaliar as coisas – que é muito forte. Nunca fico insatisfeita com os resultados. Até hoje nunca vi um resultado de que eu não tenha gostado."[15] Muitos interessados em ajudar os outros poderiam aprender com a atitude dela. Duflo é um exemplo de como combinar grandes ideais com uma sede de conhecimento, de como ser idealista sem se tornar ideológico.

Mas, mesmo assim, a ajuda ao desenvolvimento, não importa quão eficaz seja, é apenas uma gota no oceano. Grandes dilemas, como qual a melhor forma de se estruturar uma democracia ou o que um país precisa para prosperar, não podem ser respondidos por um ECR, quanto mais solucionados com ajuda em dinheiro. Fixar-se em todos esses estudos brilhantes é esquecer que as medidas antipobreza mais eficazes acontecem em outros pontos da cadeia alimentar da economia. A Organização para a Cooperação e o Desenvolvimento Econômico (OCDE) estima que países pobres perdem três vezes mais com evasão de divisas do que recebem em ajuda financeira do exterior.[16] Medidas contra paraísos fiscais, por exemplo, têm potencial de ser mais benéficas que programas de ajuda bem-intencionados.

Pensemos numa escala ainda maior. Imagine que houvesse uma só medida capaz de eliminar toda a miséria do mundo, elevando todos na África acima da linha da pobreza e, nesse processo, colocando alguns meses de salário a mais em *nossos* bolsos também. Imagine. Tomaríamos essa medida?

Não. Claro que não. Afinal, essa medida já está disponível há anos. É o melhor plano que já existiu.

Estou falando de abrir as fronteiras.

Não só para bananas, derivativos e iPhones, mas para todos – trabalhadores qualificados, refugiados e também pessoas comuns à procura de pastos mais verdes.

Claro, a essa altura, todos nós já aprendemos da pior maneira possível que os economistas não são videntes – o economista John Kenneth Galbraith uma vez brincou que o único objetivo das previsões econômicas era dar uma imagem melhor à astrologia –, mas, nesse ponto, as opiniões deles são notavelmente consistentes. Quatro estudos diferentes demonstram que, dependendo do nível do movimento no mercado de trabalho global, o crescimento estimado do "produto mundial bruto" seria na faixa de 67% a 147%.[17] De modo efetivo, fronteiras abertas tornariam o mundo inteiro *duas vezes* mais rico do que é hoje.

Isso levou um pesquisador da Universidade de Nova York a concluir que estamos deixando "notas de 1 trilhão de dólares na calçada".[18] Um economista da Universidade de Wisconsin calculou que fronteiras abertas aumentariam a renda de um angolano médio em cerca de 10 mil dólares por ano, e a de um nigeriano em 22 mil dólares por ano.[19]

Então por que ficar brigando por migalhas de auxílio ao desenvolvimento – as notas de 100 dólares da Duflo – quando bastaria escancarar os portões da Terra da Abundância?

65 TRILHÕES DE DÓLARES

Como plano, isso pode parecer um tanto absurdo. Mas, se você pensar, as fronteiras do mundo ainda eram praticamente abertas há apenas um século. "Passaportes só servem para incomodar pessoas honestas", comentou o detetive do livro *A volta ao mundo em 80 dias* (1874), de Júlio Verne, num diálogo com o cônsul britânico em Suez. "Você sabia que o visto é inútil e nem há exigência de passaporte?", pergunta o cônsul quando o protagonista, Phileas Fogg, pede um carimbo.

Às vésperas da Primeira Guerra Mundial, fronteiras existiam sobretudo como linhas no papel. Passaportes eram raros, e os países que os emitiam de fato (como a Rússia e o Império Otomano) eram vistos como pouco civilizados. Além disso, aquela maravilha da tecnologia do século XIX, o trem, estava prestes a eliminar as fronteiras entre países para sempre.

Então explodiu a guerra. De repente, fronteiras foram fechadas para manter espiões do lado de fora e todas as pessoas necessárias ao esforço de guerra dentro de seus países. Numa conferência em Paris em 1920, a comunidade internacional chegou aos primeiros acordos sobre o uso de passaportes. Naqueles dias, qualquer pessoa que tentasse seguir a jornada de Phileas Fogg teria que providenciar dúzias de vistos, passar por centenas de postos de controle de entrada com guardas e ser revistada inúmeras vezes. Hoje, na era da "globalização", apenas 3% da população do mundo vive fora do país onde nasceu.

Parece estranho, mas o mundo está aberto para tudo, menos para pessoas. Produtos, serviços e ações cruzam o globo. A informação circula livremente, a Wikipedia está disponível em pelo menos 300 línguas, e a Agência Nacional de Segurança americana pode, com facilidade, verificar com quais jogos o John lá no Texas costuma brincar em seu smartphone.

Claro, ainda temos algumas barreiras de comércio. Na Europa, por exemplo, temos tarifas para chicletes (1,20 euro por quilo) e os Estados Unidos taxam cabras importadas (68 centavos de dólar por cabeça),[20] mas, se eliminássemos esses impostos, a economia cresceria apenas alguns poucos pontos percentuais.[21] De acordo com o Fundo Monetário Internacional, remover as restrições que ainda existem sobre o capital iria liberar, no máximo, 65 bilhões de dólares.[22] Mero trocado, de acordo com Lant Pritchett, economista de Harvard. Já abrir as fronteiras para a mão de obra aumentaria muito mais a riqueza mundial – *mil vezes mais*.

Em números: 65.000.000.000.000 dólares. Ou seja, 65 trilhões de dólares.

Fronteiras discriminam

O crescimento econômico não é a cura para tudo, mas, ao menos do lado de fora da Terra da Abundância, esse ainda é o principal motor do progresso. Nos grotões deste mundo afora, ainda há incontáveis bocas para alimentar, crianças para educar e casas para construir.

A ética também favorece fronteiras abertas. Digamos que John, do Texas, esteja morrendo de fome. Ele me pede comida, mas eu me recuso a lhe dar. Se John morrer, a culpa é minha? Posso argumentar que eu apenas *permiti* que ele morresse, o que, embora não seja algo benevolente, também não equivale a assassinato.

Agora imagine que John não peça comida aos outros, mas vá ao mercado, onde encontrará muita gente disposta a trocar seus produtos por um serviço que ele possa prestar. Dessa vez, porém, eu contrato dois seguranças fortemente armados e mal-encarados para bloquear o caminho dele. John morre de fome alguns dias depois.

Ainda posso alegar inocência?

A história de John é a história do nosso tipo de globalização que aceita "tudo exceto mão de obra".[23] Bilhões de pessoas são forçadas a vender seu trabalho por uma fração do que ganhariam caso vivessem na Terra da Abundância, graças justamente às fronteiras. Fronteiras são a principal causa de discriminação em toda a história. A desigualdade econômica entre pessoas que vivem no mesmo país não é nada em comparação com a desigualdade entre pessoas de cidadanias diferentes. Hoje, os 8% mais ricos ganham metade de toda a renda mundial,[24] e o 1% mais rico possui mais da metade de toda a riqueza no planeta.[25] Os bilhões de pessoas mais pobres dão conta de apenas 1% de todo o consumo; o bilhão de pessoas mais ricas, 72%.[26]

De uma perspectiva internacional, os habitantes da Terra da Abundância não são apenas ricos, mas podres de ricos. Uma pessoa que vive na linha da pobreza nos Estados Unidos pertence aos 14% mais ricos da população mundial; alguém que ganha um salário médio pertence aos 4% mais ricos.[27] Lá no topo, as comparações ficam ainda mais díspares. Em 2009, quando a crise de crédito começava a se aprofundar, ainda assim os bônus que os funcionários do banco de investimentos Goldman Sachs receberam equivaliam a todos os salários somados dos 224 milhões de pessoas mais pobres do mundo.[28] E apenas oito pessoas – as mais ricas da Terra – possuem o equivalente ao que a *metade* mais pobre do mundo inteiro possui.[29]

FIGURA 13   Quais são os países mais ricos do mundo?

Este mapa mostra os países que têm o maior PIB per capita. Quanto maior o país aparece no mapa, mais rico é.

Fonte: Sasi Group, Universidade de Sheffield (2005).

É isso mesmo, apenas oito pessoas são mais ricas que 3,5 bilhões de pessoas juntas.

BÔNUS DE LOCALIZAÇÃO

Não surpreende, portanto, que milhões de pessoas vão bater à porta da Terra da Abundância. Em países desenvolvidos, a expectativa é que trabalhadores sejam flexíveis. Se quiserem um emprego, precisam ir atrás do que dá dinheiro. Mas, quando a mão de obra ultraflexível chega a um país desenvolvido, vinda de outros mais pobres, passamos a vê-la como aproveitadora econômica. Aqueles em busca de asilo só são autorizados a permanecer se provarem uma razão para temer a perseguição em seu país, baseada em sua religião ou etnia.

Se você pensar bem, isso é totalmente bizarro.

Considere uma menina de 1 ano da Somália, por exemplo. Ela tem 20% de probabilidade de morrer antes de completar 5 anos. Agora compare: soldados americanos na frente de batalha tinham uma taxa de mortalidade de 6,7% na Guerra Civil americana, de 1,8% na Segunda Guerra Mundial e de 0,5% na Guerra do Vietnã.[30] Mesmo assim, não hesitamos em mandar aquela criança de volta para a Somália se a mãe dela não conseguir provar ser uma "verdadeira" refugiada. De volta para o front da mortalidade infantil no país onde nasceu.

No século XIX, a desigualdade ainda era uma questão de classe social; hoje, é uma questão de localização. "Trabalhadores do mundo, uni-vos!" era o grito de guerra numa época em que os pobres do mundo todo eram mais ou menos igualmente miseráveis. Mas hoje, como observa o principal economista do Banco Mundial, Branko Milanovic, "a solidariedade proletária está simplesmente morta, porque não existe mais um proletariado global".[31] Na Terra da Abundância, a linha da pobreza é 17 vezes mais alta do que nas regiões inóspitas para além da Cocanha.[32] Até beneficiários de auxílio-alimentação nos Estados Unidos vivem como reis em comparação com as pessoas mais pobres do mundo.

Mesmo assim, reservamos nossa revolta para as injustiças que acontecem dentro de nossas fronteiras nacionais. Ficamos indignados que os homens recebam salários maiores que as mulheres pelo mesmo trabalho e que americanos brancos ganhem mais que negros. Mas mesmo a disparidade racial de 150% na renda dos anos 1930 é pouca em comparação com as injustiças infligidas em nossas fronteiras. Um cidadão mexicano que vive e trabalha nos Estados Unidos ganha mais de duas vezes o que seu compatriota ganha no México. Um americano ganha quase três vezes mais pelo mesmo trabalho que um boliviano, mesmo quando têm os mesmos nível de capacitação profissional, idade e sexo. Em comparação com um nigeriano, a diferença é um fator de 8,5 – e isso já está ajustado pelo poder de compra nos dois países.[33]

FIGURA 14   Onde a maioria das crianças morre?

Este mapa mostra onde a mortalidade infantil (até os 5 anos) é mais alta. Quanto maior o país nesta imagem, mais alta a sua taxa de mortalidade infantil.
Fonte: Sasi Group (Universidade de Sheffield)
e Mark Newman (Universidade de Michigan), 2012.

"O efeito da fronteira dos Estados Unidos nos salários de trabalhadores de produtividade intrínseca igual é maior do que qualquer outra forma de discriminação salarial (gênero, raça ou etnia) que já foi mensurada", observam três economistas. É um apartheid em escala global. No século XXI, a verdadeira elite não é formada por quem nasceu na família ou na classe social certa, mas sim no país certo.[34] Mesmo assim, essa elite moderna não tem ideia de quanto é sortuda.

FALSIFICANDO AS FALÁCIAS

Os tratamentos contra verminoses no estudo de Esther Duflo são brincadeira de criança comparados à expansão de oportunidades para imigração. Abrir nossas fronteiras, mesmo que só uma frestinha, já é de longe a arma mais poderosa que temos na luta global contra a pobreza. Mas, infelizmente, é uma ideia que continua sendo combatida pelos mesmos argumentos falhos.

(1) São todos terroristas

Se você acompanha o noticiário, não pode ser culpado por pensar assim. Como as notícias consistem naquilo que acontece hoje (PLANTÃO URGENTE: ATAQUE TERRORISTA EM PARIS), e não no que acontece todos os dias (PLANTÃO URGENTE: A TEMPERATURA MUNDIAL AUMENTA 0,00005°C), muitos acreditam que o terrorismo é a maior ameaça que enfrentamos. Mas, entre 1975 e 2015, a probabilidade anual de morrer num ataque perpetrado por estrangeiros ou imigrantes nos Estados Unidos era de apenas 1 em 3.609.709. Em 30 desses 41 anos, ninguém foi morto nesse tipo de ataque e, tirando as 2.983 pessoas que morreram no ataque terrorista de 11 de setembro de 2001, apenas 41 outras pessoas, uma média de apenas uma por ano, foram mortas por um terrorista estrangeiro naquele período.[35]

Uma nova pesquisa da Universidade de Warwick sobre fluxos de migração entre 145 países mostra que a imigração é, na verdade, associada a um *declínio* em atos terroristas. "Quando migrantes se movem de um país a outro, eles levam novas técnicas, conhecimento e perspectivas", escreve o pesquisador principal. "Se acreditarmos que o desenvolvimento econômico está ligado a uma queda no extremismo, então devemos esperar que um aumento da imigração tenha um efeito positivo."[36]

(2) São todos criminosos

Não de acordo com os dados. Na verdade, pessoas em busca de uma vida nova nos Estados Unidos cometem menos delitos e acabam na prisão com menos frequência do que a população nativa. Mesmo quando o número de imigrantes ilegais triplicou entre 1990 e 2013 para mais de 11 milhões, a taxa de criminalidade deles se reverteu dramaticamente.[37] Isso também acontece no Reino Unido: há alguns anos, pesquisadores da London School of Economics relataram que a taxa de criminalidade havia caído de forma significativa nas áreas que haviam recebido imigração em massa do Leste Europeu.[38]

E quanto aos filhos desses imigrantes? Nos Estados Unidos, eles também têm menor probabilidade de entrar na vida do crime do que aqueles com raízes americanas estabelecidas. Na Europa, a história é diferente. Tomemos a Holanda como exemplo: os filhos de imigrantes marroquinos costumam ter mais problemas com a polícia. Por quê? Durante muito tempo, a realização de uma pesquisa para responder a essa questão foi descartada pelos ditames do politicamente correto. Mas, em 2004, o primeiro estudo extensivo a explorar a conexão entre etnia e delinquência juvenil foi realizado em Roterdã. Dez anos depois vieram os resultados. A correlação entre proveniência étnica e criminalidade é precisamente zero. Nada, nenhuma. A criminalidade entre os jovens, afirmava o relatório, tinha origem na vizinhança onde eles cresciam. Em comunidades pobres, adolescentes de origem holandesa eram tão propensos a se envolver em atividades criminosas quanto aqueles de minorias étnicas.[39]

Um estudo após outro tem confirmado essa descoberta. De fato, quando os estudos são ajustados por sexo, idade e renda, verifica-se que etnia e criminalidade não apresentam relação alguma. "Além disso, imigrantes que vieram em busca de asilo, na verdade, cometem menos crimes que a população nativa", escreveram pesquisadores holandeses num artigo recente.[40]

Não que as pessoas tenham prestado muita atenção a essas revelações. A nova marca de correção política sustenta que crime e etnia estão intimamente ligados.

(3) Eles vão destruir a coesão social

Quando o famoso sociólogo Robert Putnam conduziu um estudo, em 2000, que revelou que a diversidade prejudicava a coesão em comunidades, esse resultado parecia uma verdade nitidamente inconveniente. De modo específico, ele descobriu que a variedade étnica tornava as pessoas mais desconfiadas umas das outras e menos inclinadas a fazer amizades ou realizar trabalhos voluntários. Putnam concluiu, com base em impressionantes 30 mil entrevistas, que isso levava as pessoas a se enclausurarem "como tartarugas".[41]

Chocado, ele adiou a publicação de suas descobertas durante anos. Quando finalmente o resultado de seu estudo foi divulgado em 2007, o efeito foi – como previsto – estrondoso. Aclamada como um dos estudos sociológicos mais influentes do século, a pesquisa de Putnam foi citada inúmeras vezes nos jornais e em outros estudos. Até hoje, é uma das principais fontes para políticos que duvidam dos benefícios de uma sociedade multicultural.

Só há um problema. A validade dos resultados da pesquisa de Putnam foi desmentida anos atrás.

Uma análise posterior com uma retrospectiva de 90 estudos descobriu que não há qualquer correlação entre diversidade e coesão social.[42] Além disso, as sociólogas Maria Abascal, da Universidade de Princeton, e Delia Baldassarri, da Universidade de Nova York, descobriram que Putnam cometera um erro crucial. Ele não levou em conta o fato de que os negros americanos e os latinos costumam relatar níveis mais baixos de confiança, qualquer que seja o local onde morem.[43] Quando se ajusta o resultado da pesquisa a esse fator, a descoberta chocante de Putnam desmorona.

Então, se a diversidade não deve ser culpada pela falta de coesão social na sociedade moderna, qual é a causa disso? A resposta é simples: pobreza, desemprego e discriminação. "Não é a diversidade de uma comunidade que prejudica a confiança entre as pessoas", concluem Abascal e Baldassarri, "mas sim as desvantagens com que as pessoas nessas diversas comunidades deparam."

(4) Eles vão roubar nossos empregos

Todos já ouvimos isso. Quando um grande número de mulheres de repente entrou no mercado de trabalho nos anos 1970, os jornais ficaram repletos de previsões de que a inundação de mão de obra feminina mais barata iria tirar os empregos dos chefes de família masculinos. Há uma percepção errônea e persistente de que o mercado de trabalho é como uma dança das cadeiras. Não é. Mulheres produtivas, idosos ou imigrantes não vão tirar o emprego dos bons trabalhadores homens, jovens ou cidadãos natos. Na verdade, isso cria *mais* oportunidades de emprego. Um número maior de trabalhadores no mercado significa mais consumo, mais demanda e mais empregos. Se insistirmos em comparar o mercado de trabalho a uma dança das cadeiras, então seria uma versão em que as pessoas recém-chegadas à festa trazem mais cadeiras.[44]

(5) Mão de obra imigrante barata vai forçar uma redução geral de salários

Para desmentir essa falácia, podemos observar um estudo conduzido pelo Centro de Estudos de Imigração – um *think tank* que se *opõe* à imigração – que descobriu que a imigração não tem praticamente qualquer efeito sobre os salários.[45] Outra pesquisa até demonstra que recém-chegados a um país levam a um certo aumento nos salários da mão de obra nacional.[46] Imigrantes que trabalham duro aumentam a produtividade, o que resulta em benefícios nos salários de todos.

E não é só isso. Numa análise do período 1990-2000, pesquisadores do Banco Mundial descobriram que a *emigração* (saída das pessoas de seu país) teve um efeito negativo nos salários na Europa.[47] Trabalhadores menos capacitados foram os mais prejudicados pela emigração. Nessa mesma década, imigrantes eram mais produtivos e seu nível de escolaridade era maior do que as pessoas costumam presumir, chegando a motivar os nativos dos países a tentar se equiparar à capacitação dos estrangeiros. Além disso, em muitos casos, a alternativa a contratar imigrantes é terceirizar o trabalho para outros países. E isso, ironicamente, provoca mesmo uma redução geral de salários.[48]

(6) Eles são preguiçosos demais para trabalhar

É verdade que na Terra da Abundância pagamos mais às pessoas para não fazer nada do que o que elas poderiam ganhar trabalhando duro em seus países de origem. Mas não existe qualquer evidência de que imigrantes sejam mais propensos a pedir assistência social do governo que os cidadãos nativos. Nem é verdade que os países com uma rede de bem-estar social mais forte atraem uma parcela maior de imigrantes. O fato é que, ao se ajustar uma pesquisa ao nível de renda e ao status profissional, os imigrantes costumam tirar *menos* vantagem da assistência pública.[49] No geral, o valor líquido dos imigrantes é quase totalmente positivo. Em países como Hungria, Irlanda, Espanha, Itália e Reino Unido, eles até trazem uma receita maior ao imposto de renda por família do que a população nativa.[50]

Ainda não está convencido? Os países poderiam decidir não dar a imigrantes o direito à assistência do governo, pelo menos por um número mínimo de anos, ou então, por exemplo, até que eles paguem 50 mil dólares em impostos. Ou então estabelecer parâmetros similares, caso haja a preocupação de que eles se tornem uma ameaça política ou não se integrem à sociedade. Poderiam ser criados exames para comprovar conhecimento da cultura e da língua locais. Ou não dar a eles o direito a voto. Quem sabe até mandá-los de volta a seus países, caso não arrumem emprego.

Injusto? Talvez sim. Mas não é exponencialmente mais injusto manter do lado de fora das fronteiras as pessoas que querem entrar?

(7) Eles nunca voltarão para seus países

Isso nos leva a um paradoxo fascinante: fronteiras abertas *estimulam* o retorno dos imigrantes a seus países de origem.[51] Por exemplo, nos anos 1960, milhões de mexicanos cruzaram a fronteira para os Estados Unidos, mas, depois de algum tempo, 85% deles voltaram para casa. Desde os anos 1980, em especial após o 11 de Setembro, o lado americano da fronteira se tornou fortemente militarizado, com uma muralha de mais de 3 mil quilômetros de extensão e vigilância reforçada por câmeras, sensores, drones e 20 mil agentes de segurança na patrulha de fronteira. Hoje apenas 7% dos imigrantes ilegais mexicanos retornam a seu país.

"Gastamos bilhões de dólares do contribuinte por ano para reforçar um controle de fronteira que é mais que inútil – é contraproducente", observa um professor de sociologia da Universidade de Princeton. "Os migrantes, racionalmente, reagem aos maiores custos e riscos minimizando o número de vezes que cruzam a fronteira."[52] Não é à toa que o número de mexicanos ilegais nos Estados Unidos subiu para 7 milhões em 2007 – sete vezes mais do que em 1980.

Mova-se e fique rico

Mesmo em um mundo sem patrulhas de fronteira, muitas pessoas pobres permaneceriam exatamente onde estão. Afinal, a maioria das pessoas sente um forte laço com seu país, sua casa, sua família. Além disso, viajar é caro e poucas pessoas nos países mais pobres têm dinheiro para emigrar. No entanto, uma pesquisa recente revelou que, se dinheiro não fosse problema, 700 milhões de pessoas optariam por se mudar para outro país.[53]

Abrir nossas fronteiras não é algo que possamos fazer da noite para o dia, claro – nem deveria ser. A migração descontrolada iria corroer a coesão social na Terra da Abundância. Mas precisamos nos lembrar de uma coisa: neste mundo de absurda desigualdade, a migração é a ferramenta mais poderosa para combater a pobreza. E como sabemos disso? Por experiência. Quando a vida na Irlanda da década de 1850 e na Itália de 1880 piorou drasticamente, os trabalhadores rurais mais pobres resolveram deixar seus países, bem como

100 mil holandeses entre 1830 e 1880. Todos eles cruzaram o oceano Atlântico em direção a uma terra onde as oportunidades pareciam ilimitadas. O país mais rico do mundo, os Estados Unidos, é uma nação construída pela imigração.

Hoje, mais de um século e meio depois, centenas de milhões de pessoas em todo o mundo estão vivendo em verdadeiras prisões a céu aberto. Três quartos de todas as muralhas e cercas de fronteira foram erguidos depois do ano 2000. Milhares de quilômetros de arame farpado separam a Índia de Bangladesh. A Arábia Saudita está colocando uma cerca por toda a fronteira de seu país. E, mesmo enquanto a União Europeia continua a manter fronteiras abertas entre seus Estados membros, permanece alocando milhões para impedir a entrada de botes infláveis no mar Mediterrâneo. Mas essa política, embora não tenha interrompido de forma alguma o fluxo da imigração, só está ajudando o negócio do tráfico humano, que já ceifou milhares de vidas nesse processo. Aqui estamos nós, 28 anos depois da queda do Muro de Berlim, e, do Uzbequistão à Tailândia, de Israel a Botsuana, o mundo tem mais barreiras do que nunca.[54]

Os humanos não evoluíram permanecendo no mesmo lugar. O desejo de ir para outras terras está no nosso sangue. Volte algumas gerações e quase todo mundo tem um imigrante na sua árvore genealógica. Veja a China moderna, onde há 20 anos a maior migração na história levou ao influxo de centenas de milhões de chineses do campo para a cidade. Mesmo causando alguns problemas e muitas mudanças, a migração, ao longo de toda a história, tem provado ser um dos mais poderosos estimuladores do progresso.

ABRAM OS PORTÕES

Isso nos traz de volta àqueles 134,8 bilhões de dólares por ano, 11,2 bilhões de dólares por mês, 4.274 dólares por segundo. Parece uma soma vastíssima, mas não é. O total da ajuda financeira ao desenvolvimento é equivalente ao que um pequeno país europeu como a

Holanda gasta apenas em saúde. O americano médio pensa que seu governo federal gasta mais de um quarto do orçamento nacional em ajuda a outros países, mas o verdadeiro número é menos de 1%.[55] Enquanto isso, os portões da Terra da Abundância permanecem trancados e reforçados. Centenas de milhões de pessoas se acumulam do lado de fora desse condomínio fechado, assim como miseráveis esmurravam os portões das cidades medievais cercadas por muros. O Artigo 13º da Declaração Universal dos Direitos Humanos diz que todos têm o direito de deixar seus países, mas não garante a ninguém o direito de se mudar para a Terra da Abundância. E, como aqueles que pedem asilo logo descobrem, o procedimento é mais burocrático, enlouquecedor e desesperador que os processos para pedir assistência pública. Atualmente, se você quiser ir para Cocanha, terá que passar não por quilômetros de arroz-doce, mas sim por uma montanha de formulários.

Talvez dentro de um século olharemos para todas essas barreiras da mesma forma que hoje pensamos sobre a escravidão e o apartheid. Mas uma coisa é certa: se quisermos criar um mundo melhor, não há como ignorar a importância da migração. Bastava abrir uma frestinha a mais nas fronteiras e já iria ajudar. Se todos os países desenvolvidos deixassem entrar apenas 3% a mais de imigrantes, os pobres do mundo já teriam 305 bilhões de dólares a mais para gastar, dizem pesquisadores do Banco Mundial.[56] Essa soma equivale a três vezes o total de toda a ajuda financeira a países em desenvolvimento.

Como escreveu em 1987 um dos principais defensores das fronteiras abertas, Joseph Carens, "a livre migração não seria imediatamente viável, mas é a meta que todos deveríamos nos esforçar para atingir".[57]

A dificuldade não está nas novas ideias,
mas sim em escapar das antigas.

John Maynard Keynes (1883-1946)

10

Como ideias mudam o mundo

No final do verão de 1954, um jovem psicólogo brilhante estava lendo o jornal quando deparou com uma estranha manchete na última página:

PROFECIA DO PLANETA CLARION
ALERTA À CIDADE: FUJA DA INUNDAÇÃO.
ENCHENTE VIRÁ EM 21 DE DEZEMBRO,
DIZ MENSAGEM DO ESPAÇO A UMA SUBURBANA.

Com sua curiosidade atiçada, o psicólogo, que se chamava Leon Festinger, continuou a ler. "Lake City será destruída por uma inundação do Grande Lago antes do amanhecer em 21 de dezembro." A mensagem veio de uma dona de casa de um subúrbio de Chicago, que a havia recebido, segundo ela, de seres superiores de outro planeta: "Esses seres têm visitado a Terra", diz ela, "no que chamamos de discos voadores."

Era precisamente o que Festinger esperava. Essa era a sua chance de investigar uma simples mas espinhosa questão que o intrigava havia anos: o que acontece quando as pessoas vivem uma grave crise de suas convicções? Como essa dona de casa reagiria quando não aparecesse nenhum disco voador para salvá-la? O que sentiria quando a grande inundação não se materializasse? Ao fuçar mais um pouco a história, Festinger descobriu que a mulher, chamada Dorothy Martin, não era a única convencida de que o mundo iria acabar em 21 de dezembro de 1954. Cerca de uma dúzia de seus seguidores – todos americanos inteligentes e honestos – haviam pedido demissão de seus empregos, vendido tudo ou abandonado seus cônjuges, tal era a força de sua convicção.

Festinger decidiu se infiltrar naquela seita de Chicago. De imediato, notou que seus membros nem se esforçavam para persuadir outras pessoas de que o fim estava próximo. A salvação estava reservada apenas para eles, os poucos escolhidos. Na manhã de 20 dezembro de 1954, a Sra. Martin recebeu uma nova mensagem lá de cima: "À meia-noite vocês devem ser colocados em carros estacionados e levados para um lugar onde serão embarcados numa varanda [disco voador]."

O grupo, entusiasmado, começou a se preparar para sua ascendência aos céus.

NOITE DE 20 DE DEZEMBRO DE 1954

23h15: A Sra. Martin recebe uma mensagem dizendo ao grupo para colocar seus casacos e se preparar.

0h: Nada acontece.

0h05: Um dos membros da seita repara que outro relógio na sala ainda está marcando 23h55. O grupo concorda que a meia-noite ainda não chegou.

0h10: Mensagem dos extraterrestres: Os discos voadores estão atrasados.

0h15: O telefone toca diversas vezes. São jornalistas ligando para saber se o mundo já acabou.

2h: Um dos seguidores mais jovens, que esperava já estar a alguns anos-luz da Terra àquela altura, lembra que sua mãe estava planejando ligar para a polícia se ele não chegasse em casa antes das duas da manhã. Os outros o asseguram de que sua partida é um sacrifício válido para salvar o grupo e ele vai embora para casa.

4h: Um dos seguidores diz: "Eu abri mão de tudo. Dei minhas costas para o mundo. Não posso me dar ao luxo de duvidar. Eu preciso ter fé."

4h45: A Sra. Martin recebe outra mensagem: Deus decidiu poupar a Terra. Juntos, o pequeno grupo, com sua crença, espalhou tanta "luz" naquela noite que o planeta foi salvo.

4h50: Uma última mensagem do céu: os extraterrestres querem que a boa-nova seja "imediatamente divulgada aos jornais". Armados com essa nova missão, os seguidores da seita informam todos os jornais e estações de rádio locais antes do amanhecer.

QUANDO PROFECIAS FRACASSAM

"Um homem com uma convicção é um homem difícil de mudar." Assim Leon Festinger abriu seu relato sobre esses eventos no livro *When Profecy Fails* (Quando a profecia falha), publicado pela primeira vez em 1956 e considerado até hoje um texto seminal da psicologia social. "Diga a ele que você discorda e ele não irá ouvi-lo", continua Festinger. "Mostre a ele fatos ou números e ele questionará suas fontes. Apele à lógica e ele não conseguirá entender o seu argumento."

É fácil zombar da história da Sra. Martin e de seus seguidores, mas nenhum de nós é imune ao fenômeno que Festinger descreve: "dissonância cognitiva" é o termo que ele cunhou para o problema. Quando a realidade se choca com nossas convicções mais profundas, preferimos recalibrar a realidade a ajustar nossa visão de mundo. Não só isso: também nos tornamos mais rígidos em nossas crenças do que antes.[1]

Note que, quando se trata de questões práticas, somos bastante flexíveis. A maioria das pessoas está disposta a aceitar conselhos sobre como remover uma mancha de graxa ou a melhor forma de cortar um pepino. Mas quando nossas ideias políticas, ideológicas ou religiosas entram em jogo é que nos tornamos mais intransigentes. Costumamos bater o pé e defender nossa posição a todo custo quando alguém desafia nossas opiniões sobre penas criminais, sexo antes do casamento ou aquecimento global. Essas são ideias às quais as pessoas costumam se apegar, o que torna mais difícil abandoná-las mesmo quando se tenta convencê-las do contrário. Admitir que nossas ideias estão erradas afeta nosso senso de identidade e nossa posição em grupos sociais – igreja, família ou círculo de amizades.

Um fator que certamente *não* está envolvido nesse fenômeno é a estupidez. Pesquisadores da Universidade Yale demonstraram que pessoas com escolaridade mais alta são ainda mais irredutíveis em suas convicções do que as demais.[2] Afinal, o ensino superior lhes dá ferramentas para defenderem suas opiniões. Pessoas inteligentes têm grande experiência em encontrar argumentos, especialistas e estudos que confirmem suas crenças preexistentes, e a internet tornou mais fácil do que nunca consumir as próprias opiniões, com evidências a apenas um clique de distância.

Pessoas inteligentes, conclui o jornalista americano Ezra Klein, não usam seu intelecto para obter a resposta correta; usam-no para obter o que elas *querem* que seja a resposta.[3]

Quando meu relógio bateu meia-noite

Preciso confessar uma coisa. Quando estava escrevendo o sexto capítulo deste livro ("Uma jornada semanal de 15 horas"), deparei com um artigo chamado "Semana de trabalho mais curta talvez não aumente o bem-estar".[4] Era um texto no *The New York Times* sobre um estudo sul-coreano que alegava que uma jornada de trabalho 10% mais curta não havia tornado os empregados mais felizes. Um pouco mais de exploração no Google me levou a um artigo no *London Telegraph* que sugeria que trabalhar menos poderia até ser prejudicial à saúde.[5]

De repente, eu era a Dorothy Martin e meu relógio tinha dado meia-noite. Imediatamente mobilizei meus mecanismos de defesa. Para começar, tive dúvidas sobre as fontes de informação: o *Telegraph* é um jornal conservador, portanto será mesmo que eu poderia levar a sério aquela matéria? Além disso, tinha o "talvez" na manchete do

The New York Times. Será que os resultados daquele estudo eram mesmo conclusivos? Até meus estereótipos entraram em ação: aqueles sul-coreanos são tão workaholics – é provável que continuassem a trabalhar horas extras mesmo após relatarem ter trabalhado menos. Além do mais, como é possível medir a *felicidade*?

Satisfeito, coloquei aquele estudo de lado. Havia convencido a mim mesmo de que não poderia ser relevante.[6]

Darei outro exemplo: no Capítulo 2, expus os argumentos a favor da renda básica universal. Essa é uma convicção na qual investi muito nos últimos anos. O primeiro artigo que escrevi sobre esse tópico foi visto quase 1 milhão de vezes na internet e acabou sendo publicado no *The Washington Post*. Dei palestras sobre a renda básica universal e defendi a ideia na TV holandesa. E-mails entusiasmados não paravam de aparecer na minha caixa de entrada. Há pouco tempo, até ouvi alguém se referir a mim como o "Sr. Renda Básica". Aos poucos, minha opinião passou a definir minha identidade pessoal e profissional. Honestamente acredito que chegou a hora de se implantar uma renda universal básica. Pesquisei a fundo o assunto e é nessa direção que todas as evidências apontam. Mas, na verdade, às vezes me questiono se eu teria prestado atenção caso aparecessem evidências apontando para o outro lado. Eu seria atento o bastante – ou corajoso o bastante – para mudar de opinião?

O PODER DE UMA IDEIA

"Continue construindo seus castelos no ar", brincou um amigo meu um tempo atrás, depois que lhe enviei um de meus artigos sobre a jornada de trabalho semanal mais curta e a renda básica universal. Eu podia entender o ponto de vista dele. Afinal, para que criar novas ideias malucas quando os políticos não conseguem sequer equilibrar um orçamento?

Foi quando comecei a me perguntar se novas ideias podem de fato mudar o mundo.

Agora, a sua resposta imediata (e bastante razoável) talvez seja: não podem. As pessoas continuarão insistindo nas mesmas velhas ideias com as quais se sentem confortáveis. Mas sabemos que as ideias mudam ao longo do tempo. A vanguarda de ontem é o fato comum de hoje. Simon Kuznets deu à luz a ideia do PIB. Os randomistas interromperam o excesso de ações inúteis de auxílio ao desenvolvimento ao mostrar que era necessário provar sua eficácia. A questão não é se as novas ideias *podem* derrotar as antigas; a questão é *como*.

Pesquisas sugerem que choques repentinos podem ajudar a aceitar novas ideias. James Kuklinski, cientista político da Universidade de Illinois, descobriu que as pessoas são mais propensas a mudar de opinião se forem confrontadas o mais diretamente possível com fatos novos e desagradáveis.[7] Veja, por exemplo, o recente sucesso de políticos de direita que vinham alertando sobre a "ameaça islâmica" nos anos 1990, mas não eram ouvidos até a chocante destruição das Torres Gêmeas em 11 de setembro de 2001. Pontos de vista que até então eram considerados radicais de repente se tornaram uma obsessão coletiva.

Se é verdade que as ideias não mudam as coisas gradualmente, mas sim aos solavancos – em choques –, então a premissa básica de nossa democracia, nosso jornalismo e nossa educação está toda errada. Isso significaria, em essência, que o modelo iluminista de como as pessoas mudam de opinião – por meio da coleta de informações e de uma deliberação racional – é, na verdade, um modo de reforçar o status quo. Significaria que aqueles que se baseiam na racionalidade, nas nuances e na concordância com o outro lado não entendem como as ideias governam o mundo. Um ponto de vista não é um brinquedo Lego, em que uma peça é adicionada aqui e removida ali. É uma fortaleza defendida com unhas e dentes, com todos os reforços possíveis, até que a pressão se torne tão forte que os muros acabam desmoronando.

Durante os mesmos meses em que Leon Festinger estava se infiltrando na seita da Sra. Martin, o psicólogo americano Solomon Asch demonstrou que a pressão exercida por membros do grupo a que pertencemos pode nos levar a ignorar o que estamos vendo com os próprios olhos. Num experimento hoje famoso, ele mostrou aos participantes do estudo três linhas num cartão e perguntou a cada um deles qual era a mais longa. Quando as outras pessoas na sala (todos colegas de Asch, sem que o participante soubesse) davam a mesma resposta, o participante do estudo a repetia – ainda que a resposta estivesse claramente errada.[8]

Na política, não é diferente. Cientistas políticos já demonstraram que o voto das pessoas é menos influenciado por suas percepções sobre a própria vida do que por suas concepções de sociedade. Não estamos interessados no que o governo pode fazer por nós individualmente; queremos saber o que o governo pode fazer por todos nós. Quando votamos, fazemos isso não só para nós mesmos, mas para o grupo ao qual queremos pertencer.

Mas Solomon Asch fez outra descoberta. Uma única voz em oposição pode fazer uma enorme diferença. Quando apenas uma pessoa no grupo se ateve à verdade, os participantes do estudo foram mais propensos a acreditar na evidência dos próprios sentidos. Que isso sirva para encorajar todos que se sentem como uma voz solitária no meio da floresta: continue a construir aqueles castelos no céu. O seu tempo ainda virá.

A NOITE FOI LONGA

Em 2008, parecia que finalmente havíamos deparado com o maior caso de dissonância cognitiva desde os anos 1930. Em 15 de setembro, o banco de investimentos Lehman Brothers pediu concordata. De repente, o setor bancário global inteiro parecia estar prestes a desmoronar como uma sequência de dominós. Nos meses que se seguiram, um dogma do livre mercado após outro foi caindo por terra.

Alan Greenspan, ex-diretor do Federal Reserve (ou Fed, equivalente ao Banco Central nos Estados Unidos) que já havia sido chamado de "oráculo" e "maestro", foi pego de surpresa pela crise. Em 2004, ele afirmou, confiante: "Não só as instituições financeiras individualmente se tornaram menos vulneráveis a choques causados por fatores de risco como também o sistema financeiro como um todo se tornou mais resistente."[9] Quando Greenspan se aposentou, em 2006, todos acharam que ele seria imortalizado como um dos maiores gênios da história na área financeira.

Dois anos depois, numa audiência no Congresso americano, com a reputação abalada, o economista admitiu estar em "estado de choque e incredulidade". A fé de Greenspan no capitalismo havia levado uma surra. "Descobri uma falha. Não sei quão significativa ou permanente ela é. Mas estou bastante preocupado com esse fato."[10] Quando um parlamentar perguntou se ele havia sido iludido pelas próprias ideias, Greenspan respondeu: "É precisamente por essa razão que fiquei chocado, porque durante mais de 40 anos eu tive evidências suficientes de que o mercado funcionava excepcionalmente bem."

A lição de 21 de dezembro de 1954 é que tudo se concentra naquele único momento de crise. Quando o relógio dá meia-noite, o que acontece a seguir? Uma crise pode oferecer uma oportunidade para novas ideias, mas também pode servir para reforçar velhas convicções.

Então o que aconteceu depois de 15 de setembro de 2008? O movimento Occupy Wall Street por um breve período chamou atenção e mostrou a revolta das pessoas, mas depois perdeu força. Enquanto isso, partidos políticos de esquerda perderam as eleições em boa parte da Europa. A Grécia e a Itália praticamente deixaram a democracia de lado e impuseram reformas de estilo neoliberal para agradar seus credores, cortando gastos do governo e aumentando a flexibilidade das leis trabalhistas. No norte da Europa, governos também proclamaram uma nova era de austeridade.

E Alan Greenspan? Quando alguns anos depois um repórter perguntou se teria havido algum erro em suas ideias, a resposta dele foi resoluta: "De jeito nenhum. Acho que não existe outra alternativa."[11]

Uma década depois, ainda não aconteceu uma reforma fundamental do setor financeiro. Em Wall Street, altos funcionários de banco estão recebendo os bônus mais elevados desde a crise.[12] E regulações do capital dos bancos continuam minúsculas como sempre. Joris Luyendijk, jornalista do *The Guardian* que passou dois anos vasculhando o setor financeiro de Londres, em 2013 resumiu a experiência assim: "É como estar em Chernobyl e ver que estão religando o reator mas ainda continuam com a administração e os procedimentos antigos."[13]

Isso nos leva a pensar: será que a dissonância cognitiva de 2008 não foi grande o bastante? Ou foi grande *demais*? Será que investimos muito nas nossas velhas convicções? Ou será que simplesmente não havia alternativas?

Essa última possibilidade é a mais preocupante de todas.

A palavra "crise" vem do grego antigo e literalmente significa "separar" ou "peneirar". Uma crise, então, deveria ser a hora da verdade, a encruzilhada onde uma decisão fundamental é tomada. Mas a impressão é de que, em 2008, fomos incapazes de fazer essa escolha. Quando nos vimos diante do colapso total do setor financeiro de uma hora para outra, não havia alternativas reais à disposição; tudo que podíamos fazer era continuar nos arrastando pelo mesmo caminho.

Talvez, então, "crise" não seja a palavra certa para a nossa atual condição. A analogia melhor é que nos encontramos num estado de coma – outra palavra que vem do grego e significa "sono profundo e sem sonhos".

COMBATENTES DA RESISTÊNCIA CAPITALISTA

É profundamente irônico.

Se algum dia existiram duas pessoas que dedicaram a vida a construir castelos no céu com uma certeza sobrenatural de que um dia provariam estar certas, estas são os fundadores do pensamento neoliberal. Sou admirador de ambos: o filósofo Friedrich Hayek e o intelectual Milton Friedman.

Hoje "neoliberal" é um termo pejorativo aplicado a qualquer pessoa que não seja de esquerda. Mas Hayek e Friedman tinham orgulho de ser neoliberais e consideravam dever deles reinventar o liberalismo econômico.[14] "Devemos fazer com que a construção de uma sociedade livre volte a ser uma aventura intelectual", escreveu Hayek. "O que falta é uma Utopia liberal."[15]

Mesmo que você os considere vilões que fizeram a ambição desmedida voltar à moda e responsáveis pela crise financeira que deixou milhões de pessoas em sérias dificuldades, ainda assim você pode aprender muito com Friedrich Hayek e Milton Friedman.

Um deles nasceu em Viena, e o outro, em Nova York. Os dois acreditavam firmemente no poder das ideias. Durante muitos anos, ambos pertenceram a uma pequena minoria, quase uma seita, que existiu fora do casulo do pensamento dominante entre seus pares. Juntos, eles destruíram aquele casulo, virando a mesa e influenciando ideologicamente o mundo de uma forma que ditadores e bilionários jamais conseguiram. O objetivo deles era triturar a obra de seu arquirrival, o economista inglês John Maynard Keynes. Tudo indica que a única coisa que tinham em comum com Keynes era a crença em que as ideias dos economistas e filósofos têm mais peso que os interesses tendenciosos dos empresários e políticos.

Essa história em particular começa em 1º de abril de 1947, menos de um ano após a morte de Keynes, quando 40 filósofos, historiadores e economistas convergiram para a pequena cidade de Mont Pèlerin, na Suíça. Alguns haviam levado semanas viajando, atravessando oceanos para chegar ali. Anos depois, o grupo ficaria conhecido como a Sociedade de Mont Pèlerin.

Todos os 40 pensadores que se dirigiram ao vilarejo suíço foram incentivados a dizer exatamente em que acreditavam. Juntos, eles formaram um corpo de combatentes da resistência capitalista contra a supremacia socialista. "Restam, claro, poucas pessoas hoje que não são socialistas", lamentara certa vez Friedrich Hayek, o idealizador do evento. Numa época em que as provisões do New Deal empurraram até os Estados Unidos em direção a políticas mais socialistas, a defesa do livre mercado ainda era vista como revolucionária, e Hayek se sentia "extremamente fora de sintonia com o seu tempo".[16]

Milton Friedman também compareceu a esse encontro. "Ali estava eu, um jovem americano ingênuo e provinciano", relembrou

Friedman tempos depois, "encontrando pessoas do mundo inteiro, todas dedicadas aos mesmos princípios liberais que eu; todos sendo atacados nos próprios países e, ainda assim, entre eles havia acadêmicos, alguns já famosos internacionalmente, outros destinados a ser."[17] De fato, nada menos que oito membros da Sociedade de Mont Pèlerin acabaram ganhando o Prêmio Nobel.

No entanto, em 1947 ninguém poderia ter previsto um futuro tão estelar. Grande parte da Europa ainda estava em ruínas. Esforços de reconstrução eram coloridos por ideais keynesianos: emprego para todos, limites ao livre mercado e regulação dos bancos. O estado de guerra se transformou no Estado do bem-estar social. Mesmo assim, foi durante aqueles mesmos anos que o pensamento neoliberal começou a ganhar força, graças aos esforços da Sociedade de Mont Pèlerin – um grupo que iria acabar se tornando um dos principais *think tanks* do século XX. "Juntos, eles ajudaram a acelerar uma transformação na política global, com implicações que continuarão a reverberar por décadas", diz o historiador Angus Burgin.[18]

Nos anos 1970, Hayek passou a presidência da Sociedade a Friedman. Sob a liderança desse americano miúdo, de óculos, cujo entusiasmo e cuja energia ultrapassavam até mesmo os de seu predecessor austríaco, a Sociedade se radicalizou. Essencialmente, qualquer que fosse o problema, Friedman sempre culpava o governo. E a solução, em todos os casos, era sempre o livre mercado. Desemprego? Livrem-se do salário mínimo. Desastre natural? Deixem que as empresas organizem o esforço de ajuda às vítimas. Escolas públicas ruins? Privatizem a educação. Despesas grandes com a saúde? Privatizem isso também e aproveitem para acabar com qualquer fiscalização do governo na área. Problemas com drogas? Legalizem-nas e deixem que o mercado faça a sua mágica.

Friedman empregava todos os meios possíveis para disseminar suas ideias, construindo um repertório de palestras, artigos nos jornais, entrevistas no rádio e na TV, livros e até um documentário. No prefácio de seu livro *Capitalismo e liberdade*, ele escreveu que é dever dos pensadores continuar oferecendo alternativas. Ideias que parecem hoje "politicamente impossíveis" talvez um dia se tornem "politicamente inevitáveis".

Restava apenas esperar pelo momento crítico. "Somente uma crise – real ou percebida – produz uma mudança real", explicou Friedman. "Quando essa crise ocorre, as ações tomadas dependem das ideias que já estão disponíveis ali."[19] A crise veio em outubro de 1973, quando a Organização dos Países Exportadores de Petróleo (OPEP) aumentou o preço do barril em 70% e impôs um embargo de petróleo aos Estados Unidos e à Holanda. A inflação disparou e as economias ocidentais caíram em recessão. A "estagflação", como foi chamado esse efeito, não era sequer possível na teoria keynesiana. Mas Friedman a havia previsto.

Até o fim da vida, Friedman nunca deixou de enfatizar que seu sucesso teria sido inconcebível sem o trabalho de base construído desde 1947. A ascensão do neoliberalismo se desenrolou como uma corrida de revezamento, com os economistas dos *think tanks* passando o bastão para os jornalistas, que então o passavam para os políticos. Na corrida pela posição final estavam dois dos mais poderosos líderes do mundo ocidental, Ronald Reagan e Margaret Thatcher. Quando lhe perguntaram o que ela considerava ser sua maior vitória, Thatcher respondeu que era o "Novo Trabalhismo": sob a liderança do neoliberal Tony Blair, até seus rivais social-democratas no Partido Trabalhista britânico haviam começado a aceitar algumas de suas ideias.

Em menos de 50 anos, uma teoria que antes havia sido menosprezada como radical e marginal passou a dominar o mundo.

A LIÇÃO DO NEOLIBERALISMO

Alguns argumentam que hoje pouco importa em quem votamos. Embora ainda existam direita e esquerda, nenhum dos lados parece ter um plano muito claro para o futuro. Numa guinada irônica do destino, o status quo neoliberal criado por dois homens que acreditavam piamente no poder das ideias agora impede o desenvolvimento de teorias novas. Parece que chegamos ao "fim da história", tendo a democracia liberal como última parada e o "consumidor livre" como estado final de nossa espécie.[20]

Quando Friedman foi nomeado presidente da Sociedade de Mont Pèlerin em 1970, a maioria de seus filósofos e historiadores já tinha deixado o grupo, e os debates haviam se tornado extremamente técnicos e econômicos.[21] Hoje é possível dizer que a chegada de Friedman marcou a aurora de uma era em que os economistas se tornariam os principais pensadores do mundo ocidental. Estamos nessa era até agora.[22]

Habitamos um mundo de gerentes e tecnocratas. "Vamos apenas nos concentrar em resolver os problemas", dizem eles. "Vamos apenas equilibrar o orçamento." Decisões políticas são continuamente apresentadas como questões de exigência – como se fossem eventos neutros e objetivos e não houvesse escolhas. Keynes observou essa tendência emergindo mesmo em seu tempo. "Homens práticos, que acreditam ser isentos, sem influências intelectuais, são em geral escravos de algum economista defunto",[23] escreveu.

Quando o banco Lehman Brothers entrou em colapso em 15 de setembro de 2008, inaugurando a maior crise desde os anos 1930, não havia alternativas reais à mão. Ninguém fizera o trabalho de base. Durante anos, intelectuais, jornalistas e políticos tinham firmemente declarado que havíamos alcançado o fim da era das "grandes narrativas" e que era o momento de trocarmos ideologias por pragmatismo.

Naturalmente, ainda devíamos nos orgulhar da liberdade pela qual as gerações anteriores lutaram e venceram. Mas a questão é: qual o valor da livre expressão quando não temos mais nada que valha a pena dizer? Qual a razão para a liberdade de associação quando não temos mais qualquer senso de afiliação? Para que serve liberdade de religião quando não acreditamos em mais nada?

Por um lado, o mundo ainda está ficando mais rico, seguro e saudável. Todo dia, mais e mais pessoas estão desembarcando em Cocanha. Esse é um grande triunfo. Por outro lado, já chegou a hora de nós, habitantes da Terra da Abundância, criarmos uma nova utopia.

Vamos içar de novo as velas. "O progresso é a realização de Utopias", escreveu Oscar Wilde muitos anos atrás.[24] Uma jornada de trabalho semanal de 15 horas, uma renda básica universal e um mundo sem fronteiras… são todos sonhos malucos – mas até quando?

As pessoas hoje duvidam que "ideias e crenças humanas são o que move a história", como Hayek defendeu ainda na infância do neoliberalismo. "Ainda achamos difícil imaginar que nossa crença possa ser diferente do que é de fato."[25] Poderia facilmente levar o tempo de uma geração, afirmou ele, para que novas ideias prevalecessem. É por isso que precisamos de pensadores que sejam não só pacientes como também tenham "a coragem de ser 'utópicos'".

Deixemos que essa seja a lição de Mont Pèlerin. Que esse seja o mantra de todos que sonham com um mundo melhor, para que não escutemos novamente o relógio dar meia-noite e nos vejamos impotentes, de mãos vazias, esperando por um salvador extraterrestre que nunca virá.

Ideias, por mais extravagantes que sejam, já mudaram o mundo e o mudarão outra vez. "Realmente", escreveu Keynes, "são elas que regem o mundo."[26]

A utopia está no horizonte. Eu me movo dois passos em sua direção; ela se move dois passos para mais longe. Eu ando 10 passos e o horizonte corre 10 passos para mais longe. Por mais que eu ande, nunca a alcançarei. Então qual é o propósito da utopia? O propósito é este: continuar caminhando.

Eduardo Galeano (1940-2015)

Epílogo

Pela última vez, então: como tornamos a utopia *realidade*? Como pegamos essas ideias e as implementamos?

O caminho do ideal para o real é algo que nunca deixa de me fascinar. Como o estadista prussiano Otto von Bismarck disse, numa frase célebre: "A política é a arte do possível." Essa impressão realmente parece se confirmar quando se acompanha o noticiário de lugares como Washington ou Westminster. Mas há outra forma de política muito mais importante. Estou falando de Política com P maiúsculo, que não é uma questão de regras, mas, sim, de revolução. Não da arte do possível, mas da arte de tornar o impossível inevitável.

Essa arena política tem espaço para muito mais políticos, de lixeiros a bancários, de cientistas a sapateiros, de escritores até você, que está lendo este livro. E essa Política é diametralmente oposta à política com p minúsculo. Enquanto a política age para reafirmar o status quo, a Política quer se libertar.

A janela de Overton

Foi Joseph Overton, um advogado americano, que explicou pela primeira vez o mecanismo da Política com P maiúsculo nos anos 1990. Ele começou com uma simples pergunta: por que tantas ideias boas não são levadas a sério?

Overton compreendeu que políticos, enquanto quisessem ser reeleitos, não podiam se permitir expressar pontos de vista que corressem o risco de ser considerados muito radicais. Para que se sustentem no poder, precisam manter suas ideias dentro da margem do aceitável. Essa janela de aceitabilidade é povoada por planos que são carimbados por especialistas, calculados por serviços de estatística e têm boas chances de ser aprovados no Congresso e virar lei.

FIGURA 15   A janela de Overton

Fonte: "Janela de Overton", de Hydragyrum, licenciada sob CC BY-SA 2.0.

Qualquer um que ouse se aventurar fora da "janela de Overton" irá encarar um terreno perigoso. Será logo tachado de "idealista ingênuo" ou "insensato" pela mídia – os temerosos guardiões da janela. A televisão, por exemplo, reserva pouco tempo ou espaço para apresentar opiniões fundamentalmente diferentes. Em vez disso, programas de entrevistas nos oferecem um eterno carrossel com as mesmas pessoas dizendo as mesmas coisas.

Mas, apesar de tudo isso, uma sociedade pode mudar por completo em poucas décadas. A janela de Overton pode se deslocar. Uma estratégia clássica para alcançar isso é proclamar ideias tão chocantes e subversivas que qualquer coisa menos radical do que elas de repente começa a parecer sensato. Ou seja, para tornar o radical razoável, basta esticar os limites do extremismo.

Donald Trump nos Estados Unidos, Boris Johnson no Reino Unido e o islamofóbico Geert Wilders na Holanda são todos mestres nessa arte. Ainda que nem sempre sejam levados a sério, com certeza puxaram a janela de Overton para o campo deles. De fato, há várias décadas essa janela tem migrado para a direita, tanto em termos econômicos quanto culturais. Com os economistas neoliberais vencendo o debate econômico, a direita também tenta tomar o controle do discurso na religião e na migração.

O que estamos testemunhando é uma colossal mudança de curso. Historicamente, a Política era um domínio da esquerda. *Seja realista, exija o impossível!* era o grito de guerra dos manifestantes de Paris em 1968. O fim da escravidão, a emancipação feminina, a ascensão do Estado do bem-estar social – tudo isso eram ideias progressistas que no início eram encaradas como loucas e irracionais, mas que acabaram sendo aceitas como algo normal, de bom senso.

Hoje, no entanto, a esquerda parece ter esquecido a arte da Política. Pior que isso, muitos pensadores e políticos de esquerda tentam sufocar sentimentos radicais dentro das próprias bancadas, por puro terror de perder votos. Comecei a pensar nessa atitude nos últimos anos como sendo o fenômeno do "socialismo azarão".

É um fenômeno internacional, observável por todo o globo, entre legiões de pensadores e movimentos de esquerda, de sindicatos a partidos políticos, de colunistas a professores universitários. A visão de mundo do socialista azarão é a de que os neoliberais dominaram o jogo da razão, a crítica e as estatísticas, deixando a esquerda apenas com a emoção. Seu coração está no lugar certo. Os socialistas azarões têm um excedente de compaixão e consideram as políticas vigentes profundamente injustas. Ao verem o Estado do bem-estar social desmoronar, eles se apressam em salvar o que podem. Mas, nos momentos decisivos, o socialista azarão cede aos argumentos da oposição, sempre aceitando a premissa em que o debate se situa.

"A dívida pública está fora de controle", admitem, "mas podemos criar mais programas baseados na renda do cidadão."

"Combater a pobreza é terrivelmente caro", concedem os socialistas azarões, "mas isso faz parte de ser uma nação civilizada."

"Os impostos estão altos", lamentam, "mas cada um contribui como pode."

O socialista azarão se esquece de que o verdadeiro problema não é a dívida pública, mas sim as famílias e empresas que já não têm mais onde cortar. Ele se esquece de que combater a pobreza é um investimento que gera retornos imensos. E se esquece de que, enquanto isso, banqueiros e advogados ganham dinheiro para convencer os outros de que o intragável é palatável, às custas de garis e enfermeiros.

Colocar rédeas e frear o avanço da oposição tornou-se a única missão do socialista azarão. Contra a privatização, contra políticos tradicionais, contra a austeridade. Diante de tudo isso a que se opõem, podemos pensar: de que os socialistas azarões são realmente *a favor*?

De tempos em tempos, eles defendem os mais desafortunados na sociedade: pobres, pessoas sem estudo, refugiados em busca de asilo, deficientes e minorias discriminadas. Eles denunciam a islamofobia, a homofobia e o racismo. Ficam obcecados com a proliferação de rupturas sociais dividindo o mundo entre colarinho azul e colarinho branco, pobreza e riqueza, pessoas comuns e os 1% mais ricos, vaidosamente tentando se "reconectar" com um eleitorado que há muito tempo já fez as malas e partiu.

Mas o maior problema dos socialistas azarões não é estarem errados; é serem tediosos. Sem graça. Não têm história para contar, nem mesmo uma linguagem para transmitir suas ideias de forma convincente.

E, com frequência, a esquerda dá a impressão de que até gosta de perder. Como se o fracasso, o futuro sombrio e as atrocidades da oposição sirvam para provar que eles sempre estiveram certos. "Há um tipo de ativismo", observa Rebecca Solnit em seu livro *Ho-*

pe in the Dark (Esperança na escuridão), "cuja função é mais firmar identidade do que atingir resultados." Uma coisa que Donald Trump entende muito bem é que a maioria das pessoas prefere estar no lado vitorioso. ("Vamos vencer muito. Vocês vão se cansar de tanto vencer.") A maioria das pessoas se irrita com a piedade e o paternalismo do bom samaritano.

Infelizmente, o socialista azarão se esqueceu de que a história da esquerda deve ser uma narrativa de esperança e progresso. Não uma narrativa que empolgue apenas alguns intelectuais moderninhos que têm prazer em discutir e filosofar sobre o "pós-capitalismo" ou a "interseccionalidade" após lerem algum tomo prolixo de mil páginas. O maior pecado da esquerda acadêmica é ter se tornado fundamentalmente aristocrática, escrevendo num jargão bizarro que transforma questões simples em algo complexo. Se você não consegue explicar seu ideal para uma pessoa razoavelmente inteligente de 12 anos, é provável que a culpa seja sua. O que precisamos é de uma narrativa que faça sentido para milhões de pessoas comuns.

Vamos começar retomando a linguagem do progresso.

Reformas? Com certeza! Vamos reformular de verdade o setor financeiro. Forçar os bancos a criar maiores proteções, para que não tombem assim que outra crise surgir. Dividir os que estiverem grandes demais, de modo que na próxima vez o contribuinte não tenha que pagar a conta porque os bancos são tão gigantescos que sua falência afetaria um número considerável de correntistas e o governo. Expor e destruir todos os paraísos fiscais, para que os ricos possam enfim ser obrigados a contribuir de forma justa em seus países, e seus contadores possam fazer algo que valha a pena.

Meritocracia? Pode vir com tudo. Vamos finalmente pagar as pessoas de acordo com suas verdadeiras contribuições à sociedade. Lixeiros, enfermeiros e professores ganhariam aumentos substanciais, é claro, enquanto vários lobistas, advogados e banqueiros veriam seus vencimentos despencarem para o negativo. Se você quiser um emprego que prejudique o público, vá em frente. Mas terá que pagar por esse privilégio com um imposto considerável.

Inovação? Total. Mesmo hoje, inúmeros talentos estão sendo desperdiçados. Se antes jovens formados nas melhores universidades buscavam empregos na ciência, no serviço público e na educação, atualmente eles estão optando por trabalhar em bancos, advocacia ou proliferadores de anúncios como Google e Facebook. Pare um momento para refletir que bilhões de dólares do contribuinte estão sendo usados para treinar os melhores cérebros da sociedade a fim de que eles possam aprender como explorar os outros da forma mais eficiente possível. É de amargar. Imagine como as coisas poderiam ser diferentes se os melhores e mais brilhantes da nossa geração resolvessem se dedicar a solucionar os maiores desafios do nosso tempo. A mudança climática, o envelhecimento da população, a desigualdade... Isso, sim, seria uma verdadeira inovação.[1]

Eficiência? Também queremos isso. Considere que cada dólar investido num sem-teto nos dá um retorno três vezes maior em economia com gastos públicos na saúde, na polícia e na justiça. Imagine só o que a erradicação da pobreza infantil poderia conquistar. Resolver problemas desse tipo é muito mais eficiente que apenas "administrá-los", o que custa significativamente mais a longo prazo.

Cortes na mãe do Estado? Pode crer. Vamos eliminar todos aqueles cursos inúteis e arrogantes que são impostos aos desempregados (e que, na verdade, *prolongam* o desemprego) e vamos deixar de fazer interrogatórios degradantes aos beneficiários de seguro-desemprego e outros tipos de assistência. Vamos proporcionar a todos uma renda básica – capital empreendedor para o povo –, conferindo a nós o poder de estabelecer o curso da *nossa* vida.

Liberdade? Música para os ouvidos. Neste momento, mais de um terço da força de trabalho está comprometido com "empregos inúteis", considerados sem sentido pelas pessoas que ocupam esses cargos. Há pouco tempo, dei uma palestra a algumas centenas de consultores sobre a ascensão desses empregos sem utilidade real. Para minha surpresa, não fui hostilizado pela plateia. Não só isso, como também, mais tarde, no coquetel de confraternização, mais de uma pessoa me confidenciou que algumas de suas tarefas altamente lucrativas lhe davam a liberdade financeira de explorar outros trabalhos menos remunerados, mas gratificantes.

Essas histórias me lembraram de todos aqueles jornalistas *free-lance* que se submetem a dar assessoria para empresas que desprezam só para subsidiar suas reportagens investigativas mais importantes (às vezes, precisamente sobre o mesmo tipo de empresa). Teria o mundo virado de cabeça para baixo? Tudo indica que no capitalismo moderno financiamos as coisas que apreciamos de verdade com... besteira.

Chegou a hora de redefinir o nosso conceito de "trabalho". Quando argumento a favor de uma jornada de trabalho semanal mais curta, não estou defendendo fins de semana mais longos e letárgicos. Minha proposta é passarmos mais tempo fazendo as coisas que realmente importam para nós. Há pouco tempo, a escritora australiana Bronnie Ware publicou um livro intitulado *Antes de partir: os 5 principais arrependimentos que as pessoas têm antes de morrer*, sobre pacientes que ela assistiu durante sua carreira em enfermagem.[2] E adivinhe! Nenhum deles disse que gostaria de ter prestado mais atenção nas apresentações de PowerPoint dos colegas ou ter feito mais brainstormings sobre a "cocriação disruptiva na sociedade de rede". O maior arrependimento era: "Gostaria de ter tido a coragem de viver uma vida de verdade para mim mesmo, não a vida que os outros esperavam de mim." Número dois: "Gostaria de não ter trabalhado tanto."

Por todo o espectro, da esquerda à direita, estamos ouvindo sobre a necessidade de mais trabalho e mais empregos. Para a maioria dos políticos e economistas, o emprego é moralmente neutro: quanto mais, melhor. Eu diria que chegou a hora de um novo movimento trabalhista. Um que lute não só por mais empregos e melhores salários, mas, acima de tudo, por trabalhos que tenham valor intrínseco. Então veremos o desemprego *subir* quando passarmos mais tempo em marketing tedioso, administração fútil ou lixo poluidor, e *diminuir* quando começarmos a investir mais tempo nas coisas que nos fazem felizes.

Dois últimos conselhos

Mas antes os socialistas azarões terão que parar de chafurdar em sua superioridade moral e suas ideias ultrapassadas. Todos que se consideram progressistas devem ser um polo de energia e ideias – não só de indignação, mas também de esperança –, tendo ética e ao mesmo tempo vendendo bem sua mensagem. No fim, o que falta ao socialista azarão é o ingrediente mais vital para a mudança política: a convicção de que há, sim, um caminho melhor. Aquela utopia está realmente a nosso alcance.

Não estou sugerindo que será fácil aprender a fazer Política com P maiúsculo. Pelo contrário. O primeiro e maior obstáculo é ser levado a sério. Essa tem sido a minha experiência nos últimos três anos, desde que comecei a defender publicamente a renda básica universal, a semana de trabalho mais curta e a erradicação da pobreza. Muitas vezes vieram me dizer que essas ideias eram ingênuas, financeiramente inviáveis ou até idiotas.

Levei um tempo para compreender que a minha suposta falta de realismo tinha muito pouco a ver com falhas no meu raciocínio. Chamar minhas ideias de "irreais" era apenas uma forma sucinta de dizer que elas não se encaixavam no status quo. E a melhor maneira de calar as pessoas é fazê-las se sentirem tolas. Isso funciona até melhor que a censura, porque é praticamente garantido que as pessoas irão parar de falar.

Quando comecei a escrever sobre a renda básica, a maioria das pessoas nunca havia ouvido falar nisso. Mas hoje, apenas três anos depois, a ideia já é conhecida em todo lugar. A Finlândia e o Canadá já anunciaram grandes experimentos. O conceito agora tem muitos adeptos também no Vale do Silício. A GiveDirectly (organização mencionada no Capítulo 2) está lançando um grande estudo sobre renda básica no Quênia. E no meu próprio país, a Holanda, nada menos que 20 municípios estão colocando a renda básica em ação.

O que deu ímpeto a essa repentina onda de interesse foi um referendo realizado na Suíça em 5 de junho de 2016. Talvez apenas poucas centenas de suíços soubessem o que é a renda básica universal cinco anos atrás, mas hoje é outra história. Claro, a proposta foi rejeitada por uma maioria considerável, mas não esqueçamos que não faz muito tempo – foi em 1959 – que a grande maioria dos homens suíços também foi contra outra bizarra proposta utópica: o direito das mulheres ao voto. Quando um segundo referendo foi finalmente realizado em 1971, a maioria votou a favor.

Meu ponto é o seguinte: o referendo suíço não é o fim, mas apenas o começo dessa discussão. Desde que a primeira edição holandesa do meu livro foi publicada, já falei sobre ele em Paris, Montreal, Nova York, Dublin e Londres. Em todos os lugares aonde fui, encontrei um entusiasmo pela renda básica universal originado precisamente nos mesmos fatores: desde o crash financeiro global de 2008 e o amanhecer da era do Brexit e de Trump, mais e mais pessoas estão sedentas por um antídoto verdadeiro e radical tanto para a xenofobia quanto para a desigualdade. Por um novo mapa-múndi. Por uma nova fonte de esperança. Em resumo, por uma nova Utopia.

Então, para concluir, gostaria de dar dois últimos conselhos a todos que estão prontos para colocar em ação as ideias propostas nestas páginas. Primeiro, entenda que lá fora há muitas pessoas como você. Muitas e muitas. Uma série de leitores me disseram pessoalmente que, embora acreditem muito nas ideias deste livro, eles veem o mundo como um lugar corrupto, de ambição desmedida. Minha resposta a eles foi esta: desligue a televisão, olhe à sua volta e comece a *organizar* um movimento. A maioria das pessoas tem o coração no lugar certo.

Meu segundo conselho é: cultive a autoconfiança e a resistência às críticas. Não deixe ninguém lhe impor uma opinião ou desanimá-lo. Se quisermos mudar o mundo, temos que ser idealistas, insensatos e impossíveis. Lembre-se: aqueles que reivindicavam a abolição da escravidão, o voto feminino e o casamento entre pessoas do mesmo sexo também já foram chamados de lunáticos um dia. Até a história provar que eles estavam certos.

Notas

CAPÍTULO 1: O RETORNO DA UTOPIA

[1] Extrema pobreza significa viver com menos de 1,25 dólar por dia, o que é apenas o suficiente para sobreviver. Veja François Bourguignon e Christian Morrisson, "Inequality among World Citizens: 1820–1992", *American Economic Review* (setembro de 2002). Disponível em: http://piketty.pse.ens.fr/les/BourguignonMorrisson2002.pdf.

[2] Na Holanda, um sem-teto recebe em torno de 10 mil dólares por ano em assistência do governo. O PNB per capita da Holanda nos anos 1950, corrigido por poder de compra e inflação, era de 7.408 dólares (de acordo com números do gapminder.org). De 1600 a 1800, era entre 2 mil e 2.500 dólares.

[3] Veja os números apresentados pelos historiadores Angus Maddison, J. Bolt e J. L. van Zanden em "The First Update of the Maddison Project; Re-Estimating Growth Before 1820", *Maddison Project Working Paper 4* (2013). Disponível em: http://www.ggdc.net/maddison/maddison-project/home.htm.

[4] PLEIJ, Herman. *Dromen van Cocagne: Middeleeuwse fantasieën over het volmaakte leven*. Amsterdã: Prometheus,1997, p. 11.

[5] Organização Mundial da Saúde. "Obesity and overweight", Fact sheet nº 311 (março de 2013). Disponível em: http://www.who.int/mediacentre/factsheets/fs311/en/.

[6] EISNER, Manuel. "Long-Term Historical Trends in Violent Crime", Universidade de Chicago, 2003, tabela 2. Disponível em: http://www.vrc.crim.cam.ac.uk/vrcresearch/paperdownload/manuel-eisner-historical-trends-in-violence.pdf.

[7] Banco Mundial. "An update to the World Bank's estimates of consumption poverty in the developing world" (2012). Disponível em: http://siteresources.worldbank.org/INTPOVCALNET/Resources/Global_Poverty_Update_2012_02-29-12.pdf.

[8] J. O.'s. "Development in Africa: Growth and other good things", *Economist* (1º de maio de 2013). Disponível em: http://www.economist.com/blogs/baobab/2013/05/development-africa.

[9] Centro de Notícias da ONU. "Deputy UN chief calls for urgent action to tackle global sanitation crisis" (21 de março de 2013). Disponível em: http://www.un.org/apps/news/story.asp?NewsID=44452.

[10] De acordo com números da Internet Live Stats. Disponível em: http://www.internetlivestats.com.

[11] Segundo a Organização Mundial da Saúde, a expectativa de vida média na África para os nascidos em 2000 era de 50 anos. Em 2012, era de 58 anos. Disponível em: http://www.who.int/gho/mortality_burden_disease/life_tables/situation_trends_text/en.

[12] Conforme números do Banco Mundial. Disponível em: http://apps.who.int/gho/data/view.main.700?lang=en.

[13] A média de ingestão de calorias diárias por indivíduo subiu de 2.600 em 1990 para 2.840 em 2012 (na África subsaariana, subiu de 2.180 para 2.380). PORKA, Miina et al. "From Food Insufficiency towards Trade Dependency: A Historical Analysis of

Global Food Availability", *Plos One* (18 de dezembro de 2013). Disponível em: http://www.ncbi.nlm.nih.gov/pubmed/24367545.

[14] LOMBORG, Bjørn. "Setting the Right Global Goals", *Project Syndicate* (20 de maio de 2014). Disponível em: https://www.project-syndicate.org/commentary/bj-rn-lomborg-identifies-the-areas-in-which-increased-development-spending-can-do-the--most-good.

[15] Um desses cientistas é Audrey de Grey, da Universidade de Cambridge, que deu uma palestra TED Talk sobre esse tópico que encontra-se disponível em: http://www.ted.com/talks/aubrey_ de_grey_says_we_can_avoid_aging.

[16] Peter F. Orazem, "Challenge Paper: Education", Copenhagen Consensus Center (abril de 2014). Disponível em: http://copenhagenconsensus.com/publication/education.

[17] "Where have all the burglars gone?", *Economist* (18 de julho de 2013). Disponível em: http://www.economist.com/news/briefing/21582041-rich-world-seeing-less-and--less-crime-even-face-high-unemployment-and-economic.

[18] FUKUYAMA, Francis. "The End of History?", *National Interest* (verão de 1989). Disponível em: http://ps321.community.uaf.edu/files/2012/10/Fukuyama-End-of-history--article.pdf.

[19] COHUT, Andrew et al. *Economies of Emerging Markets Better Rated During Difficult Times. Global Downturn Takes Heavy Toll; Inequality Seen as Rising.* Pew Research (23 de maio de 2013), p. 23. Disponível em: http://www.pewglobal.org/files/2013/05/Pew-Global-Attitudes-Economic-Report-FINAL-May-23-20131.pdf.

[20] SARGENT, Lyman Tower. *Utopianism. A Very Short Introduction.* Oxford: OUP Oxford, 2010, p. 12. Veja esta versão budista para a Terra da Abundância: "Sempre que eles desejem se alimentar, basta colocarem esse arroz sobre uma determinada pedra, da qual surge instantaneamente uma chama [e] se cozinha um prato completo."

[21] STOREY, Ian C. (trad.). *Fragments of Old Comedy, Vol. III: Philonicus to Xenophon. Adespota.* Loeb Classical Library, 515. Cambridge, MA: Harvard University Press, 2011, p. 291. Disponível em: https://www.loebclassics.com/view/telecides-testimonia_fragments/2011/pb_LCL515.291.xml.

[22] JACOBY, Russell. *Imagem imperfeita. Pensamento utópico para uma época antiutópica.* Rio de Janeiro: Civilização Brasileira, 2007. Veja também meu último livro (holandês) *De geschiedenis van de vooruitgang* (2013), no qual discuto a distinção que Jacoby faz entre as duas formas de pensamento utópico.

[23] KATEB, George apud SARGENT, Lyman Tower. *Utopianism. A Very Short Introduction* (2010), p. 107. Mesmo assim, qualquer um que se aprofunde na Utopia de Thomas More terá uma surpresa desagradável. More descrevia uma sociedade totalmente autoritária, cujos habitantes eram vendidos como escravos até pelos menores delitos. Mas é crucial compreender que tudo isso ainda teria parecido um sopro de ar fresco para o camponês medieval. A escravidão era, com certeza, uma pena mais leve do que o repertório costumeiro da época de enforcamentos, esquartejamentos e queimas na fogueira. E também vale notar que muitos comentaristas não perceberam a intenção irônica de More, porque não leram o livro no latim original. Nosso guia turístico na Utopia de More, por exemplo, é chamado Hythlodaeus, que pode ser traduzido como "falador de bobagens".

[24] MILANOVIC, Branko. "Global Inequality: From Class to Location, from Proletarians to Migrants", World Bank Policy Research Working Paper (setembro de 2011). Disponível em: http://elibrary.worldbank.org/doi/book/10.1596/1813-9450-5820.

25 Nos Estados Unidos, veja CAPLAN, Bryan. "How Dems and Reps Differ: Against the Conventional Wisdom", *Library of Economics and Liberty* (7 de setembro de 2008). Disponível em: http://econlog.econlib.org/archives/2008/09/how_dems_and_re.html. Na Inglaterra, veja: ADAMS, James, GREEN, Jane e MILAZZO, Caitlin. "Has the British Public Depolarized Along with Political Elites? An American Perspective on British Public Opinion", *Comparative Political Studies* (abril de 2012). Disponível em: http://cps.sagepub.com/content/45/4/507.

26 Veja BOTTON, Alain de. *Religião para ateus*. Rio de Janeiro: Intrínseca, 2011, Capítulo 3.

27 Isso não significa que seja por escolha: vários estudos demonstram que a vasta maioria das populações de todos os países desenvolvidos se preocupa com o materialismo, o individualismo e a falta de gentileza na cultura moderna. Nos Estados Unidos, uma pesquisa de opinião nacional mostrou que a maioria dos americanos prefere que a sociedade se "distancie da ambição e do excesso e vá em direção a um estilo de vida mais centrado nos valores, na comunidade e na família". Apud WILKINSON, Richard e PICKETT, Kate. *O nível. Por que uma sociedade mais igualitária é melhor para todos*. Rio de Janeiro: Civilização Brasileira, 2015.

28 Parafraseado do filme *Clube da Luta* (1999), do professor de Desenvolvimento Sustentável Tim Jackson e de outras centenas de variações dessa citação.

29 Apud PECK, Don."How a New Jobless Era Will Transform America", *The Atlantic* (março de 2010). Disponível em: http://www.theatlantic.com/magazine/archive/2010/03/how-a-new-jobless-era-will-transform-america/307919/.

30 WILKINSON, Richard e PICKETT, Kate. *O nível. Por que uma sociedade mais igualitária é melhor para todos*. Rio de Janeiro: Civilização Brasileira, 2015.

31 Organização Mundial da Saúde. "Health for the World's Adolescents. A second chance in the second decade" (junho de 2014). Disponível em: http://apps.who.int/iris/bitstream/10665/112750/1/WHO_FWC_MCA_14.05_eng.pdf?ua=1.

32 WILKINSON, Richard e PICKETT, Kate. *O nível. Por que uma sociedade mais igualitária é melhor para todos*. Rio de Janeiro: Civilização Brasileira, 2015. Essa informação é especificamente sobre jovens americanos, mas a mesma tendência é visível em outros países desenvolvidos.

33 Apud VANCE, Ashlee Vance. "This Tech Bubble Is Different", *Bloomberg Businessweek* (14 de abril de 2011). Disponível em: http://www.business-week.com/magazine/content/11_17/b4225060960537.htm.

34 KEYNES, John Maynard. "Economic Possibilities for our Grandchildren" (1930), *Essays in Persuasion*. Disponível em: http://www.econ.yale.edu/smith/econ116a/keynes1.pdf.

35 RUSSELL, Bertrand. *Philosophy and Politics* (1947), p. 14.

36 RUSSELL, Bertrand. *Ideais Políticos*. Rio de Janeiro: Bertrand Brasil, 2001, Capítulo 1.

CAPÍTULO 2: POR QUE DEVEMOS DISTRIBUIR DINHEIRO PARA TODOS

1 Essa é uma estimativa bastante conservadora. Um estudo conduzido pelo governo britânico calculou a quantia gasta em 30 mil libras anuais por sem-teto (incluindo serviços sociais, polícia, custos legais, etc.). Nesse caso, a quantia deveria ter sido muito maior, pois eles eram os mendigos mais problemáticos. O estudo cita somas de até 400 mil libras para uma só pessoa sem-teto por ano. Veja em Department for Communities and Local Government, "Evidence Review of the Costs of Homelessness"

(agosto de 2012). Disponível em: https://www.gov.uk/government/uploads/system/uploads/attachment_data/file/7596/2200485.pdf.

[2] Não era costume informar aos beneficiários a exata quantia de dinheiro para seu "orçamento personalizado", de acordo com o relatório da Broadway; no entanto, o relatório menciona em outro ponto que um dos sem-teto sugeriu reduzir seu orçamento de 3 mil para 2 mil libras, ou seja, ele obviamente sabia.

[3] Os sem-teto não receberam o dinheiro diretamente. Todas as suas despesas tinham que ser aprovadas primeiro pelo "gerente de população de rua", o que ele sempre fazia "de imediato". O fato de esse controle ser mínimo também foi confirmado por um dos assistentes sociais numa entrevista à *Economist* (ver abaixo na nota 6): "Nós apenas dizíamos: 'A vida é sua e você que escolhe o que fazer com o dinheiro, mas estamos aqui para ajudá-lo se quiser.'" O relatório também afirma que "nas entrevistas, muitas pessoas usavam as frases 'Eu escolhi' ou 'Eu tomei a decisão' quando discutiam sua moradia e o uso de seu orçamento personalizado, enfatizando seu senso de escolha e controle".

[4] A Fundação Joseph Rowntree publicou um extenso relatório sobre o experimento, que é a fonte de todas as citações feitas aqui. Veja HOUGH, Juliette e RICE, Becky. *Providing Personalised Support to Rough Sleepers. An Evaluation of the City of London Pilot* (2010). Disponível em: http://www.jrf.org.uk/publications/support-rough-sleepers-london. Para ver outra avaliação, consulte BLACKENDER, Liz e PRESTIDGE, Jo. "Pan London Personalised Budgets for Rough Sleepers", *Journal of Integrated Care* (janeiro de 2014). Disponível em: http://www.emeraldinsight.com/journals.htm?articleid=17104939&.

[5] Em 2013, o projeto foi expandido para atender mais 28 mendigos do centro de Londres, dos quais 20 já tinham um teto para morar.

[6] "Cutting out the middle men", *Economist* (4 de novembro de 2010). Disponível em: http://www.economist.com/node/17420321.

[7] Apud GOLDSTEIN, Jacob. "Is It Nuts to Give to the Poor Without Strings Attached?", *The New York Times* (13 de agosto de 2013). Disponível em: http://www.nytimes.com/2013/08/18/magazine/is-it-nuts-to-give-to-the-poor-without-strings-attached.html.

[8] HAUSHOFERY, Johannes e SHAPIROZ, Jeremy. Disponível em: "Policy Brief: Impacts of Unconditional Cash Transfers". https://www.princeton.edu/~joha/publications/Haushofer_Shapiro_Policy_Brief_2013.pdf.

[9] A GiveWell, empresa de prestígio especializada em avaliar organizações de caridade e que já analisou mais de 500 nessa área, colocou a GiveDirectly em quarto lugar no topo de seu ranking.

[10] BLATTMAN, Christopher, FIALA, Nathan e MARTINEZ, Sebastian. "Generating Skilled Self-Employment in Developing Countries: Experimental Evidence from Uganda", *Quarterly Journal of Economics* (14 de novembro de 2013). Disponível em: http://papers.ssrn.com/sol3/papers.cfm?abstract_id=2268552.

[11] BLATTMAN, Christopher et al. *Building Women's Economic and Social Empowerment Through Enterprise. An Experimental Assessment of the Women's Income Generating Support (WINGS) Program in Uganda* (abril de 2013). Disponível em: https://openknowledge.worldbank.org/bitstream/handle/10986/17862/860590NWP0Box3 0ySeriesNo10Uganda0hr.pdf?sequence=1&isAllowed=y. Veja também: COLEMAN, Isobel. "Fighting Poverty with Unconditional Cash", *Council on Foreign Relations* (12 de dezembro de 2013). Disponível em: http://blogs.cfr.org/development-channel/2013/12/12/fighting-poverty-with-unconditional-cash/.

[12] BLATTMAN, Christopher et al. "The Returns to Cash and Micro-enterprise Sup-

port Among the Ultra-Poor: A Field Experiment". Disponível em: http://sites.bu.edu/neudc/files/2014/10/paper_15.pdf.

[13] A seguir, uma seleção de estudos sobre os efeitos de bolsas em dinheiro, condicionais e incondicionais. Na África do Sul: AGÜERO, Jorge M. e CARTER, Michael R. "The Impact of Unconditional Cash Transfers on Nutrition: The South African Child Support Grant". Universidade de Cape Town (agosto de 2006). Disponível em: http://www.ipc-undp.org/pub/IPCWorkingPaper39.pdf.

No Malauí: LUSENO, W. K. et al. "A multilevel analysis of the effect of Malawi's Social Cash Transfer Pilot Scheme on school-age children's health", Health Policy Plan (maio de 2013). Disponível em: http://www.ncbi.nlm.nih.gov/pmc/articles/PMC4110449/.

Também no Malauí: BAIRD, Sarah et al. "The Short-Term Impacts of a Schooling Conditional Cash Transfer Program on the Sexual Behavior of Young Women". Disponível em: http://cega.berkeley.edu/assets/cega_research_projects/40/Short_Term_Impacts_of_a_Schooling_CCT_on_Sexual_Behavior.pdf.

[14] KENNY, Charles. "For Fighting Poverty, Cash Is Surprisingly Effective", *Bloomberg Businessweek* (3 de junho de 2013). Disponível em: http://www.bloomberg.com/bw/articles/2013-06-03/for-fighting-poverty-cash-is-surprisingly-effective.

[15] HANLON, Joseph et al. *Just Give Money to the Poor*. Kumarian Press, 2010.

[16] BARRIENTOS, Armando e HULME, David. "Just Give Money to the Poor. The Development Revolution from the Global South", Apresentação para a OCDE. Disponível em: http://www.oecd.org/dev/pgd/46240619.pdf.

[17] BLATTMAN Christopher e NIEHAUS, Paul. "Show Them the Money. Why Giving Cash Helps Alleviate Poverty", *Foreign Affairs* (maio/junho de 2014).

[18] MCKENZIE, David e WOODRUFF, Christopher. "What Are We Learning from Business Training and Entrepreneurship Evaluations around the Developing World?", World Bank Policy Research Working Paper (setembro de 2012). Disponível em: http://ftp.iza.org/dp6895.pdf.

[19] HANLON, Joseph et al. *Just Give Money to the Poor*. Kumarian Press, 2010, p. 4. Claro, transferências de dinheiro não são a solução para tudo – esses programas não vão construir pontes nem trazer a paz mundial. Mas realmente fazem uma enorme diferença. Transferências de dinheiro são "o mais próximo que podemos chegar de uma solução mágica para o desenvolvimento", observa Nancy Birdsall, presidente do Centro para o Desenvolvimento Global, em Washington. Apud ibid., p. 61.

[20] Deve ser observado que esse declínio não foi significativo estatisticamente, então, na maioria dos casos, as transferências de dinheiro não têm efeito no nível de consumo de tabaco e álcool. Veja EVANS, David K. e POPOVA, Anna. "Cash Transfers and Temptation Goods. A Review of Global Evidence", World Bank Policy Research Working Papers (maio de 2014). Disponível em: http://documents.worldbank.org/curated/en/2014/05/19546774/cash-transfers-temptation-goods-review-global-evidence.

[21] BLATTMAN, Christopher e NIEHAUS, Paul. "Show Them the Money. Why Giving Cash Helps Alleviate Poverty", *Foreign Affairs* (maio/junho de 2014).

[22] Em 2009, a *The Lancet* afirmou: "Dados saídos de estudos sobre transferências de dinheiro, condicionais ou incondicionais, desmontam amplamente os contra-argumentos de que esses programas criariam obstáculos para que adultos procurem trabalho ou gerariam uma cultura de dependência que perpetua a pobreza intergeracional." Veja o editorial "Cash Transfers for Children. Investing into the Future", *The Lancet* (27 de junho de 2009).

[23] HAARMANN, Claudia et al. "Making the Difference! The BIG in Namibia", Assessment Report (abril de 2009), p. VII. Disponível em: http://www.bignam.org/Publications/big_Assessment_report_08b.pdf.

[24] Incluindo Thomas Paine, John Stuart Mill, H. G. Wells, George Bernard Shaw, John Kenneth Galbraith, Jan Tinbergen, Martin Luther King e Bertrand Russell.

[25] Veja, por exemplo, ZWOLINSKI, Matt. "Why Did Hayek Support a Basic Income?", *Libertarianism.org* (23 de dezembro de 2013). Disponível em: http://www.libertarianism.org/columns/why-did-hayek-support-basic-income.

[26] VEEN, Robert van der e PARIJS, Philippe van. "A Capitalist Road to Communism", *Theory & Society* (1986). Disponível em: https://www.ssc.wisc.edu/~wright/ERU_files/PVP-cap-road.pdf.

[27] Frase do proponente conservador da renda básica Charles Murray, em: LOWREY, Annie. "Switzerland's Proposal to Pay People for Being Alive", *The New York Times* (12 de novembro de 2013). Disponível em: http://www.nytimes.com/2013/11/17/magazine/switzerlands-proposal-to-pay-people-for-being-alive.html.

[28] Apud LUM, Zi-Ann. "A Canadian City Once Eliminated Poverty and Nearly Everyone Forgot About It", *Huffington Post*. Disponível em: http://www.huffingtonpost.ca/2014/12/23/mincome-in-dauphin-manitoba_n_6335682.html.

[29] Apud REYNOLDS, Lindor. "Dauphin's Great Experiment", *Winnipeg Free Press* (12 de março de 2009). Disponível em: http://www.winnipeg-freepress.com/local/dauphins-great-experiment.html.

[30] Aqui e na seção a seguir, todas as referências são em dólares americanos.

[31] Apud BELIK, Vivian. "A Town Without Poverty?", *Dominion* (5 de setembro de 2011). Disponível em: http://www.dominionpaper.ca/articles/4100. "Para muitos economistas, a questão era que isso iria desestimular o trabalho", observou Wayne Simpson, outro economista canadense que estudou o programa Mincome. "As evidências mostraram que a realidade estava muito longe do que parte da literatura havia sugerido." Apud LOWREY. "Switzerland's Proposal to Pay People for Being Alive".

[32] Citação tirada de uma palestra em Vimeo: Disponível em: http://vimeo.com/56648023.

[33] FORGET, Evelyn. "The town with no poverty", Universidade de Manitoba (fevereiro de 2011). Disponível em: http://public.econ.duke.edu/~erw/197/forget-cea%282%29.pdf.

[34] SHEAHEN, Allan. *Basic Income Guarantee. Your Right to Economic Security* (2012), p. 108.

[35] MATTHEWS, Dylan. "A Guaranteed Income for Every American Would Eliminate Poverty – And It Wouldn't Destroy the Economy", *Vox.com* (23 de julho de 2014). Disponível em: http://www.vox.com/2014/7/23/5925041/guaranteed-income-basic-poverty-gobry-labor-supply.

[36] Apud SHEAHEN, Allan. "Why Not Guarantee Everyone a Job? Why the Negative Income Tax Experiments of the 1970s Were Successful", USBIG Discussion Paper (fevereiro de 2002). Disponível em: http://www.usbig.net/papers/013-Sheahen.doc. Os pesquisadores achavam que as pessoas poderiam depois até trabalhar mais, contanto que o governo criasse empregos adicionais. "Qualquer redução em esforço para trabalhar causada por transferência de dinheiro seria mais do que compensada pelo aumento de oportunidades de emprego oferecidas em vagas no serviço público."

[37] MATTHEWS, Dylan. "A Guaranteed Income for Every American Would Eliminate Poverty".

[38] "Economists Urge Assured Income", *The New York Times* (28 de maio de 1968).

[39] STEENSLAND, Brian. *The Failed Welfare Revolution. America's Struggle over Guaranteed Income Policy* (2008), p. 123.

[40] Apud SHEAHEN. *Basic Income Guarantee*, p. 8.

[41] STEENSLAND. *The Failed Welfare Revolution*, p. 69.

[42] Apud PASSELL, Peter e ROSS, Leonard. "Daniel Moynihan and President-Elect Nixon: How Charity Didn't Begin at Home", *The New York Times* (14 de janeiro de 1973). Disponível em: http://www.nytimes.com/books/98/10/04/specials/moynihan-income.html.

[43] Apud NEUBERG, Leland G. "Emergence and Defeat of Nixon's Family Assistance Plan", USBIG Discussion Paper (janeiro de 2004). Disponível em: http://www.usbig.net/papers/066-Neuberg-FAP2.doc.

[44] BARTLETT, Bruce. "Rethinking the Idea of a Basic Income for All", *The New York Times Economix* (10 de dezembro de 2013). Disponível em: http://economix.blogs.nytimes.com/2013/12/10/rethinking-the-idea-of-a-basic-income-for-all.

[45] STEENSLAND, Brian. *The Failed Welfare Revolution*, p. 157.

[46] CAIN, Glen G. e WISSOKER, Douglas. "A Reanalysis of Marital Stability in the Seattle–Denver Income Maintenance Experiment", Institute for Research on Poverty (janeiro de 1988). Disponível em: http://www.irp.wisc.edu/publications/dps/pdfs/dp85788.pdf.

[47] De acordo com uma pesquisa conduzida por Harris em 1969. ALBERTI, Mike e BROWN, Kevin C. "Guaranteed Income's Moment in the Sun", *Remapping Debate*. Disponível em: http://www.remappingdebate.org/sites/default/files/Guaranteed%20income%E2%80%99s%20moment%20in%20the%20sun_0.pdf.

[48] BRUENIG, Matt. "How a Universal Basic Income Would Affect Poverty", *Demos* (3 de outubro de 2013). Disponível em: http://www.demos.org/blog/10/3/13/how-universal-basic-income-would-affect-poverty.

[49] BILMES, Linda J. "The Financial Legacy of Iraq and Afghanistan: How Wartime Spending Decisions Will Constrain Future National Security Budgets", Faculty Research Working Paper Series (março de 2013). Disponível em: https://research.hks.harvard.edu/publications/getFile.aspx?Id=923.

[50] Tente fazer este experimento mental: uma renda básica de 1,25 dólar por dia para todas as pessoas na Terra iria custar 3 trilhões de dólares por ano, ou 3,5% do PIB global. A mesma assistência em dinheiro para o 1,3 bilhão de habitantes mais pobres do mundo iria requerer menos que 600 bilhões de dólares, ou aproximadamente 0,7% do PIB global, e iria eliminar completamente a pobreza extrema.

[51] KORPI, Walter e PALME, Joakim. "The Paradox of Redistribution and Strategies of Equality: Welfare State Institutions, Inequality and Poverty in the Western Countries", *American Sociological Review* (outubro de 1998). Disponível em: http://citeseerx.ist.psu.edu/viewdoc/download?doi=10.1.1.111.2584&rep=rep1&type=pdf.

[52] OORSCHOT, Wim van. "Globalization, the European Welfare State, and Protection of the Poor", em: A. SUSZYCKI e I. KAROLEWSKI (eds.), *Citizenship and Identity in the Welfare State* (2013), pp. 37-50.

[53] O Alasca é o melhor exemplo disso, como única entidade política a ter uma renda básica universal e incondicional (pouco mais de mil dólares por ano), financiada pela renda do petróleo. O apoio popular é praticamente unânime. De acordo com o professor Scott Goldsmith, da Universidade do Alasca em Anchorage, seria suicídio eleitoral para qualquer político questionar esse programa. É graças em parte a essa pequena renda básica que o Alasca tem a desigualdade mais baixa entre todos os estados americanos.

Veja GOLDSMITH, Scott. "The Alaska Permanent Fund Dividend: An Experiment in Wealth Distribution", 9th International Congress BIEN (12 de setembro de 2002). Disponível em: http://www.basicincome.org/bien/pdf/2002Goldsmith.pdf.

[54] Estudos sobre o comportamento de ganhadores na loteria mostram que mesmo quem recebe o prêmio máximo raramente abandona seu emprego e, quando o faz, é para passar mais tempo com os filhos ou encontrar outro tipo de trabalho. Veja este famoso estudo: KAPLAN, Roy. "Lottery Winners: The Myth and Reality", *Journal of Gambling Behavior* (outono de 1987), pp. 168-78.

[55] Detentos nas prisões são um bom exemplo. Você poderia pensar que, tendo comida e um teto sobre suas cabeças, eles podem apenas aproveitar o ócio. Mas, na prisão, proibir a pessoa de trabalhar é, na verdade, usado como forma de punição. Quando um preso se comporta mal, ele é impedido de entrar na oficina e na cozinha. Quase todos querem dar algum tipo de contribuição, embora o que usamos como significado de "trabalho" e "emprego" esteja sujeito a mudar. De fato, colocamos pouquíssima ênfase na grande quantidade de trabalho não pago que as pessoas já fazem.

[56] Ela disse isso na TV canadense. Vídeo disponível em: https://youtu.be/EPRTUZsiDYw?t=45m30s.

CAPÍTULO 3: O FIM DA POBREZA

[1] SEDGWICK, Jessica. "November 1997: Cherokee Casino Opens" (1º de novembro de 2007). Disponível em: https://blogs.lib.unc.edu/ncm/index.php/2007/11/01/this_month_nov_1997/.

[2] JOHNSON JR., James H., KASARDA, John D. e APPOLD, Stephen J. "Assessing the Economic and Non-Economic Impacts of Harrah's Cherokee Casino, North Carolina" (junho de 2011). Disponível em: https://www.kenan-flagler.unc.edu/~/media/Files/kenaninstitute/UNC_KenanInstitute_Cherokee.pdf.

[3] Dinheiro para menores de 18 anos é depositado num fundo que é liberado quando eles atingem a maioridade.

[4] COSTELLO, Jane et al. "Relationships Between Poverty and Psychopathology. A Natural Experiment", *Journal of the American Medical Association* (outubro de 2003). Disponível em: http://jama.jamanetwork.com/article.aspx?articleid=197482.

[5] Apud VELASQUEZ-MANOFF, Moises. "What Happens When the Poor Receive a Stipend?", *The New York Times* (18 de janeiro de 2014). Disponível em: http://opinionator.blogs.nytimes.com/2014/01/18/what-happens-when-the-poor-receive-a-stipend/.

[6] COPELAND, William e COSTELLO, Elizabeth J. "Parents' Incomes and Children's Outcomes: A Quasi-Experiment", *American Economic Journal: Applied Economics* (janeiro de 2010). Disponível em: http://www.ncbi.nlm.nih.gov/pmc/articles/pmc2891175/.

[7] Apud VELASQUEZ-MANOFF, Moises. "What Happens When the Poor Receive a Stipend?". De acordo com Costello, eram as transferências de dinheiro – e não as novas construções (de escola e hospital) – que realmente fizeram diferença, já que a melhoria nas vidas dos cherokees já eram visíveis no momento em que o dinheiro chegou, muito antes de as novas edificações serem concluídas.

[8] COSTELLO et al. "Relationships Between Poverty and Psychopathology", p. 2.029.

[9] DOWDEN, Richard. "The Thatcher Philosophy", *Catholic Herald* (22 de dezembro de 1978). Disponível em: http://www.margaretthatcher.org/document/103793.

[10] MULLAINATHAN, Sendhil e SHAFIR, Eldar. *Escassez: uma nova forma de pensar a falta de recursos na vida das pessoas e nas organizações* (Best Business, 2016).

[11] VELASQUEZ-MANOFF, Moises. Op. cit.

[12] HIRSCH, Donald. "An estimate of the cost of child poverty in 2013", Centre for Research in Social Policy. Disponível em: http://www.cpag.org.uk/sites/default/files/Cost of child poverty researchupdate(2013).pdf.

[13] HIRSCH, Donald. "Estimating the costs of child poverty", Joseph Rowntree Foundation (outubro de 2008). Disponível em: http://www.jrf.org.uk/sites/files/jrf/2313.pdf.

[14] Veja, por exemplo, HOLZER, Harry J. et al. "The Economic Costs of Poverty in the United States. Subsequent Effects of Children Growing Up Poor", Center for American Progress (janeiro de 2007). Disponível em: https://www.americanprogress.org/issues/poverty/report/2007/01/24/2450/the-economic-costs-of-poverty.

[15] Arredondei esses números. Veja DUNCAN, Greg J. "Economic Costs of Early Childhood Poverty", Partnership for America's Economic Success, Issue Brief #4 (fevereiro de 2008). Disponível em: http://ready-nation.s3.amazonaws.com/wp-content/uploads/Economic-Costs-Of-Early-Childhood-Poverty-Brief.pdf.

[16] STRAUSS, Valerie. "The cost of child poverty: $500 billion a year", *Washington Post* (25 de julho de 2013). Disponível em: http://www.washingtonpost.com/blogs/answer-sheet/wp/2013/07/25/the-cost-of-child-poverty-500-billion-a-year/.

[17] FERNANDES, Daniel, LYNCH JR., John G. e NETEMEYER, Richard G. "Financial Literacy, Financial Education and Downstream Financial Behaviors", *Management Science* (janeiro de 2014). Disponível em: http://papers.ssrn.com/sol3/papers.cfm?abstract_id=2333898.

[18] No caso, é a expectativa média de vida. Naturalmente, sempre há diferenças consideráveis de saúde entre ricos e pobres em qualquer país. Mas isso não invalida o fato de que o crescimento econômico logo deixa de causar impacto na expectativa de vida média nacional.

[19] Apud BREGMAN, Rutger. "99 problemen, 1 oorzaak", *De Correspondent*. Disponível em: https://decorrespondent.nl/388/99-problemen-1oorzaak/14916660-5a5eee06.

[20] Veja também NOLAN, Brian et al. *Changing Inequalities and Societal Impacts in Rich Countries: Thirty Countries' Experiences* (2014). Esse relatório sobre um grande estudo conduzido por mais de 200 pesquisadores por toda a Europa, Estados Unidos, Austrália, Canadá, Japão e Coreia do Sul descobriu fortes relações entre desigualdade e redução da felicidade, da mobilidade social, do comparecimento em eleições e de um maior desejo de status. Correlações entre crime e participação social são menos claras; a pobreza tem um efeito adverso mais alto do que a desigualdade.

[21] Ironicamente, pessoas em países onde a igualdade é maior, como Alemanha e Noruega, são as menos propensas a atribuir a si mesmas a razão de seu sucesso. Nos Estados Unidos, em contraste, as pessoas são menos propensas (como demonstra a Pesquisa dos Valores Mundiais) a considerar seus sucessos como produto de sorte ou circunstância.

[22] OSTRY, Jonathan D., BERG, Andrew e TSANGARIDES, Charalambos G. "Redistribution, Inequality, and Growth", FMI (abril de 2014). Disponível em: http://www.imf.org/external/pubs/ft/sdn/2014/sdn1402.pdf.

[23] As descobertas de Wilkinson e Pickett causaram bastante polêmica, mas desde a publicação de *O nível* já houve dúzias de outros estudos confirmando a tese deles. Em 2011, a Fundação Joseph Rowntree conduziu uma análise independente das evidências que eles apresentaram e concluiu que há realmente amplo consenso científico sobre a correlação entre desigualdade e problemas sociais. E, crucialmente, também há uma quantidade considerável de dados para provar a causalidade. Veja ROWLINGSON, Karen. "Does

income inequality cause health and social problems?" (setembro de 2011). Disponível em: http://www.jrf.org.uk/sites/files/jrf/inequality-income-social-problems-full.pdf.

Inversamente, nos países com um regime de bem-estar social mais extenso, ricos e pobres tendem a ser mais felizes e vivenciar menos desses problemas sociais. Para um estudo aprofundado sobre isso, veja FLAVIN, Patrick, PACEK, Alexander C. e RADCLIFF, Benjamin. "Assessing the Impact of the Size and Scope of Government on Human Well-Being", *Social Forces* (junho de 2014). Disponível em: http://sf.oxfordjournals.org/content/92/4/1241.

[24] DE NEVE, Jan-Emmanuel e POWDTHAVEE, Nattavudh. "Income Inequality Makes Whole Countries Less Happy", *Harvard Business Review* (12 de janeiro de 2016). Disponível em: https://hbr.org/2016/01/income-inequality-makes-whole-countries-less-happy.

[25] Veja Mateus 26:11, Marcos 14:7 e João 12:8.

[26] Apud BADGER, Emily. "Hunger Makes People Work Harder, and Other Stupid Things We Used to Believe About Poverty", *Atlantic Cities* (17 de julho de 2013). Disponível em: http://www.theatlanticcities.com/jobs-andeconomy/2013/07/hunger-makes-people-work-harder-and-other-stupid-things-we-used-believe-about--poverty/6219/.

[27] DE MANDEVILLE, Bernard. *The Fable of the Bees, or, Private Vices, Public Benefits* (1714).

[28] JOHNSON, Samuel. Carta a James Boswell, 7 de dezembro de 1782.

[29] Apud DRAKE, Kerry. "Wyoming can give homeless a place to live, and save money", *Wyofile* (3 de dezembro de 2013). Disponível em: http://www.wyofile.com/column/wyoming-homelessness-place-live-save-money/.

[30] Um estudo na Flórida demonstrou que uma pessoa que vive na rua custa anualmente 31 mil dólares, enquanto oferecer a ela uma casa e um assistente social custaria ao Estado apenas 10 mil dólares. Um estudo do Colorado calculou esses custos em 43 mil dólares contra 17 mil dólares por ano. Veja SANTICH, Kate. "Cost of homelessness in Central Florida? $31K per person", *Orlando Sentinel* (21 de maio de 2014). Disponível em: http://articles.orlandosentinel.com/2014-05-21/news/os-cost-of-homelessness-orlando-20140521_1_homeless-individuals-central-florida-commission-tulsa. KEYES, Scott. "Colorado Proves Housing the Homeless Is Cheaper Than Leaving Them on the Streets", *Think Progress* (5 de setembro de 2013). Disponível em: http://thinkprogress.org/economy/2013/09/05/2579451/coloradohomeless-shelter.

[31] Malcolm Gladwell escreveu um ensaio brilhante sobre isso. Disponível em: http://gladwell.com/million-dollar-murray.

[32] KOOIJMAN, Birgit. "Rotterdam haalt daklozen in huis", *Binnenlands Bestuur* (28 de agosto de 2009). Disponível em: http://www.binnenlandsbestuur.nl/sociaal/achtergrond/achtergrond/rotterdam-haalt-daklozen-inhuis.127589.lynkx.

[33] Plan van aanpak Maatschappelijke Opvang Fase II, "Van de straat naar een thuis". Disponível em: http://www.utrecht.nl/fileadmin/uploads/documenten/5.sociaal--maatschappelijk/Zorg_voor_sociaal_kwetsbaren/ocw_Plan_van_Aanpak_MO_fase2_samenvatting_1_.pdf.

[34] Em 2006, havia cerca de 10 mil moradores de rua nas quatro maiores cidades, de acordo com o Plano de Ação. Em 2009, o número deles caiu para cerca de 6.500, mas em 2012 ricocheteou para 12.400. Veja Statistics Netherlands Statline. "Daklozen; persoonskenmerken". Disponível em: http://statline.cbs.nl/StatWeb/publication/?VW=T&DM=SLNL&PA=80799NED&LA=L.

[35] CEBEON. "Kosten en baten van Maatschappelijke opvang. Bouwstenen voor e ectieve inzet van publieke middelen" (2011). Disponível em: http://www.opvang.nl/site/item/kosten-en-baten-van-maat-schappe-lijke-opvang-bouwstenen-voor-effectieve.

[36] NEATE, Ruper. "Scandal of Europe's 11m empty homes", *The Guardian* (23 de fevereiro de 2014). Disponível em: http://www.theguardian.com/society/2014/feb/23/europe-11m-empty-properties-enough-house-homeless-continent-twice.

[37] BRONSON, Richard. "Homeless and Empty Homes – An American Travesty", *Huffington Post* (24 de agosto de 2010). Disponível em: http://www.huffingtonpost.com/richard-skip-bronson/post_733_b_692546.html.

[38] Apud STOEHR, John. "The Answer to Homelessness", *American Conservative* (20 de março de 2014). Disponível em: http://www.theamericanconservative.com/articles/the-answer-to-homelessness.

[39] Apud VELASQUEZ-MANOFF, Moises, op. cit.

CAPÍTULO 4: A HISTÓRIA BIZARRA DO PRESIDENTE NIXON
E SEU PROJETO DE RENDA BÁSICA

[1] O escritor britânico L. P. Hartley (1895-1972) em seu romance de 1953, *O mensageiro* (Nacional, 2003).

[2] STEENSLAND, Brian. *The Failed Welfare Revolution. America's Struggle Over Guaranteed Income Policy*. Princeton: Princeton University Press, 2008, p. 93.

[3] Ibid., p. 96.

[4] Ibid., p. 115.

[5] PASSELL, Peter e ROSS, Leonard. "Daniel Moynihan and President Elect Nixon: How charity didn't begin at home", *The New York Times* (14 de janeiro de 1973). Disponível em: http://www.nytimes.com/books/98/10/04/specials/moynihan-income.html.

[6] Ibid.

[7] Um estudo recente conduzido pela Universidade Johns Hopkins revelou que, nos últimos 30 anos, o Estado do bem-estar social americano tem se concentrado cada vez mais nos "pobres ricos" – pessoas que têm emprego, são casadas ou são idosas e consideradas mais "merecedoras" de assistência. Como consequência disso, as condições para as famílias realmente mais pobres, a maioria delas sem pai presente, pioraram 35% desde 1983. Em 2012, quase 1,5 milhão de lares, incluindo 2,8 milhões de crianças, estavam vivendo na "pobreza extrema", com menos de 2 dólares por dia por pessoa. Veja THOMPSON, Gabriel. "Could You Survive on $2 a Day?", *Mother Jones* (13 de dezembro de 2012). Disponível em: http://www.motherjones.com/politics/2012/12/extreme-poverty-unemployment-recession-economy-fresno.

[8] *Reading Mercury* (11 de maio de 1795). Disponível em: http://www1.umassd.edu/ir/resources/poorlaw/p1.doc.

[9] Veja MALTHUS, Thomas. *Ensaio sobre a população*, de 1798. Rio de Janeiro: Nova Cultural, 1996. Disponível em: http://www.esp.org/books/malthus/population/malthus.pdf.

[10] Para simplificar, eu me referi a David Ricardo como "economista", mas em sua época ele era considerado um "economista político". Como explica o capítulo sobre o PIB, economistas modernos são uma invenção do século XX.

[11] *Report from His Majesty's Commissioners for Inquiring into the Administration and Practical Operation of the Poor Laws* (1834), pp. 257-261. Disponível em: http://www.victorianweb.org/history/poorlaw/endallow.html.

[12] Mas Polanyi tinha uma interpretação diferente de seus precursores sobre aquele fracasso ostensivo. Ele acreditava que o sistema de Speenhamland havia deprimido os salários por ter minado a ação coletiva dos trabalhadores.

[13] HILTON, Boyd. *A Mad, Bad & Dangerous People? England 1783-1846*. Oxford: Clarendon Press, 2006, p. 594.

[14] BLOCK, Fred e SOMERS, Margaret. "In the Shadow of Speenhamland: Social Policy and the Old Poor Law", *Politics & Society* (junho de 2003), p. 287.

[15] Em Bangladesh, por exemplo, as mulheres ainda tinham em média sete filhos em 1970, dos quais um quarto morria antes dos 5 anos. Hoje, as mulheres desse país têm em média apenas dois filhos e a mortalidade infantil caiu para 4%. Em todo o mundo, assim que a pobreza decresce, a mortalidade infantil segue a tendência e, ao mesmo tempo, o crescimento populacional diminui.

[16] COPPOLA, Frances. "An Experiment With Basic Income", *Pieria* (12 de janeiro de 2014). Disponível em: http://www.pieria.co.uk/articles/an_experiment_with_basic_income. Veja também TRATTNER, Walter I. *From Poor Law to Welfare State. A History of Social Welfare in America*. Nova York: Free Press, 1999, pp. 48-49.

[17] HILTON, Boyd. Op. cit., p. 592.

[18] O padrão-ouro é um sistema monetário no qual o valor do dinheiro é baseado numa quantidade fixa de ouro. O retorno ao valor pré-guerra da libra em 1819 causou deflação (a libra passou a valer mais). Isso foi uma ótima notícia para aqueles que já tinham muito dinheiro, mas não para o resto da Grã-Bretanha. O preço do trigo continuou caindo, fazendeiros tinham cada vez mais dificuldade de obter empréstimos e o desemprego disparou. Cem anos depois, Keynes compreendeu que os governos ocidentais estavam repetindo o erro de Ricardo quando continuaram a manter o padrão-ouro após a Grande Depressão. Isso se repetiu depois da crise financeira de 2008, com a Europa se agarrando a um euro que, para os países do sul do continente, era como um padrão-ouro (como não podiam desvalorizar sua moeda, sua posição competitiva se deteriorou e o desemprego explodiu). Assim como em 1834, muitos políticos em 1930 e 2010 atribuíram as consequências dessa política macroeconômica (pobreza, desemprego, etc.) a uma suposta preguiça dos trabalhadores e ao que consideravam uma generosidade excessiva do Estado do bem-estar social.

[19] HOLDERNESS, B. A. "Prices, Productivity and Output", in *The Agrarian History of England and Wales*, vol. 6: 1750-1850. Cambridge: Cambridge University Press, 1989, p. 140.

[20] HANLON, Joseph et al. Op. cit., p. 17-18.

[21] BLOCK e SOMERS. "In the Shadow of Speenhamland", p. 312.

[22] BLAUG, Mark. "The Poor Law Report Reexamined", *Journal of Economic History* (junho de 1964), pp. 229-245. Disponível em: http://journals.cambridge.org/action/displayAbstract?fromPage=online&aid=7548748.

[23] HANLON et al. Op. cit., pp. 16-17.

[24] No mesmo ano, a historiadora Gertrude Himmelfarb publicou *The Idea of Poverty*, no qual ela também reciclou as críticas de Malthus, Bentham e de Tocqueville ao sistema de Speenhamland.

[25] BRUENIG, Matt. "When pundits blamed white people for a 'culture of poverty'", *The Week* (1º de abril de 2014). Disponível em: http://theweek.com/article/index/259055/when-pundits-blamed-white-people-for-a-culture-of-poverty.

[26] "Estou chocado em ver esses resultados e dizer que nós, cientistas, estávamos erra-

dos", disse Moynihan ao Congresso. Uma das razões pelas quais ele, um republicano conservador, sempre acreditou numa renda básica é que ela reforçaria a instituição do casamento. Veja LEVINE, R. A. "A Retrospective on the Negative Income Tax Experiments: Looking Back at the Most Innovative Field Studies in Social Policy", USBIG Discussion Paper (junho de 2004). Disponível em: http://www.usbig.net/papers/086--Levine-et-al-NIT-session.doc.

[27] Apud STEENSLAND. *The Failed Welfare Revolution*, p. 216.

[28] EHRENREICH, Barbara. "Rediscovering Poverty: How We Cured 'The Culture of Poverty', Not Poverty Itself", *Economic Hardship Project* (15 de março de 2012). Disponível em: http://www.tomdispatch.com/blog/175516/tomgram%3A_barbara_ehrenreich,_american_poverty,_50_years_later/.

[29] STONE, Austin. "Welfare: Moynihan's Counsel of Despair", *First Things* (março de 1996). Disponível em: http://www.firstthings.com/article/1996/03/001-welfare-moynihans-counsel-of-despair.

[30] MOYNIHAN, Daniel Patrick. "Speech on Welfare Reform" (16 de setembro de 1995). Disponível em: http://www.j-bradford-delong.net/politics/danielpatrickmoynihansspee.html.

[31] Além disso, o plano de Nixon, uma vez implementado, seria muito difícil de ser revertido no futuro, pois logo obteria amplo apoio popular. "Novas políticas criam uma nova política", escreve Steensland em *The Failed Welfare Revolution*, p. 220.

[32] Ibid., p. 226.

[33] Ibid., p. x.

[34] Numa grande metanálise de 93 programas europeus, nenhum efeito negativo foi encontrado em pelo menos metade deles. Veja BUTTER, Frans den e MIHAYLOV, Emil. "Activerend arbeidsmarktbeleid is vaak niet e ectief", ESB (abril de 2008). Disponível em: http://personal.vu.nl/f.a.g.den.butter/activerendarbmarktbeleid2008.pdf.

[35] KASTORYANO, Stephen e KLAAUW, Bas van der. "Dynamic Evaluation of Job Search Assistance", *IZA Discussion Papers* (15 de junho de 2011). Disponível em: http://www.roa.nl/seminars/pdf2012/BasvanderKlaauw.pdf.

[36] E é cinismo muitas vezes não permitirem que beneficiários realizem um trabalho gratificante em troca de receber essa assistência porque isso levaria a menos empregos remunerados.

[37] PADFIELD, Deborah. "Through the eyes of a benefits adviser: a plea for a basic income", *Open Democracy* (5 de outubro de 2011). Disponível em: http://www.opendemocracy.net/ourkingdom/deborah-padfield/through-eyes-of-benefits-adviser-plea-for-basic-income.

[38] GRAEBER, David. "On the Phenomenon of Bullshit Jobs", *Strike! Magazine* (17 de agosto de 2013). Disponível em: http://www.strikemag.org/bullshit-job.

CAPÍTULO 5: NOVOS NÚMEROS PARA UMA NOVA ERA

[1] WEBB, Tim. "Japan's economy heads into freefall after earthquake and tsunami", *The Guardian* (13 de março de 2011). Disponível em: http://www.theguardian.com/world/2011/mar/13/japan-economy-recession-earthquake-tsunami.

[2] KNIBBE, Merijn. "De bestedingsgevolgen van de watersnoodramp: een succesvolle 'Keynesiaanse' schok", *Lux et Veritas* (1º de abril de 2013). Disponível em: http://www.luxetveritas.nl/blog/?p=3006.

[3] BASTIAT, Frédéric. "Ce qu'on voit et ce qu'on ne voit pas" (1850). Disponível em: http://bastiat.org/en/twisatwins.html.

[4] Apud COYLE, Diane. *GDP. A Brief But Affectionate History*. Princeton: Princeton University Press, 2014, p. 106.

[5] OCDE (2011). "Cooking and Caring, Building and Repairing: Unpaid Work around the World", *Society at a Glance*. 2011, p. 25. Disponível em: http://www.oecd-ilibrary.org/social-issues-migration-health/society-at-a-glance-2011/cooking-and-caring--building-and-repairing_soc_glance-2011-3-en.
Veja também COYLE. Op. cit., p. 109.

[6] COYLE. Op. cit., p. 108.

[7] SMITH, J. P. "'Lost milk?': Counting the economic value of breast milk in gross domestic product", *Journal of Human Lactation* (novembro de 2013). Disponível em: http://www.ncbi.nlm.nih.gov/pubmed/23855027.

[8] Segundo o Instituto Internacional para Estudos Estratégicos, a China teve 112 bilhões de dólares em gastos militares no ano de 2013.

[9] Estatísticos realmente tentam considerar em seu cálculo os avanços em produtos, mas isso é extremamente difícil de fazer. Aprimoramentos em alguns aparelhos, desde lâmpadas a computadores, são minimamente refletidos no PIB. Veja COYLE, Diane. *The Economics of Enough. How to Run the Economy as if the Future Matters*. Princeton: Princeton University Press, 2012, p. 37.

[10] QUIGLEY, Robert. "The Cost of a Gigabyte Over the Years", *Geeko-system* (8 de março de 2011). Disponível em: http://www.geekosystem.com/gigabyte-cost-over-years.

[11] BRYNJOLFSSON, Erik e MCAFEE, Andrew. *A segunda era das máquinas*. Rio de Janeiro: Alta Books, 2015.

[12] COBB, Clifford, HALSTEAD, Ted e ROWE, Jonathan. "If the GDP is Up, Why is America Down?", *Atlantic Monthly* (outubro de 1995). Disponível em: http://www.theatlantic.com/past/politics/ecbig/gdp.htm.

[13] ROWE, Jonathan. "The Gross Domestic Product". Testemunho diante do Comitê de Comércio, Ciência e Transporte do Senado americano (12 de março de 2008). Disponível em: http://jonathanrowe.org/the-gross-domestic-product.

[14] Se o cálculo do PIB fosse corrigido por isso, a parcela do setor financeiro cairia entre 20% e 50%. Veja COYLE, *GDP*, p. 103.

[15] PILLING, David. "Has GDP outgrown its use?", *Financial Times* (4 de julho de 2014). Disponível em: http://www.ft.com/intl/cms/s/2/dd2ec158-023d-11e4-ab5b-00144feab7de.html–axzz39szhgwni.

[16] Apud European Systemic Risk Board, "Is Europe Overbanked?" (junho de 2014), p. 16.

[17] WILDE, Oscar. *A alma do homem sob o socialismo* (1891). Porto Alegre: L&PM, 2003.

[18] Apud COYLE. *GDP*, p. 10.

[19] Apud LANDEFELD, J. Steven. "GDP: One of the Great Inventions of the 20th Century", Bureau of Economic Analysis. Disponível em: http://www.bea.gov/scb/account_articles/general/0100od/maintext.htm.

[20] ROSSEM, Maarten van. *Drie Oorlogen. Een kleine geschiedenis van de 20e eeuw* (2008), p. 120.

[21] Apud LANDEFELD. "GDP: One of the Great Inventions of the 20th Century".

[22] SHENK, Timothy. "The Long Shadow of Mont Pèlerin", *Dissent* (outono 2013). Disponível em: http://www.dissentmagazine.org/article/the-long-shadow-of-mont-pelerin.

[23] Apud GOLDSTEIN, Jacob. "The Invention of 'The Economy'", *Planet Money* (28 de fevereiro de 2014). Disponível em: http://www.npr.org/blogs/money/2014/02/28/283477546/the-invention-of-the-economy.

24 COYLE. *GDP*, p. 25.

25 Ouça o discurso em que Kennedy falou isso. Disponível em: https://www.youtube.com/watch?v=5P6b9688K2g.

26 MILL, John Stuart. *Utilitarismo* (1863). São Paulo: Iluminuras, 2000, Capítulo 2.

27 WILDE, Oscar. Peça de teatro *Uma mulher sem importância* (1893), Segundo Ato.

28 Veja: BAUMOL, William. *The Cost Disease. Why Computers Get Cheaper and Health Care Doesn't* (2012).

29 Houve tentativas, claro. Por exemplo, na educação, com testes padronizados usando questões de múltipla escolha, aulas on-line e salas de aula maiores para mais alunos. Mas esses ganhos de eficiência vêm com o custo da perda de qualidade.

30 STEED, Susan e KERSLEY, Helen. "A Bit Rich: Calculating the Real Value to Society of Different Professions", *New Economics Foundation* (14 de dezembro de 2009). Disponível em: http://www.neweconomics.org/publications/entry/a-bit-rich.

31 KELLY, Kevin. "The Post-Productive Economy", *Technium* (1º de janeiro de 2013). Disponível em: http://kk.org/thetechnium/2013/01/the-post-produc.

32 KUZNETS, Simon. "National Income, 1929–1932", *National Bureau of Economic Research* (7 de junho de 1934). Disponível em: http://www.nber.org/chapters/c2258.pdf.

33 COYLE. *GDP*, p. 14.

34 KUZNETS, Simon. "How to Judge Quality", *The New Republic* (20 de outubro de 1962).

CAPÍTULO 6: UMA JORNADA SEMANAL DE 15 HORAS

1 KEYNES, John Maynard. "Economic Possibilities for our Grandchildren" (1930), *Essays in Persuasion*. Disponível em: http://www.econ.yale.edu/smith/econ116a/keynes1.pdf.

2 MILL, John Stuart. *Princípios de economia política com algumas de suas aplicações à filosofia social* (1848). São Paulo: Nova Cultural, 1996. Disponível em: http://www.econlib.org/library/Mill/mlP61.html.

3 Citado do ensaio de Bertrand Russell *O elogio ao ócio*, de 1932. Rio de Janeiro: Sextante, 2002. Disponível em: http://www.zpub.com/notes/idle.html.

4 HUNNICUTT, Benjamin Kline. "The End of Shorter Hours", *Labor History* (verão de 1984), pp. 373-404.

5 Ibid.

6 CROWTHER, Samuel. "Henry Ford: Why I Favor Five Days' Work With Six Days' Pay", *World's Work*. Disponível em: https://en.wikisource.org/wiki/HENRY_FORD:Why_I_Favor_Five_Days'_Work_With_Six_Days'_Pay.

7 SIMMS, Andrew e CONISBEE, Molly. "National Gardening Leave". In: COOTE, Anna e FRANKLIN, Jane (eds.). *Time on Our Side. Why We All Need a Shorter Workweek*. Londres: New Economics Foundation, 2013, p. 155.

8 "Nixon Defends 4-Day Week Claim", *Milwaukee Sentinel* (25 de setembro de 1956).

9 COHEN, Jared. *Human Robots in Myth and Science*. Nova York: A. S. Barnes,1966.

10 RUSKIN, Hillel (ed.). *Leisure. Toward a Theory and Policy*. Nova Jersey: Associated University Press, 1984, p. 152.

11 ASIMOV, Isaac. "Visit to the World's Fair of 2014", *The New York Times* (16 de agosto de 1964). Disponível em: http://www.nytimes.com/books/97/03/23/lifetimes/asi-v-fair.html.

12 Apud AKST, Daniel. "What Can We Learn from Past Anxiety Over Automation?", *Wilson Quarterly* (verão de 2013). Disponível em: http://wilsonquarterly.com/quar-

terly/summer-2014-where-have-all-the-jobs-gone/theres-much-learn-from-past-
-anxiety-over-automation/.

[13] Essa cena de *Os Jetsons* foi no episódio 19 da primeira temporada da série.

[14] Apud NOVAK, Matt. "50 Years of the Jetsons: Why the Show Still Matters", *Smith-sonian* (19 de setembro de 2012). Disponível em: http://www.smithsonianmag.com/history/50-years-of-the-jetsons-why-the-show-still-matters-43459669/.

[15] LEE, Sangheon, McCANN, Deirdre e MESSENGER, Jon C. *Working Time Around the World. Trends in Working Hours, Laws and Policies in a Global Comparative Perspective* (2007). Disponível em: http://www.ilo.org/wcmsp5/groups/public/@dgreports/@dcomm/@publ/documents/publication/wcms_104895.pdf.

[16] REPORTS, Rasmussen. "Just 31% Work a 40-Hour Week" (13 de dezembro de 2013). Disponível em: http://www.rasmussenreports.com/public_content/lifestyle/general_lifestyle/december_2013/just_31_work_a_40_hour_week.

[17] Redação do *The Wall Street Journal. Here Comes Tomorrow! Living and Working in the Year 2000* (1967).

[18] ROSIN, Hanna. "The End of Men", *Atlantic* (julho/agosto 2010). Disponível em: http://www.theatlantic.com/magazine/archive/2010/07/the-end-of-men/308135/2/.

[19] New Economics Foundation. *21 Hours. Why a Shorter Working Week Can Help Us All to Flourish in the 21st Century*, p. 10. Disponível em: http://www.neweconomics.org/publications/entry/21-hours.

[20] Apud SCHÖTTELNDREIER, Mirjam. "Nederlanders leven vooral om te werken", *De Volkskrant* (29 de janeiro de 2001).

[21] COHN, D'Vera. "Do Parents Spend Enough Time With Their Children?", *Population Reference Bureau* (janeiro de 2007). Disponível em: http://www.prb.org/Publications/Articles/2007/DoParentsSpendEnoughTimeWithTheirChildren.aspx.

[22] ROSEN, Rebecca. "America's Workers: Stressed Out, Overwhelmed, Totally Exhaus-ted", *Atlantic* (março de 2014). Disponível em: https://www.theatlantic.com/business/archive/2014/03/americas-workers-stressed-out-overwhelmed-totally-
-exhausted/284615/.

[23] Instituto de Pesquisa Social da Holanda. *Nederland in een dag. Tijdsbesteding in Nederland vergeleken met die in vijftien andere Europese landen* (2011).

[24] Pesquisa Nacional Holandesa sobre Condições de Trabalho (2012). Disponível em: http://www.monitorarbeid.tno.nl/dynamics/modules/SFIL0100/view.php?fil_Id=53.

[25] THOMPSON, Derek. "Are We Truly Overworked? An Investigation – In 6 Charts", *Atlantic* (junho de 2013). Disponível em: http://www.theatlantic.com/magazine/archive/2013/06/are-we-truly-overworked/309321/.

[26] JA-YOUNG, Yoon. "Smartphones leading to 11 hours' extra work a week", *Korea Times*. Disponível em: http://www.koreatimes.co.kr/www/news/biz/2016/06/488_207632.html.

[27] Esses cálculos foram feitos usando o website http://www.gapminder.org.

[28] Apud PLEIJ, Herman. *Dromen van Cocagne. Middeleeuwse fantasieën over het volmaakte leven*. Amsterdã: Prometheus, 1997, p. 49.

[29] SCHOR, Juliet. *The Overworked American. The Unexpected Decline of Leisure*. Nova York: Basic Books, 1992, p. 47. Vale notar que nossos ancestrais caçadores e coletores provavelmente trabalhavam até menos. Arqueólogos estimam que a jornada de trabalho semanal deles era no máximo de 20 horas.

[30] HUNNICUTT, Benjamin Kline. *Kellogg's Six-Hour Day*. Filadélfia: Temple University Press, 1996, p. 35.

[31] Em sua obra clássica, *A riqueza das nações*, Adam Smith escreveu: "O homem que trabalha tão moderadamente de forma que é capaz de trabalhar constantemente não só preserva sua saúde por mais tempo como também, ao longo do ano, executa a maior quantidade de trabalhos."

[32] HUNNICUTT, Benjamin Kline. Op. cit., p. 62.

[33] A jornada de trabalho na Kellogg's voltou às oito horas diárias por um breve período durante a Segunda Guerra, mas depois disso uma grande maioria de seus empregados retomou a jornada de seis horas; só quando os gerentes da fábrica de sucrilhos Kellogg's passaram a ter autoridade para estabelecer os horários de trabalho é que, um a um, eles elevaram a jornada para oito horas novamente. Mas, de acordo com o professor Benjamin Kline Hunnicutt, da Universidade de Iowa, foi principalmente a pressão externa de trabalhar e consumir igual aos amigos e vizinhos que acabou minando a jornada de seis horas na empresa. No entanto, foi somente em 1985 que os últimos 530 trabalhadores dos sucrilhos abriram mão de seus turnos de seis horas.

[34] New Economics Foundation. *21 Hours*, p. 11.

[35] Uma análise recente de experiências com trabalho independente desde o início do século XX concluiu que autonomia e controle são muito mais significativos do que o número de horas trabalhadas. Pessoas que podem organizar o próprio horário são mais motivadas e atingem melhores resultados. Veja MAYNARD, M. Travis, GILSON, Lucy L. e MATHIEU, John E. "Empowerment – Fad or Fab? A Multilevel Review of the Past Two Decades of Research", *Journal of Management* (julho de 2012). Disponível em: http://jom.sagepub.com/content/38/4/1231.

[36] ROBINSON, Sara. "Bring back the 40-Hour work week", *Salon* (14 de março de 2012). Disponível em: http://www.salon.com/2012/03/14/bring_back_the_40_hour_work_week.

[37] Para ter uma visão geral, veja ASHFORD, Nicholas e KALLIS, Giorgos. "A Four-day Workweek: A Policy for Improving Employment and Environmental Conditions in Europe", *European Financial Review* (abril de 2013). Disponível em: http://www.europeanfinancialreview.com/?p=902.

[38] KROLL, Christian e POKUTTA, Sebastian. "Just a Perfect Day? Developing a Happiness Optimised Day Schedule", *Journal of Economic Psychology* (fevereiro de 2013). Disponível em: http://www.sciencedirect.com/science/article/pii/S0167487012001158.

[39] ROSNICK, David. *Reduced Work Hours as a Means of Slowing Climate Change*. Center for Economic and Policy Research. Disponível em: http://www.cepr.net/documents/publications/climate-change-workshare-2013-02.pdf.

[40] KNIGHT, Kyle, ROSA, Eugene A. e SCHOR, Juliet B. "Reducing Growth to Achieve Environmental Sustainability: The Role of Work Hours". Disponível em: http://www.peri.umass.edu/fileadmin/pdf/working_papers/working_papers_301--350/4.2KnightRosaSchor.pdf.

[41] Um estudo demonstrou que residentes de hospital cometem cinco vezes mais erros de diagnóstico quando trabalham em jornadas excessivamente longas numa semana em comparação com as jornadas semanais normais. LANDRIGAN, Christopher P. et al. "Effect of Reducing Interns' Work Hours on Serious Medical Errors in Intensive Care Units", *New England Journal of Medicine* (outubro de 2004). Disponível em: http://www.nejm.org/doi/full/10.1056/nejmoa041406. Também há uma montanha de pesquisas comprovando que trabalhar demais faz mal à saúde. Veja a metanálise em SPARKS, Kate et al. "The Effects of Hours of Work on Health: A Meta-Analytic Re-

view", *Journal of Occupational and Organizational Psychology* (agosto de 2011). Disponível em: http://onlinelibrary.wiley.com/doi/10.1111/j.2044-8325.1997.tb00656.x/abstract.

[42] MESSENGER, Jon C. e GHOSHEH, Naj. "Work Sharing during the Great Recession" (Organização Internacional do Trabalho). Disponível em: http://www.ilo.org/wcmsp5/groups/public/---dgreports/---dcomm/---publ/documents/publication/wcms_187627.pdf.

[43] Na Alemanha, que saiu da crise mais forte que o restante da Europa, isso salvou centenas de milhares de empregos. Veja também ASHFORD, Nicholas e KALLIS, Giorgos. "A Four-day Workweek". Disponível em: http://www.europeanfinancialreview.com/?p=902.

[44] KOTSADAM, Andreas e FINSERAAS, Henning. "The State Intervenes in the Battle of the Sexes: Causal Effects of Paternity Leave", *Social Science Research* (novembro de 2011). Disponível em: http://www.sciencedirect.com/science/article/pii/S0049089X11001153.

[45] PATNAIK, Ankita. "Merging Spheres: The Role of Policy in Promoting Dual-Earner Dual-Carer Households", Population Association of America 2014 Annual Meeting. Disponível em: https://www.researchgate.net/publication/255698124_Merging_Separate_Spheres_The_Role_of_Policy_in_Promoting_'Dual-Earner_Dual-Carer'_Households.

[46] BREGMAN, Rutger. "Zo krijg je mannen achter het aanrecht", *De Correspondent*. Disponível em: https://decorrespondent.nl/685/Zo-krijg-je-mannen-achter-het--aanrecht/26334825-a492b4c6.

[47] EBDRUP, Niels. "We Should Only Work 25 Hours a Week, Argues Professor", *Science Nordic* (3 de fevereiro de 2013). Disponível em: http://sciencenordic.com/we-should--only-work-25-hours-week-argues-professor.

[48] RAUCH, Erik. "Productivity and the Workweek". Disponível em: http://groups.csail.mit.edu/mac/users/rauch/worktime.

[49] Para uma visão mais ampla das atitudes em vários países, veja SKIDELSKY, Robert e SKIDELSKY, Edward. *Quanto é suficiente? O amor pelo dinheiro e a defesa da vida boa*. Rio de Janeiro: Civilização Brasileira, 2017.

[50] Veja um panorama geral em GERSHUNY, Jonathan e FISHER, Kimberly. "Post--Industrious Society: Why Work Time Will Not Disappear for Our Grandchildren", *Sociology Working Papers* (abril de 2014). Disponível em: http://www.sociology.ox.ac.uk/working-papers/post-industrious-society-why-work-time-will-not-disappear--for-our-grandchildren.html.

[51] LAYARD, Richard. *Felicidade – lições de uma nova ciência*. Rio de Janeiro: Best Seller, 2008. Veja também: PECK, Don. "How a New Jobless Era Will Transform America", *Atlantic* (março de 2010). Disponível em: http://www.theatlantic.com/magazine/archive/2010/03/how-a-new-jobless-era-will-transform-america/307919/.

[52] SCHOR, Juliet. "The Triple Dividend". In: COOTE Anna e FRANKLIN, Jane (orgs.). *Time on Our Side. Why We All Need a Shorter Workweek* (2013), p. 14.

[53] HONORÉ, Carl. *Devagar: como um movimento mundial está desafiando o culto à velocidade*. Rio de Janeiro: Record, 2007, Capítulo 8.

[54] SCHOR. *The Overworked American*, p. 66.

[55] Considere os custos de treinamento, planos de aposentadoria, seguro-desemprego e saúde (o último, principalmente nos Estados Unidos). Muitos países viram esses

custos "não variantes por hora" subirem nos últimos anos. Veja SCHOR. "The Triple Dividend", p. 9.

56 COMPANY, Nielsen. "Americans Watching More TV Than Ever". Disponível em: http://www.nielsen.com/us/en/insights/news/2009/americans-watching-more-tv-than-ever.html. Veja também http://www.statisticbrain.com/television-watching-statistics.

57 RUSSELL Bertrand. *O elogio ao ócio*. Rio de Janeiro: Sextante, 2002.

CAPÍTULO 7: POR QUE NÃO VALE A PENA TRABALHAR EM BANCO

1 Esse relato da greve é baseado na cobertura do *The New York Times* da época.

2 "Fragrant Days in Fun City", *Time* (16 de fevereiro de 1968).

3 Embora oficialmente houvesse apenas 12.281 lobistas registrados em Washington em 2014, isso não corresponde à realidade, porque cada vez mais lobistas operam clandestinamente. FANG, Lee. "Where Have All the Lobbyists Gone?", *Nation* (19 de fevereiro de 2014). Disponível em: http://www.thenation.com/article/shadow--lobbying-complex/.

4 ARCAND, Jean-Louis, BERKES, Enrico e PANIZZA, Ugo. "Too Much Finance?", *IMF Working Paper* (junho de 2012).

5 CUMMINGS, Scott L. (org.). *The Paradox of Professionalism. Lawyers and the Possibility of Justice*. Cambridge: Cambridge University Press, 2011, p. 71.

6 DIJKHUIZEN, Aalt. "Hoogproductieve en effciënte landbouw: een duurzame greep!?" (março de 2013). Disponível em: https://www.wur.nl/upload_mm/a/3/9/351079e2-0a56-41ff-8f9c-ece427a42d97_NVTL%20maart%202013.pdf.

7 HAQUE, Umair. "The Irish Banking Crisis: A Parable", *Harvard Business Review* (29 de novembro de 2010).

8 CROTTY, Ann. "How Irish pubs filled the banks' role in 1970", *Business Report* (18 de setembro de 2013).

9 MURPHY, Antoin. "Money in an Economy Without Banks – The Case of Ireland", *Manchester School* (março de 1978), pp. 44-45.

10 BUCKLEY, Donal. "How six-month bank strike rocked the nation", *Independent* (28 de dezembro de 1999).

11 HAQUE. "The Irish Banking Crisis: A Parable".

12 BOOTLE, Roger. "Why the economy needs to stress creation over distribution", *Telegraph* (17 de outubro de 2009).

13 KEYNES, John Maynard. "Economic Possibilities for our Grandchildren" (1930), *Essays in Persuasion*. Disponível em: http://www.econ.yale.edu/smith/econ116a/keynes1.pdf.

14 GRAEBER, David. "On the Phenomenon of Bullshit Jobs", *Strike! Magazine* (17 de agosto de 2013). Disponível em: http://www.strikemag.org/bullshit-job.

15 KLEINKNECHT, Alfred, NAASTEPAD, Ro e STORM, Servaas. "Overdaad schaadt: meer management, minder productiviteitsgroei", *ESB* (8 de setembro de 2006).

16 Veja SCHWARTZ, Tony e PORATZ, Christine. "Why You Hate Work", *The New York Times* (30 de maio de 2014). Disponível em: http://www.nytimes.com/2014/06/01/opinion/sunday/why-you-hate-work.html?_r=1.

17 DAHLGREEN, Will. "37% of British workers think their jobs are meaningless", YouGov (12 de agosto de 2015). Disponível em: https://yougov.co.uk/news/2015/08/12/british-jobs-meaningless.

18 Como vimos no Capítulo 4, uma grande metanálise de 93 programas de "mercado

de trabalho ativo" europeus não encontrou qualquer efeito negativo em pelo menos metade deles. Veja BUTTER, Frans den e MIHAYLOV, Emil. "Activerend arbeidsmarktbeleid is vaak niet e ectief", *ESB* (abril de 2008). Disponível em: http://personal.vu.nl/f.a.g.den.butter/activerendarbmarktbeleid2008.pdf.

[19] THIEL, Peter. "What happened to the future?", *Founders Fund*. Disponível em: http://www.foundersfund.com/the-future.

[20] BAUMOL, William. "Entrepreneurship: Productive, Unproductive, and Destructive", *Journal of Political Economy* (1990), pp. 893-920.

[21] RO, Sam. "Stock Market Investors Have Become Absurdly Impatient", *Business Insider* (7 de agosto de 2012). Disponível em: http://www.businessinsider.com/stock-investor-holding-period-2012-8.

[22] LOCKWOOD, Benjamin, NATHANSON, Charles e WEYL, E. Glen. "Taxation and the Allocation of Talent". Disponível em: http://papers.ssrn.com/sol3/papers.cfm?abstract_id=1324424.

[23] HUSTINX, Stijn. "Iedereen in New York wil vuilnisman worden", *Algemeen Dagblad* (12 de novembro de 2014).

CAPÍTULO 8: COMPETINDO COM AS MÁQUINAS

[1] Categorias de cavalo de acordo com a classificação do Censo Agrícola. *A Vision of Britain through Time*. Disponível em: http://www.visionofbritain.org.uk/unit/10001043/cube/AGCEN_HORSES_1900.

[2] Apud BRYNJOLFSSON, Erik e MCAFEE, Andrew. *A segunda era das máquinas*. Rio de Janeiro: Alta Books, 2015, p. 175.

[3] Apud *Leeds Mercury* (13 de março de 1830).

[4] GREENSTONE, Michael e LOONEY, Adam. "Trends", *Milken Institute Review* (outono de 2011). Disponível em: http://www.milkeninstitute.org/publications/review/2011_7/08-16MR51.pdf.

[5] MOORE, Gordon. "Cramming more components onto integrated circuits", *Electronics Magazine* (19 de abril de 1965). Disponível em: http://web.eng.fiu.edu/npala/eee6397ex/Gordon_Moore_1965_Article.pdf.

[6] Intel. "Excerpts from a Conversation with Gordon Moore: Moore's Law" (2005). Disponível em: http://large.stanford.edu/courses/2012/ph250/lee1/docs/Excepts_A_Conversation_with_Gordon_Moore.pdf.

[7] Em 1965, Moore ainda acreditava que o número de transistores iria dobrar a cada 12 meses. Em 1970, ele ajustou a estimativa para 24 meses. Agora, o número de consenso é 18 meses.

[8] DONOVAN, Arthur e BONNER, Joseph. *The Box That Changed the World: Fifty Years of Container Shipping*. Ubm Global Trade, 2006.

[9] Um artigo na *Atlantic* me fez pensar sobre o surgimento paralelo do chip e do contêiner. Claro, a globalização e o desenvolvimento tecnológico são impossíveis de separar, já que a globalização é possibilitada pelo avanço tecnológico. Veja DAVI, Charles. "The Mystery of the Incredible Shrinking American Worker", *Atlantic* (11 de fevereiro de 2013). Disponível em: http://www.theatlantic.com/business/archive/2013/02/the-mystery-of-the-incredible-shrinking-american-worker/273033/.

[10] A OCDE estima que a tecnologia (principalmente em informática e telecomunicações) seja responsável por 80% do declínio da participação dos salários no PIB. Essa tendência também é evidente em países como China e Índia, onde a participação do trabalho

no PIB também decresceu. Veja também KARABARBOUNIS, Loukas e NEIMAN, Brent. "The Global Decline of the Labor Share", *Quarterly Journal of Economics* (fevereiro de 2014). Disponível em: http://qje.oxfordjournals.org/content/129/1/61.abstract.

[11] FRANK, Robert H. e COOK, Philip J. *Tudo ou nada: uma análise da competição como aspecto negativo na vida das organizações.* São Paulo: Futura, 1996.

[12] SCHEIDEL, Walter e FRIESEN, Steven J. "The Size of the Economy and the Distribution of Income in the Roman Empire", *Journal of Roman Studies* (novembro de 2009). Disponível em: http://journals.cambridge.org/action/displayAbstract?fromPage=online&aid=7246320&fileId=S0075435800000071.

[13] FREDRIKSEN, Kaja Bonesmo. "Income Inequality in the European Union", OECD Working Papers (16 de abril de 2012). Disponível em: http://search.oecd.org/officialdocuments/displaydocument-pdf/?cote=eco/wkp(2012)29&docLanguage=En.

[14] THOMPSON, Derek. "This Is What the Post-Employee Economy Looks Like", *Atlantic* (20 de abril de 2011). Disponível em: http://www.theatlantic.com/business/archive/2011/04/this-is-what-the-post-employee-economy-looks-like/237589/.

[15] Veja o exemplo dos radiologistas: com mais de 10 anos de treinamento, eles são os especialistas médicos mais bem remunerados – mas por quanto tempo continuarão sendo? Logo talvez estejam competindo com scanners de alta tecnologia que podem fazer o mesmo trabalho até melhor que eles e por um centésimo do custo. Advogados já estão enfrentando um problema parecido. Pesquisas que antes exigiam acadêmicos legais bem remunerados para analisar pilhas de documentos jurídicos agora podem ser feitas por computadores, que não sofrem com dores de cabeça ou vista cansada. Uma grande empresa de produtos químicos recentemente usou seu software para analisar o trabalho feito por seu departamento legal nos anos 1980 e 1990; o programa de computador detectou que os advogados estavam corretos em apenas 60% dos casos. "Pense em quanto dinheiro foi gasto para um resultado apenas um pouco melhor que jogar uma moeda para ver se cai cara ou coroa", refletiu um dos ex-advogados. Veja MARKOFF, John. "Armies of Expensive Lawyers, Replaced by Cheaper Software", *The New York Times* (4 de março de 2011). Disponível em: https://www.nytimes.com/2011/03/05/science/05legal.html.

[16] Warren G. Bennis disse isso antes. Apud FISHER, Mark. *The Millionaire's Book of Quotations.* Thorsons, 1991, p. 15.

[17] FREY, Carl Benedikt e OSBORNE, Michael A. "The Future of Employment: How Susceptible Are Jobs to Computerisation?", Oxford Martin School (17 de setembro de 2013). Disponível em: http://www.oxfordmartin.ox.ac.uk/downloads/academic/The_Future_of_Employment.pdf. Para o cálculo da Europa, veja: http://www.bruegel.org/nc/blog/detail/article/1399-chart-of-the-week-54-percent-of-eu-jobs-atrisk-of--computerisation.

[18] MARCUS, Gary. "Why We Should Think About the Threat of Artificial Intelligence", *The New Yorker* (24 de outubro de 2013). Disponível em: http://www.newyorker.com/online/blogs/elements/2013/10/why-we-should-think-about-the-threat-of-artificial--intelligence.html.

[19] CARTER, Susan B. "Labor Force for Historical Statistics of the United States, Millennial Edition" (setembro de 2003). Disponível em: http://economics.ucr.edu/papers/papers04/04-03.pdf.

[20] BROZEN, Yale. "Automation: The Retreating Catastrophe", *Left & Right* (setembro de 1966). Disponível em: https://mises.org/library/automation-retreating-catastrophe.

[21] ROTMAN, David. "How Technology Is Destroying Jobs", *MIT Technology Review* (12 de junho de 2013). Disponível em: http://www.technologyreview.com/featuredstory/515926/how-technology-is-destroying-jobs.

[22] Apud BRYNJOLFSSON e MCAFEE. *A segunda era das máquinas.*

[23] MORRIS, Ian. *Why the West Rules – For Now*. Londres: Profile Books, 2010, p. 495.

[24] Ibid., p. 497.

[25] COYLE, Diane. *GDP. A Brief But Affectionate History*. Princeton: Princeton University Press, 2014, p. 79.

[26] LEVY, Frank e MURNANE, Richard. *The New Division of Labor*. Princeton: Princeton University Press, 2004.

[27] Há indicações de que mesmo os empregos para os profissionais altamente capacitados estão sob pressão desde 2000, levando essas pessoas a ocuparem vagas que exigem menos qualificação. Há cada vez mais profissionais superqualificados em relação a seus empregos. Veja BEAUDRY, Paul, GREEN, David A. e SAND, Ben. "The Great Reversal in the Demand for Skill and Cognitive Tasks", National Bureau of Economic Research (janeiro de 2013). Disponível em: http://www.economics.ubc.ca/files/2013/05/pdf_paper_paul-beaudry-great-reversal.pdf.

[28] WEEL, Bas ter. "Banen in het midden onder druk", CPB Netherlands Bureau for Economic Policy Analysis Policy Brief (junho de 2012). Disponível em: http://www.cpb.nl/sites/default/files/publicaties/download/cpb-policy-brief-2012-06-loonongelijkheid-nederland-stijgt.pdf.

[29] A globalização pode até ter colocado um freio no progresso tecnológico. Afinal, no momento nossas roupas estão sendo produzidas não por braços robóticos de aço ou androides inteligentes, mas sim pelos dedos frágeis de crianças no Vietnã e na China. Para muitas empresas, terceirizar o trabalho para asiáticos ainda sai mais barato que usar robôs. Também pode ser por isso que ainda estejamos esperando que tantos dos sonhos tecnológicos do século XX se materializem. Veja GRAEBER, David. "Of Flying Cars and the Declining Rate of Profit," *The Baffler* (2012).

[30] MCAFEE, Andrew. "Even Sweatshops Are Getting Automated. So What's Left?" (22 de maio de 2014). Disponível em: http://andrewmcafee.org/2014/05/mcafee-nike--automation-labor-technology-globalization/.

[31] JONES, Steven E. *Against Technology. From the Luddites to Neo-Luddism*. Londres: Routledge, 2006, Capítulo 2.

[32] "Leeds Woollen Workers Petition, 1786", *Modern History Sourcebook*. Disponível em: http://www.fordham.edu/halsall/mod/1786machines.asp.

[33] Apud SKIDELSKY, Robert. "Death to Machines?", *Project Syndicate* (21 de fevereiro de 2014). Disponível em: https://www.project-syndicate.org/commentary/robert-skidelsky--revisits-the-luddites--claim-that-automation-depresses-real-wages?barrier=accesspaylog.

[34] WILDE, Oscar. *A alma do homem sob o socialismo* (1891). Porto Alegre: L&PM, 2003.

[35] COWEN, Tyler. *Average Is Over. Powering America Beyond the Age of the Great Stagnation*. Nova York: Plume Books, 2013, p. 23.

[36] Ibid., p. 172.

[37] Apud ACEMOGLU, Daron e ROBINSON, James A. *Por que as nações fracassam: as origens do poder, da prosperidade e da pobreza*. Rio de Janeiro: Campus, 2012.

[38] WILDE, Oscar. *A alma do homem sob o socialismo* (1891). Porto Alegre: L&PM, 2003.

[39] PIKETTY, Thomas. "Save capitalism from the capitalists by taxing wealth", *Financial Times* (28 de março de 2014). Disponível em: http://www.ft.com/intl/cms/s/0/decdd76e-b50e-11e3-a746-00144feabdc0.html-axzz44qTtjlZN.

CAPÍTULO 9: ALÉM DOS PORTÕES DA TERRA DA ABUNDÂNCIA

[1] OCDE. "Aid to developing countries rebounds in 2013 to reach an all-time high" (8 de abril de 2014). Disponível em: http://www.oecd.org/newsroom/aid-to-developing--countries-rebounds-in-2013-to-reach-an-all-time-high.htm.

[2] BARDER, Owen. "Is Aid a Waste of Money?", *Center for Global Development* (12 de maio de 2013). Disponível em: http://www.cgdev.org/blog/aid-waste-money.

[3] BILMES, Linda J. "The Financial Legacy of Iraq and Afghanistan: How Wartime Spending Decisions Will Constrain Future National Security Budgets", Faculty Research Working Paper Series (março de 2013). Disponível em: https://research.hks.harvard.edu/publications/getFile.aspx?Id=923. (Veja também o Capítulo 2.)

[4] Fiz esse cálculo para 2009. Veja OCDE. "Agricultural Policies in OECD Countries" (2009). Disponível em: http://www.oecd.org/tad/agricultural-policies/43239979.pdf.

[5] MOYO, Dambisa. *Dead Aid*. Nova York: Farrar, Straus and Giroux, 2009, p. 39.

[6] Assista à TED Talk de Duflo disponível em: http://www.ted.com/talks/esther_duflo_social_experiments_to_fight_poverty.

[7] Não vemos essa "randomização" no Livro de Daniel. Estudos modernos também são geralmente "duplo cegos," o que significa que nem o médico nem os pacientes sabem quem está tomando qual remédio.

[8] MORABIA, Alfredo. "Pierre-Charles-Alexandre Louis and the evaluation of bloodletting", *Journal of the Royal Society of Medicine* (março de 2006). Disponível em: http://www.ncbi.nlm.nih.gov/pmc/articles/pmc1383766/pdf/0158.pdf.

[9] BENKO, Jessica. "The Hyper-Efficient, Highly Scientific Scheme to Help the World's Poor", *Wired* (11 de dezembro de 2013). Disponível em: http://www.wired.com/2013/11/jpal-randomized-trials/.

[10] GLEWWE, Paul, KREMER, Michael e MOULIN, Sylvie. "Textbooks and Test Scores: Evidence from a Prospective Evaluation in Kenya" (1º de dezembro de 1998). Disponível em: http://www.econ.yale.edu/~egcenter/infoconf/kremer_paper.pdf.

[11] Apud PARKER, Ian. "The Poverty Lab", *The New Yorker* (17 de maio de 2010). Disponível em: http://www.newyorker.com/reporting/2010/05/17/100517fa_fact_parker.

[12] COHEN, Jessica e DUPAS, Pascaline. "Free Distribution or Cost-Sharing? Evidence from a Malaria Prevention Experiment", NBER Working Paper Series (outubro de 2008). Disponível em: http://www.nber.org/papers/w14406.pdf.

[13] Veja BANERJEE, Abhijit, DUFLO, Esther, GLENNERSTER, Rachel e KINNAN, Cynthia. "The miracle of microfinance? Evidence from a randomized evaluation" (30 de maio de 2009). Disponível em: http://economics.mit.edu/files/4162.

O economista e filantropo Jeffrey Sachs também não conseguiu que Duflo comprovasse a eficácia de seu projeto de desenvolvimento sustentável "Millenium Villages", em que 13 regiões da África subsaariana se tornaram pilotos para as ideias dele. Duflo disse que era tarde demais para se fazer um estudo ECR completo sobre o programa e nunca mais Sachs a contactou. Depois, a jornalista Nina Munk, que passou anos pesquisando as Millenium Villages, publicou o resultado de seu trabalho num livro bastante aclamado, em 2013. Seu veredito? O projeto custa uma fortuna e promove poucas melhorias.

[14] BLATTMAN, Christopher e NIEHAUS, Paul. "Show Them the Money: Why Giving Cash Helps Alleviate Poverty", *Foreign Affairs* (maio/junho de 2014). Disponível em: https://www.foreignaffairs.com/articles/show-them-money.

[15] Apud PARKER. "The Poverty Lab".

[16] GURRÍA, Angel. "The global dodgers", *The Guardian* (27 de novembro de 2008). Disponível em: http://www.theguardian.com/commentisfree/2008/nov/27/comment-aid-development-tax-havens.

[17] CLEMENS, Michael. "Economics and Emigration: Trillion-Dollar Bills on the Sidewalk?", Center for Global Development, p. 85. Disponível em: http://www.cgdev.org/sites/default/files/1425376_file_Clemens_Economics_and_Emigration_FINAL.pdf.

[18] Ibid.

[19] KENNAN, John. "Open Borders", National Bureau of Economic Research. Disponível em: http://www.nber.org/papers/w18307.pdf.

[20] Organização Mundial do Trabalho. "Tariff Download Facility". Disponível em: http://tariffdata.wto.org/Default.aspx?culture=en-us.

[21] ANDERSON, Kym e MARTIN, Will. "Agricultural Trade Reform and the Doha Development Agenda", Banco Mundial (maio de 2005). Disponível em: http://elibrary.worldbank.org/doi/abs/10.1596/1813-9450-3607.

[22] CASELLI, Francesco e FEYRER, James. "The Marginal Product of Capital", *FMI*. Disponível em: http://personal.lse.ac.uk/casellif/papers/MPK.pdf. Veja também PRITCHETT, Lant. "The Cliff at the Border". In: KANBUR, Ravi e SPENCE, Michael (orgs.). *Equity and Growth in a Globalizing World* (2010), p. 263. Disponível em: https://sites.hks.harvard.edu/fs/lpritch/Labor%20Mobility%20-%20docs/cliff%20at%20the%20borders_submitted.pdf.

[23] Para a versão original da história de John, veja HUEMER, Michael. "Citizenism and open borders". Disponível em: http://openborders.info/blog/citizenism-and-open-borders.

[24] MILANOVIC, Branko. "Global Income Inequality by the Numbers: in History and Now", World Bank Policy Research Working Paper. Disponível em: http://heyman-center.org/files/events/milanovic.pdf.

[25] KERSLEY, Richard. "Global Wealth Reaches New All-Time High", Credit Suisse. Disponível em: https://publications.credit-suisse.com/tasks/render/file/?fileID=F2425415-DCA7-80B8-EAD989AF9341D47E.

[26] Plataforma de Conhecimento sobre Desenvolvimento Sustentável das Nações Unidas. "A New Global Partnership: Eradicate Poverty and Transform Economies Through Sustainable Development" (2013), p. 4. Disponível em: https://sustainabledevelopment.un.org/content/documents/8932013-05%20-%20HLP%20Report%20-%20A%20New%20Global%20Partnership.pdf.

[27] Fiz esses cálculos usando a ferramenta do website www.givingwhatwecan.org, onde você pode ver como a sua riqueza se compara à da população mundial.

[28] MILANOVIC, Branko. "Global income inequality: the past two centuries and implications for the next century" (outono de 2011). Disponível em: http://www.cnpds.it/documenti/milanovic.pdf.

[29] "Just 8 men own same wealth as half world", Oxfam (16 de janeiro de 2017). Disponível em: https://www.oxfam.org.uk/en/pressroom/pressreleases/2017-01-16/just-8-men-own-same-wealth-half-world.

[30] HOBBES, Nicholas. *Essential Militaria. Facts, Legends, and Curiosities About Warfare Through the Ages* (2004).

[31] MILANOVIC. "Global Income Inequality by the Numbers".

[32] Em 2015, a linha da pobreza para uma pessoa solteira nos Estados Unidos era de cerca de 980 dólares por mês. Já a linha da pobreza segundo o Banco Mundial é de pouco mais de 57 dólares por mês, colocando a linha dos Estados Unidos 17 vezes acima do que é a extrema pobreza no resto do planeta.

[33] CLEMENS, Michael A., MONTENEGRO, Claudio E. e PRITCHETT, Lant. "The Place Premium: Wage Differences for Identical Workers Across the US Border", Harvard Kennedy School (janeiro de 2009). Disponível em: https://dash.harvard.edu/bitstream/handle/1/4412631/Clemens%20Place%20Premium.%20pdf?sequence=1.

[34] A grande maioria das pessoas "ricas" em países pobres, na verdade, não vive em seu país de origem. Quatro em cinco haitianos que ganham acima de 10 dólares por dia e estão incluídos nas estatísticas do Haiti, na verdade, moram nos Estados Unidos. Migrar é a melhor maneira de escapar da pobreza. E mesmo aqueles que ficam para trás se beneficiam: em 2012, imigrantes transferiram 400 bilhões de dólares para seus países de origem – quase quatro vezes mais do que toda a ajuda estrangeira a países pobres combinada.

[35] NOWRASTEH, Alex. "Terrorism and Immigration: A Risk Analysis", *Policy Analysis Cato Institute*. Disponível em: https://www.cato.org/publications/policy-analysis/terrorism-immigration-risk-analysis.

[36] JONES, Nicola. "Study indicates immigration not to blame for terrorism". Disponível em: http://www2.warwick.ac.uk/newsandevents/pressreleases/study_indicates_immigration/.

[37] EWING, Walter, MARTÍNEZ, Daniel E. e RUMBAUT, Rubén G. "The Criminalization of Immigration in the United States", *American Immigration Council Special Report* (julho de 2015). Disponível em: https://www.americanimmigrationcouncil.org/research/criminalization-immigration-united-states.

[38] BELL, Brian, MACHIN, Stephen e FASANI, Francesco. "Crime and Immigration: Evidence from Large Immigrant Waves", *CEP Discussion Paper No. 984*. Disponível em: http://eprints.lse.ac.uk/28732/1/dp0984.pdf.

[39] DRIESSEN, F. M. H. M., DUURSMA, F. e BROEKHUIZEN, J. "De ontwikkeling van de criminaliteit van Rotterdamse autochtone en allochtone jongeren van 12 tot 18 jaar", *Politie & Wetenschap* (2014). Disponível em: https://www.piresearch.nl/files/1683/driessen+e.a.+(2014)+de+ontwikkeling+van+de+criminaliteit+van.pdf.

[40] ENGBERSEN, Godfried, DAGEVOS, Jaco, JENNISSEN, Roel, BAKKER, Linda e LEERKES, Arjen. "Geen tijd verliezen: van opvang naar integratie van asielmigranten", *WRR Policy Brief* (dezembro de 2015). Disponível em: http://www.wrr.nl/publicaties/publicatie/article/geen-tijd-verliezen-van-opvang-naar-integratie-van--asielmigranten-4/.

[41] JONAS, Michael. "The downside of diversity", *The Boston Globe* (15 de agosto de 2007). Disponível em: http://archive.boston.com/news/globe/ideas/articles/2007/08/05/the_downside_of_diversity/.

[42] MEER, Tom van der e TOLSMA, Jochem. "Ethnic Diversity and Its Effects on Social Cohesion", *Annual Review of Sociology* (julho de 2014). Disponível em: http://www.annualreviews.org/doi/abs/10.1146/annurev-soc-071913-043309.

[43] ABASCAL, Maria e BALDASSARRI, Delia. "Don't Blame Diversity for Distrust", *The New York Times* (20 de maio de 2016). Disponível em: http://www.nytimes.com/2016/05/22/opinion/sunday/dont-blame-diversity-for-distrust.html?_r=1.

[44] Imigrantes muitas vezes fazem o trabalho que os próprios cidadãos de um país não

querem fazer. Com o envelhecimento da população, logo haverá um grande número de vagas que a sociedade na Terra da Abundância terá muita dificuldade de encontrar gente para preencher. Então por que transformar nossos produtivos empresários, engenheiros, cientistas e acadêmicos em cuidadores de idosos, faxineiros e trabalhadores rurais, quando nós podemos contar com a ajuda de imigrantes para executar essas tarefas? Se ocorrer qualquer perda de vaga para a população nativa, será um problema temporário e localizado. Além disso, os imigrantes costumam preencher vagas previamente ocupadas por outros imigrantes.

[45] BORJAS, George. "Immigration and the American Worker. A Review of the Academic Literature", Center for Immigration Studies (abril de 2013). Disponível em: http://cis.org/sites/cis.org/files/borjas-economics.pdf.

[46] SHIERHOLZ, Heidi. "Immigration and Wages: Methodological advancements confirm modest gains for native workers", Economic Policy Institute (4 de fevereiro de 2010). Disponível em: http://epi.3cdn.net/7de74ee0cd834d87d4_a3m6ba9j0.pdf. Veja também OTTAVIANO, Gianmarco I. P. e PERI, Giovanni. "Rethinking the Effect of Immigration on Wages". Disponível em: http://www.nber.org/papers/w12497.

[47] DOCQUIERA, Frederic, OZDEN, Caglar e PERI, Giovanni. "The Wage Effects of Immigration and Emigration", OCDE (20 de dezembro de 2010). Disponível em: http://www.oecd.org/els/47326474.pdf.

[48] COWEN, Tyler. *Average Is Over. Powering America Beyond the Age of the Great Stagnation*. Dutton, 2013, p. 169.

[49] GIULIETTI, Corrado, GUZI, Martin, KAHANEC, Martin e ZIMMERMANN, Klaus F. "Unemployment Benefits and Immigration: Evidence from the EU", Institute for the Study of Labor (outubro de 2011). Disponível em: http://ftp.iza.org/dp6075.pdf.

Nos Estados Unidos, veja KU, Leighton e BRUEN, Brian. "The Use of Public Assistance Benefits by Citizens and Non-Citizen Immigrants in the United States", Cato Institute (19 de fevereiro de 2013). Disponível em: http://object.cato.org/sites/cato.org/files/pubs/pdf/workingpaper-13_1.pdf.

[50] OCDE. "International Migration Outlook", p. 147. Disponível em: http://www.global-migrationgroup.org/sites/default/files/Liebig_and_Mo_2013.pdf.

[51] CZAIKA, Mathias e HAAS, Hein de. "The Effect of Visa Policies on International Migration Dynamics", DEMIG Project Paper (abril de 2014). Disponível em: http://www.imi.ox.ac.uk/publications/wp-89-14.

[52] MASSEY, Doug. "Understanding America's Immigration 'Crisis'", *Proceedings of the American Philosophical Society* (setembro de 2007). Disponível em: https://www.amphilsoc.org/sites/default/files/proceedings/1510304.pdf.

[53] GALLUP. "700 Million Worldwide Desire to Migrate Permanently". Disponível em: http://www.gallup.com/poll/124028/700-million-worldwide-desiremigrate-permanently.aspx.

[54] WITTENBERG, Dick. "De terugkeer van de Muur", *De Correspondent*. Disponível em: https://decorrespondent.nl/40/de-terugkeer-van-de-muur/1537800098648e4.

[55] MATTHEWS, Dylan. "Americans already think a third of the budget goes to foreign aid. What if it did?", *The Washington Post* (8 de novembro de 2013). Disponível em: https://www.washingtonpost.com/news/wonk/wp/2013/11/08/americans-already--think-a-third-of-the-budget-goes-to-foreign-aid-what-if-it-did/.

[56] WALMSLEY, Terrie L., WINTERS, L. Alan, AHMED, S. Amer e PARSONS, Christopher R. "Measuring the Impact of the Movement of Labour Using a Model of Bilateral

Migration Flows", Banco Mundial. Disponível em: https://www.gtap.agecon.purdue. edu/resources/download/2398.pdf.

57 CARENS, Joseph. "Aliens and Citizens: The Case for Open Borders", *Review of Politics* (primavera de 1987). Disponível em: http://philosophyfaculty.ucsd.edu/faculty/rarneson/phil267fa12/aliens%20and%20citizens.pdf.

CAPÍTULO 10: COMO IDEIAS MUDAM O MUNDO

1 KEOHANE, Joe. "How facts backfire", *Boston Globe* (11 de julho de 2010). Disponível em: http://archive.boston.com/bostonglobe/ideas/articles/2010/07/11/how_facts_backfire/. Veja também FESTINGER, Leon, RIECKEN, Henry e SCHACHTER, Stanley. *When Prophecy Fails: A Social and Psychological Study of a Modern Group That Predicted the Destruction of the World* (1956).

2 O website do grupo de pesquisa é: http://www.culturalcognition.net.

3 KLEIN, Ezra. "How politics makes us stupid", *Vox* (6 de abril de 2014). Disponível em: http://www.vox.com/2014/4/6/5556462/brain-dead-how-politics-makes-us-stupid.

4 BAKALAR, Nicholas. "Shorter Workweek May Not Increase Well-Being", *The New York Times* (28 de agosto de 2013). Disponível em: http://well.blogs.nytimes. com/2013/08/28/shorter-workweek-may-not-increase-well-being/.

5 GRANT, Katie. "Working Shorter Hours May Be 'Bad For Health'", *Telegraph* (22 de agosto de 2013).

6 Claro, depois acabei lendo esse estudo. Cito o resumo da pesquisa: "Embora a satisfação com as horas trabalhadas tenha aumentado, essa redução não teve impacto na satisfação com o emprego e com a vida... Além disso, efeitos positivos do turno mais curto podem ter sido anulados pela maior intensidade do trabalho naquelas horas." Em outras palavras, os sul-coreanos passaram a ter uma jornada mais curta, mas ao mesmo tempo estavam trabalhando mais duro, sob pressão maior, naquele período.

7 KUKLINSKI, James H. et al. "Misinformation and the Currency of Democratic Citizenship", *Journal of Politics* (agosto de 2010), p. 810. Disponível em: http://richarddagan.com/framing/kuklinski2000.pdf. Que choques podem ser bastante eficazes, isso foi provado naquela noite de dezembro de 1954. Quando nenhum disco voador chegou, um membro da seita decidiu abandonar o grupo. Ele parou de acreditar depois da imensa "desconfirmação" à meia-noite, relatou Festinger. (Isso não surpreende, porque ele era justamente o que tinha investido menos naquela convicção, pois abriu mão apenas de uma viagem de Natal ao Arizona para estar ali naquela noite.)

8 ASCH, Solomon. "Opinions and Social Pressure", *Scientific American* (novembro de 1955). Disponível em: http://kosmicki.com/102/Asch1955.pdf.

9 GREENSPAN, Alan. "Speech at the American Bankers Association Annual Convention, New York" (5 de outubro de 2004). Disponível em: http://www.federalreserve. gov/boarddocs/Speeches/2004/20041005/default.htm.

10 Apud ANDREWS, Edmund L. "Greenspan Concedes Error on Regulation", *The New York Times* (23 de outubro de 2008). Disponível em: http://www.nytimes. com/2008/10/24/business/economy/24panel.html.

11 Ele disse isso numa entrevista à ABC News disponível em: http://abcnews.go.com/ ThisWeek/video/interview-alan-greenspan-10281612.

12 KRUDY, Edward. "Wall Street cash bonuses highest since 2008 crash: report", *Reuters* (12 de março de 2014). Disponível em: http://www.reuters.com/article/us-usa-bonuses-idUSBREA2B0WA20140312.

[13] TIEKSTRA Jurgen. "Joris Luyendijk: 'Dit gaat helemaal fout'", *Volzin* (setembro de 2013). Disponível em: http://www.duurzaamnieuws.nl/joris-luyendijk-dit-gaat-hele-maal-fout/.

[14] Veja, por exemplo, FRIEDMAN, Milton. "Neo-Liberalism and its Prospects", *Farmand* (17 de fevereiro de 1951). Disponível em: http://0055d26.netsolhost.com/friedman/pdfs/other_commentary/Farmand.02.17.1951.pdf.

[15] HAYEK, F. A. "The Intellectuals and Socialism", *University of Chicago Law Review* (primavera de 1949). Disponível em: https://mises.org/etexts/hayekintellectuals.pdf.

[16] Apud BURGIN, Angus. *The Great Persuasion. Reinventing Free Markets since the Depression* (2012), p. 13.

[17] Apud ibid., p. 169.

[18] Ibid., p. 11.

[19] Ibid., p. 221.

[20] FUKUYAMA, Francis. *O fim da história e o último homem.* Rio de Janeiro: Rocco, 1992.

[21] Ao fim de sua vida, Friedman disse que havia apenas um filósofo que ele havia realmente estudado a fundo: o austríaco Karl Popper. Popper argumentava que a boa ciência revolve em torno da "falseabilidade", exigindo uma busca contínua por coisas que não se encaixam em sua teoria em vez de procurar apenas a confirmação dela. No entanto, como vimos, a maioria das pessoas aborda teorias da forma contrária. Esse também parece ser justamente o ponto em que o neoliberalismo – e o próprio Friedman – errou.

[22] MUDGE, Stephanie. "The Social Bases of Austerity. European Tunnel Vision & the Curious Case of the Missing Left", *SPERI Paper No. 9* (fevereiro de 2014). Disponível em: http://speri.dept.shef.ac.uk/wp-content/uploads/2013/01/SPERI-Paper-No.9-The--Social-Bases-of-Austerity-PDF-579KB.pdf.

[23] KEYNES, John Maynard. *A teoria geral do emprego, do juro e da moeda* (1936). São Paulo: Nova Cultura, 1996, último parágrafo.

[24] WILDE, Oscar. *A alma do homem sob o socialismo* (1891). Porto Alegre: L&PM, 2003.

[25] Apud BURGIN. *The Great Persuasion*, p. 217.

[26] KEYNES. *A teoria geral do emprego, do juro e da moeda*, último parágrafo.

EPÍLOGO

[1] Já que estamos falando desse assunto, quem melhor para iniciar isso do que o maior empreendedor capitalista de risco da história: o governo. Afinal, quase toda inovação pioneira é financiada pelo contribuinte. Cada unidade de tecnologia fundamental no seu iPhone – por exemplo, sensores capacitivos, memória de estado sólido, GPS, internet, comunicação celular, Siri, microchips e a tela de toque – foi inventada por pesquisadores na folha de pagamento do governo. Veja MAZZUCATO, Mariana. *O estado empreendedor: desmascarando o mito do setor público vs. setor privado.* São Paulo: Portfolio-Penguin, 2014.

[2] WARE, Bronnie. *Antes de partir: os 5 principais arrependimentos que as pessoas têm antes de morrer.* São Paulo: Geração Editorial, 2017.

Agradecimentos

Ninguém escreve um livro sozinho, mas nunca antes tive uma rede de apoio tão vasta. Minha gratidão em primeiro lugar aos jornalistas do *The Correspondent*, minha casa como escritor, que ajudaram com comentários e dicas sobre artigos e livros, assim como apontando vários erros. Também a meus colegas, em especial aqueles que leram todo ou parte do manuscrito – Jesse Frederik, Andreas Jonkers, Erica Moore, Travis Mushett e Rob Wijnberg –, devo uma enorme gratidão.

Meu muito obrigado à equipe de design da Momkai – Martijn van Dam, Harald Dunnink, Shannon Lea, Cynthia Mergel, Leon Postma e Frazer Sparham – pelos excelentes gráficos informativos (e por sua paciência infinita todas as vezes que lhes pedi que fizessem mais uma pequena mudança).

Foi uma grande honra ter Wil Hansen como meu editor para a versão original holandesa deste livro. Mais uma vez, ele me salvou de lógicas falhas e frases mal formuladas. Sou igualmente grato a Elizabeth Manton, a tradutora do livro para o inglês, por sua sensibilidade com a língua e suas contribuições valiosas. Quando as pessoas me perguntavam como estava indo a tradução do livro para o inglês, eu logo confessava minha preocupação de que a versão pudesse se tornar muito melhor que o original.

Este livro nunca poderia ter sido um sucesso sem minha incrível editora holandesa, Milou Klein Lankhorst. Ela também me colocou em contato com Rebecca Carter, que se tornou minha agente e estava convencida do potencial do meu livro. Ela me apresentou aos meus editores Ben George, da Little, Brown, e Alexis Kirschbaum, da Bloomsbury, cujos comentários aprimoraram ainda mais este livro.

Por fim, tive a bênção do apoio de minha família, amigos e, acima de tudo, Maartje. Ela fez críticas que às vezes eram difíceis de aceitar, mas que foram indispensáveis, pela simples razão de que ela estava geralmente certa.

Por qualquer falha de argumentação, frases desajeitadas ou ilusões inatingíveis que restem, assumo total responsabilidade.

Para saber mais sobre os títulos e autores da Editora Sextante,
visite o nosso site e siga as nossas redes sociais.
Além de informações sobre os próximos lançamentos,
você terá acesso a conteúdos exclusivos
e poderá participar de promoções e sorteios.

sextante.com.br